国家社会科学基金"十三五"规划2018年度教育学重大招标课题
"建设教育强国的国际经验与中国路径研究"阶段性研究成果

全球教育治理研究系列

中国教育治理研究

A Study of Education Governance in China

主　编　周洪宇　副主编　王建梁
周洪宇　李中伟　陈新忠　著

长江出版传媒 | 湖北教育出版社

(鄂)新登字 02 号

图书在版编目(CIP)数据

中国教育治理研究/周洪宇,李中伟,陈新忠著.
—武汉:湖北教育出版社,2020.6
(全球教育治理研究系列)

ISBN 978-7-5564-1771-1

Ⅰ.①中…
Ⅱ.①周… ②李… ③陈…
Ⅲ.①教育管理-研究-中国
Ⅳ.①G526

中国版本图书馆 CIP 数据核字(2020)第 049802 号

中国教育治理研究 ZHONGGUO JIAOYU ZHILI YANJIU

出品人	方 平	策 划	刘 艺
责任编辑	黄佑志 万 婵 刘 宁 裴晓雷 朱思思 邓珍珍 李晋阳	责任校对	王艳波
封面设计	牛 红 何亦明	责任督印	张遇春

出版发行	长江出版传媒	430070 武汉市雄楚大道 268 号
	湖北教育出版社	430070 武汉市雄楚大道 268 号
经 销	新 华 书 店	
网 址	http://www.hbedup.com	
印 刷	湖北恒泰印务有限公司	
地 址	武汉市江夏庙山开发区汤逊湖工业园	
开 本	710mm×1000mm 1/16	
印 张	15.25	
字 数	215 千字	
版 次	2020 年 6 月第 1 版	
印 次	2020 年 6 月第 1 次印刷	
书 号	ISBN 978-7-5564-1771-1	
定 价	80.00 元	

总　序

站在人类历史拐点探求全球教育治理之道

当我们把目光做一个转向聚焦，跳出教育，纵观世界，我们会惊奇地发现当今人类历史发展已处在新的拐点处——第四次工业革命正扑面而来，势不可当。这将给人类社会带来前所未有的系统而深刻的变革，也无疑会成为下一个时代教育的起点，并促使教育的变革与发展也随之迎来新的拐点。第四次工业革命的车轮驱动着全球化、新工业化、生态化、智能化和数据化时代滚滚向前，对教育发展变革，尤其是教育治理，带来了前所未有的冲击与挑战。这是全球教育治理以及中国教育治理必须构建的宏观视野。

一、人类历史拐点与教育发展的十字路口

在人类社会发展的历史长河中，技术革新和传播持续推动着人类创造新的世界。从农耕时代到工业时代再到信息时代，人类历史不断从一个阶段迈向另一个阶段。信息时代是人类正在经历的发展阶段，这个阶段无疑只是人类漫漫历史征程中的一个特定时期。未来，人类将走向何方？还可以走多远？

历史上，工业革命是指工业化进程中所发生的重大变革。新的制造工具的应用，推动了工业发生根本性的变革，引起了工业从旧质飞跃到新质，使国民经济的产业结构发生了重大的变化，进而使经济社会各方面出现了崭新面貌，推动了人类社会发展的进程和文明的程度。[①] 人类进入工业文明阶段后至今已经发生了三次工业革命。从18世纪第一次工业革命的机械化，到19世纪第二次工业革命的电气化，再到20世纪第三次工业革命的信息化，一次

① 周洪宇. 周洪宇论第三次工业革命[M]. 武汉：湖北教育出版社，2014：215.

次颠覆性的科技革新，带来社会生产力的巨大解放和生活方式的大变革，从根本上改变了人类发展的历史轨迹。

统观前三次工业革命，可以发现它们对世界发展格局都产生了巨大影响。一是都极大地促进了社会生产力的发展，带来了工业布局的新变化。第一次工业革命随一波创新浪潮而来，例如蒸汽机和棉纺机的发明。它伴随着一次历史性剧变，带来许多系统性的变化，如城市化、大众教育和农业产业化等。第二次工业革命的核心是电气化和大规模生产，为世界带来了全新的社会模式和生产方式。第三次工业革命，以电子、信息技术和网络为核心，也被称为数字革命，在过去的七十多年，实现了生产的自动化，世界互联互通，使传统的物理世界彻底颠覆。二是都引起了社会关系的重大变革。第一次工业革命导致近代社会工业无产阶级和资产阶级产生，并开启了大规模的城市化进程。第二次工业革命致使垄断组织出现，并与国家政权结合，使自由资本主义过渡到垄断资本主义。第三次工业革命使国家垄断资本主义强化，第三产业比重上升。三是都对世界格局产生巨大影响。第一次工业革命确立了资本主义对世界的统治，殖民扩张造成东方从属于西方。第二次工业革命最终形成资本主义世界体系、殖民体系，世界成为一个密不可分的整体。第三次工业革命推动了国际经济结构的调整，全球化加速，世界各国经济相互依存，联系日益紧密。相较农耕文明时代而言，工业文明时代的人类更深刻地改变和影响了地球。第一、二次工业革命所创造的财富与统治力所向披靡、无可抵挡。第三次工业革命呈现了信息技术革命、生物技术革命等新形态，表现为新能源、新技术、新材料与互联网的融合、创新和运用。①它继续推进及强化了人类对自然的改造和控制力。

进入21世纪，科技推动社会飞速发展，大数据、人工智能、云计算等前沿技术不断取得突破，新技术、新业态、新产业层出不穷。这些因素促使第四次工业革命浪潮汹涌而至，这是一场更大范围、更深层次的科技革命和产业变革，即将深刻改变人类社会的发展进程。“第四次工业革命论”首倡者、世界经济论坛主席克劳斯·施瓦布所著的《第四次工业革命》一书认

① 周洪宇.周洪宇论第三次工业革命[M].武汉：湖北教育出版社，2014：218.

为这场革命正以前所未有的态势向我们席卷而来。其发展速度之快、范围之广、程度之深丝毫不逊于前三次工业革命。第四次工业革命的核心是智能化与数据化，它将数字技术、物理技术、生物技术有机融合在一起，即通过技术融合消除数字世界、物理世界和生物世界之间的界限。[①]因此迸发出强大的力量，对我们的经济和社会产生深刻影响。可植入技术、数字化身份、物联网、3D打印、人工智能、区块链、大数据、纳米技术、生物技术、材料科学、能源储存、量子计算等技术变革同步进行，融合形成一个高度灵活、人性化、数字化的产品生产与服务模式。与前三次工业革命不同，本次工业革命呈现出指数级而非线性的发展速度。原因在于我们目前生活在一个万物互联的世界，而且新技术也在不断催生更新、更强大的技术。创新的发展速度和传播速度比以往任何时候都快。这是一场深刻的系统性变革。它不仅从根本上改变了我们的生活、工作以及相互之间的关系，更改变了整个社会和我们的身份。

这些变革让各国、各类组织、人与人之间的利益和命运紧密相连，深度交融。我们认识和理解这次革命需要跨界思维。这次革命在推动生产力水平提高、物质丰富的同时，也将从速度、深度、广度上给个人以及经济、政治、社会和文化的发展带来新的冲击和变化、机遇与挑战。然而，世界经济新旧动能转换尚未完成，南北失衡等深层次、结构性问题还未消除。地缘政治冲突此起彼伏，保护主义和单边主义愈演愈烈。[②]这些问题与第四次工业革命带来的冲击合流，将成为影响世界和平与发展的不稳定因素。这正是我们今天所处的时代，是我们正面临的人类发展的历史拐点。

第四次工业革命和伴随着它的系统性变化，将会比以往任何时候都更加强调合作参与，要求进一步改变协同参与的方式，要求我们共同构想自己将要创造的未来。面对全球发展对沟通、合作越来越多的需求和依赖，每个国家都应该积极推进开放分享。德国政府在《德国2020高技术战略》中提出的

---

① World Economic Forum. The Fourth Industrial Revolution，by Klaus Schwab [EB/OL].[2020-01-14]. http://www. weforum. org/about/the-fourth-industrial-revolution-by-klaus-schwab.

② 习近平. 让美好愿景变为现实——在金砖国家领导人约翰内斯堡会晤大范围会议上的讲话[N]. 人民日报，2018-07-27（3）.

十大未来项目之一——工业4.0，旨在提升制造业的智能化水平，建立具有适应性、资源效率及基因工程学的智慧工厂，在商业流程及价值流程中整合客户及商业伙伴。其技术基础是网络实体系统及物联网。这是发达国家对第四次工业革命的积极回应。

全人类历史拐点的出现，把正在现代化建设道路上奋力前行的东方第一大国——中国再一次推到了历史的十字路口。前两次工业革命的缺席，使中国没有赶上西方的工业化进程，而成为工业化的后发国家。从中华人民共和国成立后的第一个五年计划起，中国在工业基础十分薄弱的条件下，开始了以工业化为核心的现代化征程。经历了从传统的社会主义工业化道路到改革开放后的中国特色社会主义工业化道路的转型，中国工业化取得了巨大的成就，中国已经从农业经济大国转变为工业经济大国。但它的工业化仍然没有完成，工业化进程仍在途中。今天，正当中国即将快速跨入工业化国家行列之际，人们眼前却横出一块“工业文明将就此止步”的警示牌，令中国蓦然站在时代大转型的历史关口。

站在人类历史拐点处，中国该何去何从？作为全球化进程的重要参与者，当前的中国也面临着经济、社会转型等重大问题。中国经济已由高速增长阶段转向高质量发展阶段，正处在转变发展方式、优化经济结构、转换增长动力的攻关期，迫切需要抓住第四次工业革命的机遇，寻找可持续发展的原动力。

放眼全球，人类正面临百年未有之大变局。基于互联网技术的智能化、数据化高度融合的第四次工业革命已经来临。我们不仅需要反思我们的经济、社会和政治体制，还需要反思我们的教育是否能够适应和引领这场深刻的变革，反思教育这把钥匙能否打开一扇可以让我们看到希望和未来的思考之门。

二、全球化新文明时代的教育治理

如果说告别工业化社会、迎接第四次工业革命带来的新文明是人类走出当前困境的必由之路，那么，由此催生的全球化时代则使全球治理成为现实。正在蓬勃发展的全球治理实践给全球教育治理带来了新的动力，进一步推动了全球教育治理的发展。

21世纪，随着全球化、区域一体化进程的持续发展，人类日益成为一个命运共同体。以人工智能、数据化等深度融合为标志的第四次工业革命让这种趋势愈发加速。人工智能及相关技术带来的安全和治理挑战是需要全人类共同面对的问题。同时，人类还面临许多领域的问题，如核威胁、气候变化、环境污染、疾病流行等。这些问题一旦爆发，各国很难独善其身。这就需要各国具备全球视野，协同合作，共同解决这些问题。“人类的政治生活正在发生重大的变革，其中最引人注目的变化之一，便是人类政治过程的重心正在从统治（government）走向治理（governance），从善政（good government）走向善治（good governance），从政府的统治走向没有政府的治理（governance without government），从民族国家的政府统治走向全球治理（global governance）。”[①]全球治理是国际体系中以主权国家为核心的各个行为体共同合作，通过正式制度和非正式制度安排，协调各自利益和政策，以应对全球化时代人类社会必须面对的各种跨国的全球性挑战，并支持各个国家实现国家治理水平提升的活动。从中国的角度看，全球治理与国家治理是当代中国两大战略考量。日渐崛起的当代中国，经济总量居于世界前列，成为世界经济增长的新引擎，国际社会赋予中国更多责任与希望。中国积极参与全球治理，有助于澄清当下国际社会对中国的质疑与误解，表明当代中国的担当，有助于化解国际社会对中国“参与不足”的指责，表明当代中国维护人类共同利益、推进人类共同进步的理念与追求，有助于赢得国际社会的尊重，从而引领着人类的发展。

教育治理是全球治理的一个重要组成部分，也是国家治理的具体内容。全球治理和国家治理的推进势必促进教育治理的发展。第四次工业革命必将深刻改变人类的学习方式和生活方式，引发人们对于“人”的价值的进一步思考。教育和教育治理的理念、规则、方式也不可避免地要受到影响和冲击。世界银行发布的年度旗舰报告《2018年世界发展报告：学习以实现教育的承诺》(World Development Report 2018：Learning to Realize Education’s

① 俞可平. 全球治理引论[J]. 马克思主义与现实，2002（1）.

Promise)指出，全球教育面临“学习危机”——上学却没学到知识，这不仅是浪费发展机遇，也是对全世界儿童和青少年的巨大不公。造成“学习危机”的一个重要原因就是低效的教育管理和治理。

近年来，全球教育治理的理念正在出现新的变化。2015年年底，联合国教科文组织发布了一份新的研究报告《反思教育：向“全球共同利益”的理念转变？》（Rethinking Education: Towards a Global Common Good？）。这是联合国教科文组织成立七十多年以来，继1972年出版的研究报告《学会生存：教育世界的今天和明天》（Learning to Be：The World of Education Today and Tomorrow，又称《富尔报告》，即Faure Report）和1996年出版的研究报告《教育——财富蕴藏其中》（Learning：The Treasure Within，又称《德洛尔报告》，即Delors Report）之后，又一份非常重要的报告。联合国教科文组织总干事伊琳娜•博科娃在这一报告的《序言》中开门见山地写道：“我们在21世纪需要怎样的教育？在当前社会变革的背景下，教育的宗旨是什么？应如何组织学习？本出版物的思想便是因这些问题有感而发。”她继而写道：“我确信，我们今天需要对教育再次做出高瞻远瞩的思考。”博科娃认为“再没有比教育更加强大的变革力量”。她进而强调“教育促进人权和尊严，消除贫穷，强化可持续性，为所有人建设更美好的未来”，“教育以权利平等和社会正义、尊重文化多样性、国际团结和分担责任为基础”。她最后指出：“我们必须高瞻远瞩，在不断变化的世界中重新审视教育。”这种重新审视的结果就是我们21世纪的教育应该向“全球共同利益”的理念转变。可以断定，这份报告必定像前两份报告那样对世界教育的发展产生重大影响。

随着全球一体化进程加速，全球性教育问题（如教育不平等、“学习危机”等）将持续存在而且有复杂化的趋势。通信技术、信息技术和互联网技术的飞速发展，也让教育领域的许多问题，如信息技术背景下的核心素养、信息技术教育、教育与经济同步发展、教育与创新等，成为具有全球性特质的难题。要解决这些问题，客观上要求全球教育治理这一理念、方式及行动在世界各国教育领域中发挥越来越重要的作用。它要求世界各国站在全球的高度，运用现代治理的理论和理念，以主权国家为主体，充分运用国际政府组织、国际非政府组织、公民社会等的力量，寻求问题的最佳解决方案。教育领域已显现了全球化的负面影响，需要更有效的全球治理。[①]世界主要国家，国际组织如联合国教科文组织、世界银行、经合组织、联合国儿童基金会、二十国集团、全球教育合作组织等，全球知名智库如卡耐基教学促进会、布鲁金斯学会、兰德公司、澳大利亚教育研究委员会等，都是参与全球教育治理的行为主体。它们正通过各种方式介入全球教育领域的治理。全球教育治理是顺应时代发展趋势的一种新型治理理论，如何从参与全球教育治理的诸多行为主体的行动中总结全球教育治理的实践经验、提炼理论，如何运用其推动全球教育的发展，成为当前迫切需要研究的课题。

当前，中国正处于推进国家治理体系与治理能力现代化建设的关键阶段，教育领域也不例外。中国实行改革开放的国策，把自身置于世界的开放体系之中。改革开放推动中国教育取得了举世瞩目的巨大成就，教育同步助力改革开放走向更高水平、更高层次。与此同时，教育也面临着新的更大的机遇与挑战。党的十九大确定了中国发展新的历史方位——中国特色社会主义进入了新时代。新时代的社会主要矛盾发生了变化，教育领域的主要矛盾集中体现为人民对优质教育日益增长的需求与教育发展的不平衡不充分之间的矛盾。2019年2月，中国颁布了《中国教育现代化2035》和《加快推进教育现代化实施方案（2018—2022年）》，明确了未来一段时期中国教育发展的总体思路、战略任务、实施路径与保障措施。《中国教育现代化2035》提出对内要“加快推进教育现代化、建设教育强国，办好人民满意的教育”，对外则是要开创教育对外开放新格局，“积极参与全球教育治理，深度参与国际教育规则、标准、评价体系的研究制定。推进与国际组织及专业机构的教育交流合作。健全对外教育援助机制”。[②]文件方案的出台标志着中国教育现代化走向新时代、新目标和新征程。[③]推进教育现代化、建设

① 卡伦·芒迪. 全球治理与教育变革：跨国与国际教育政策过程研究的重要性[J]. 申超，译. 北京大学教育评论，2011（1）.

② 中共中央、国务院印发《中国教育现代化2035》[N].人民日报，2019-02-04（1）.

③ 周洪宇，刘大伟. 中国教育现代化走向新时代新目标新征程[N]. 中国教育报，2019-04-01（1）.

教育强国和参与全球教育治理势必对教育治理的理念、体系、制度、内容、方法等提出新的要求。当前，中国已置身于第四次工业革命主导的全球化、智能化、数据化、信息化、生态化时代，教育治理理念也将升级换代。第四次工业革命这一全人类共同面临的巨大变革，同样对不断深化改革、扩大开放的中国产生影响，也对中国的教育治理提出全方位挑战。对于当今的中国而言，建立现代教育治理体系、完善学校内部治理结构、推进教育治理体系与教育治理能力的现代化，不仅是重要的，而且是十分紧迫的时代任务。2019年10月召开的中共十九届四中全会通过了《中共中央关于坚持和完善中国特色社会主义制度、推进国家治理体系和治理能力现代化若干重大议题的决定》，提出要把我国制度优势更好地转化为国家治理效能，具体在教育领域，要“发挥网络教育和人工智能优势，创新教育和学习方式，加快发展面向每个人、适合每个人、更加开放灵活的教育体系，建设学习型社会”。十九届四中全会关于教育的论述及时地回应了第四次工业革命给教育带来的机遇和挑战，为国家教育现代化指明了方向。同时，参与全球教育治理亦是中国由教育大国走向教育强国的必由之路。中国由教育大国向教育强国迈进的征程中，在努力实现本国教育现代化的同时，秉持共商共建共享的全球治理观，积极参与全球教育治理，为人类社会贡献中国特色的教育智慧、教育治理方案和力量，既是中国的使命，亦是担当，更是走向教育强国、负责任大国的必然选择。[①]研究国家教育治理及全球教育治理的理论、实践、经验及教训，成为中国教育学术界的当务之急。

三、研究全球教育治理是中国教育学术界的当务之急

作为当代中国怀抱着理想、洋溢着激情、时刻关注着中国乃至人类命运、富有社会责任感和历史使命感的学术研究者，我们有义务也有责任从事教育治理包括全球教育治理的研究工作。作为当下中国主要民间教育智库之一的长江教育研究院及高校教育智库——华中师范大学国家教育治理研究

---

① 周洪宇，付睿．参与全球教育治理：从教育大国走向教育强国的必由之路[J]．世界教育信息，2018（3）．

院的重要成员，我们有义务也有责任从事教育治理包括全球教育治理的研究工作。我们的研究原则是“全球视野，中国本位，问题导向，专业研究”，这与我们智库的定位与目标“立足华中，影响全国，走向世界”，研究风格“全球视野，中国特色，专业能力，实践导向”，以及基本宗旨“民众立场，建设态度，专业视野”等，都是一致的。我们希望通过开展全球教育治理研究，“出思想，出人才，出产品，出效益”，真正发挥学术研究者的作用，推动中国的教育改革和发展，推进中国的教育治理体系与治理能力现代化进程，乃至促进全球教育治理理念、结构与体系的变革。

为此，我们以长江教育研究院、华中师范大学国家教育治理研究院的专家学者为主，同时邀请国内外知名高校的一批国别教育研究专家参与，组织撰写了这套“全球教育治理研究系列”。这套丛书的编写目的，就是要在全球化及第四次工业革命的背景下，探讨全球教育治理的理念、经验教训和趋势，进而讨论中国教育治理的发展道路。丛书涉及三个层面的视角，即超国家层面、国家层面、次国家层面。超国家层面主要研究联合国相关部门、国际组织、大型跨国公司等，分析其对全球教育治理进行研究的成果、形成的研究报告和政策是怎样影响世界各国的。国家层面研究各国在全球教育治理的背景下是如何根据本国国情进行本国国家教育治理的。次国家层面更加中观和微观地审视一个国家各级行政区划内部的教育治理，甚至细化研究一类教育类型的治理或者一所学校的治理。丛书围绕上述三个层面开展研究，力图完整清晰地展示全球教育治理的全貌及其基本特征，为教育研究者、教育工作者提供一个全面深入了解全球教育治理的窗口。

几年前，我在组织编写“教育智库与教育治理研究丛书”（共14册，湖北教育出版社2016年出版）的同时，就已经设想接着要向两头延伸，继续组织编写“全球教育治理研究系列”和另一套“全球教育智库研究丛书”，最终形成“教育智库与教育治理研究”的“三部曲”。为此，2016年编写出版第一套研究丛书后就以第一套丛书的部分作者为基础，本着五湖四海、众志成城的基本原则，在全国物色合适作者，在综合考虑研究能力与研究专长的基础上，最终确定了本丛书各册的写作者。与此同时，由湖北教育出版社牵头积极申报国家出版基金资助项目，“全球教育治理研究系列”成功获批

2017年度国家出版基金资助立项，使后续工作有了良好的开局。

“全球教育治理研究系列”共10册，具体如下：

1.《全球教育治理研究导论》（华中师范大学教授、博士生导师周洪宇，华中师范大学副教授付睿著）

2.《中国教育治理研究》（华中师范大学教授、博士生导师周洪宇，湖北大学教务处副处长、博士后李中伟，华中农业大学教授陈新忠著）

3.《美国教育治理研究》（华中师范大学教授戴伟芬，湖北幼儿师范高等专科学校学前教育系副主任李娜等著）

4.《英国教育治理研究》（浙江大学教授阚阅著）

5.《德国教育治理研究》（华中师范大学副教授岳伟著）

6.《日本教育治理研究》（湖北大学教授赵霞著）

7.《加拿大教育治理研究》（中南民族大学教授汪丞，加拿大布鲁克大学教授、博士生导师路春雷，加拿大布鲁克大学博士后荣文婷著）

8.《俄罗斯教育治理研究》（辽宁师范大学副教授乔桂娟著）

9.《印度教育治理研究》（华中师范大学教授、博士生导师王建梁著）

10.《南非教育治理研究》（华中师范大学副教授李先军著）

“全球教育治理研究系列”有总有分，总分结合，以分为主，由点到面，兼顾发达国家和欠发达国家，覆盖面尽量广一些。其中，《全球教育治理研究导论》主要从超国家层面研究全球教育治理的基本理论，以及重要的国际组织、知名智库、机构参与全球教育治理的理论及其实践，并对中国参与全球教育治理的情况进行梳理分析，试图从整体上建构全球教育治理的一般理论体系，为中国及其他行为主体参与全球教育治理提供理论和实践基础。其他各册以国家层面为主，同时兼顾次国家层面，对全球重要国家的国家教育治理理论及经验进行研究，指出对中国进行国家教育治理及参与全球教育治理的可借鉴之处及启示。

受湖北教育出版社委托，全套图书由我担任主编，提出研究思路，规划整体布局，拟定研究大纲，草拟写作体例，统审系列书稿。比较教育专家王建梁教授担任副主编，协助我联络作者，审改初稿，处理日常事务。我们希望未来在此基础上再组织一套以教育治理不同方面为重点的研究系列，与此套丛书相辅相成，相得益彰。在此，我代表丛书编委会向丛书的各位作者及编辑人员表达诚挚的敬意，向对此套丛书编写出版工作作出指导与提供支持的各界人士表示感谢。由于教育治理研究，尤其是全球教育治理研究，在国内才刚刚起步，基本上没有什么可供参考的论著，完全是靠我们自己的摸索，此套丛书不成熟之处在所难免，还请各位读者不吝指教。

周洪宇

2020年5月1日

目　录

绪　论

一、教育治理的基本理论

教育治理是学者将“治理”一词应用于教育领域的产物，它随“治理”概念的兴起而形成与发展。对教育产品的供给方式、公共价值的复兴重建、教育决策的公众参与产生了深远的影响。国际教育改革的一个重要的共通方向就是以治理理论为指导，力求突破传统的教育行政体制，建立教育治理机制。

（一）治理

治理是人类追求政治文明进步和社会发展的新理念和新思路，标志着人类对社会发展规律有了新的和更深刻的认识。

1.“治理”一词的出现

从汉语词源上看，“治理”有着悠久的历史和特定的含义。根据《说文解字》，“治”为水名，引申演化为整治、修治；“理，治玉也。”顺玉之纹而剖析之。结合起来，“治理”在中国传统文化中具有顺时、顺势而为之意。

在英语中，governance这个词源于古希腊语“kubernan”（意为引航或驾车），柏拉图将其引申为对人的统治与管理，并由此诞生了相应的拉丁语“gubernare”和“gubernantia”（意为掌舵、导航），以及后来的英语“govern，government，governance”和法语“gouverner，gouvernement，gouvernance”（意为控制、引导和操纵）等语义极近的词汇。这些词的基本含义是统治与管理，但“governance”更多的是指统治与管理的艺术或方式。

从13世纪起，“治理”这个词就在法国阶段性地流行过，曾是表达政府开明、尊重市民社会的一个要素。在17世纪和18世纪，“治理”是王权和议会权力平衡讨论中所涉及的重要内容之一。当时，王权在实现过程中开始遵循一些新的原则，而从这些新原则中诞生了民众权利和市民社会理念。[①]

20世纪70年代以来，伴随着股份制公司的出现，所有权与控制权分离，现代意义上的治理思想由此萌芽。1989年，世界银行首次使用“治理危机”一词，来描述非洲国家陷入混乱、经济和社会发展受阻的公共管理情形。“治理”一词正式出现于超国家组织文件中。在世界银行看来，治理是为了发展而在一个国家的经济和社会资源管理中运用权力的方式。自此以后，“治理”一词便被用于政治发展研究中。

到了20世纪90年代，治理不再局限于政治学范畴，国际多边与双边机构、学术团体及民间志愿组织等将其广泛运用于政治学、经济学、社会学、管理学等多个领域。一些国际组织通过发表报告的形式，让治理概念走向全球。1992年，世界银行发布《治理与发展》报告。1996年，经合组织发布《促进参与式发展和善治的项目评估》报告。同年，联合国开发计划署发布《人类可持续发展的治理、管理的发展和治理的分工》报告。1997年，联合国教科文组织出台了一份名为《治理与联合国教科文组织》的文件；联合国相关机构还成立了全球治理委员会，并出版了一本名为《全球治理》的杂志。1998年，《国际社会科学杂志》第3期推出了一个名为“治理”的专号。从概念到专刊，“治理”一词逐步得到社会的关注与认可。

2. 治理的内涵特征

如今，治理的理论和实践已波及社会生活的方方面面，“治理”一词涵盖的范围远远超出了传统的意义，成为一种被赋予现代化色彩的词汇。“治理并非是由某一个人提出的理念，也不是某个专门学科的理念，而是一种集体产物，或多或少带有协商和混杂的特征……治理成了集体‘时尚’的一部分。”[②]治理代表了理解世界的新取向，它提醒我们关注现代社会体制赖以生存的多种关系、多种网络（既有国家的也有非国家的，既有正式的也有非正式的），以及如何实现各方的协调。

①② 让-皮埃尔·戈丹. 何谓治理［M］. 钟震宇，译. 北京：社会科学文献出版社，2010：4，19.

（1）国内外的研究

虽然治理是20世纪80年代以来人类社会的普遍发展趋势，成为多学科共同使用的一个流行词语，但治理仍然存在概念上的模糊性和复杂性。正如有学者指出，“过去15年来，它在许多语境中大行其道，以至成为一个可以指涉任何事物或毫无意义的‘时髦词语’”①。一些研究治理理论的国内外知名学者和各类国际与地区组织，对治理的内涵、特征等进行了界定和阐释。但由于各学科领域的分析角度和考察对象不同，关于治理的概念一时众说纷纭，比较经典的有：

詹姆斯·N. 罗西瑙（James N. Rosenau）在其名著《没有政府的治理：世界政治中的秩序与变革》一书中，把治理界定为“一系列活动领域里的管理机制”②，从权威主体、运作方式等众多方面，将治理区别于自上而下的国家统治（government），虽未获得正式授权，却能有效发挥作用。他认为：“治理则是由共同的目标所支持的……它既包括政府机制，同时也包含非正式、非政府的机制，随着治理范围的扩大，各色人等和各类组织得以借助这些机制满足各自的需要，并实现各自的愿望。所以治理就是这样一种规则体系：它依赖主体间重要性的程度不亚于对正式颁布的宪法和宪章的依赖。更明确地说，治理是只有被多数人（或者至少被它所影响的那些最有权势的人接受）才会生效的规则体系；然而，政府的政策即使受到普遍的反对，仍然能够付诸实施。”③由此可见，治理与政府统治不同，治理的内涵更加丰富。

格里·斯托克（Gerry Stoker）提出治理有五个内涵：一是治理意味着一系列来自政府但又不限于政府的社会公共机构和行为者；二是治理意味着在为社会和经济问题寻求解决方案的过程中存在着界限和责任方面的模糊性；三是治理明确肯定了在涉及集体行动的各个公共机构之间存在着权力依赖；

① 鲍勃·杰索普. 治理的兴起及其失败的风险：以经济发展为例的论述［J］. 国际社会科学杂志（中文版），1999（1）.

②③ 詹姆斯·N. 罗西瑙. 没有政府的治理：世界政治中的秩序与变革［M］. 张胜军，刘小林等，译. 南昌：江西人民出版社，2001：5.

四是治理意味着参与者最终将形成一个自主的网络；五是治理意味着办好事情的能力并不仅限于政府的权力，不限于政府的发号施令或运用权威。①通过这一阐释可以看出，治理涉及多主体、政府角色的转化、公共机构参与等特点，同时也存在责任、权力界限模糊性等问题。

阿图尔·本茨（Arthur Benz）在其主编的有关治理的教材中，将治理解释为“一种复杂规则系统中的施政方式”，并从地方、地区、国家、欧盟和全球等各个层次全面分析了治理的内涵与行政、民主之间的关系。②汉斯格特·布劳恩（Hans-Gert Braun）也将治理理解为一种施政方式，他的论文《如何实现善治？》将英文中的“善治”（good governance）解释为“良好的施政引导”（gute Regierungsführung）。③不过，也有学者对“治理”给出了另外的解释。如赫尔穆特·维尔克（Helmut Willke）就将治理解释为一种政治调控（politischer steuerung）。④调控一词（steuerung）在历史上作政治学概念使用时与统治（herrschaft）、施政（regieren）、领导（lenkung）等本无太大区别。但维尔克将治理翻译为政治调控，将统治（government）一词翻译为“传统的执政”（classischem regieren），认为“治理”区别于自上而下的且常常与国家主体相联系的“施政”（regieren）。赫尔穆特·魏森塔尔（Helmut Wiesenthal）则进一步认为，治理理论在某种程度上可算是调控理论的发展，相较于调控，治理的对象偏重于组织和企业，偏重于对经济部门的规范。⑤

英国学者罗伯特·罗茨（Luobote Luoci）曾概括了治理的六种不同用法，即作为最小国家的治理，作为公司治理的治理，作为新公共管理的治

---

① 格里·斯托克. 作为理论的治理：五个论点［J］. 国际社会科学杂志（中文版），1999（1）.

② BENZ A. Governance-Regieren in komplexen Regelsystemen, Eine Einführung［M］. Wiesbaden：VS Verlag für Sozialwissenschaften，2010.

③ BRAUNVHans-Gert. Wie lässt sich gute Regierungsführung fördern?［N］. Neue Zürcher Zeitung，2012-01-06，S. 21.

④ WILLKE H. Regieren Politische Steuerung komplexer Gesellschaften［M］. Wiesbaden：VS Verlag für Sozialwissenschaften，2014，S. 14.

⑤ WIESENTHAL H. Gesellschaftssteuerung und gesellschaftliche Selbststeuerung Eine Einfuhrung［M］. Wiesbaden：VS Verlag für Sozialwissenschaften，2006，S. 25.

理，作为善治的治理，作为社会—控制系统的治理，作为自组织网络的治理。

近年来，治理问题研究备受中国学术界关注，大量优秀成果问世。其中较有代表性的当属俞可平的相关论著。他认为治理是一种权力运作方式，体现为一种工具理性，是指在既定范围内运用权威维持秩序，满足公众的需要，目的是在各种不同的制度关系中运用权力去引导、控制和规范公民的各种活动，以最大限度地增进公共利益。治理不是一整套规则，也不是一种活动，而是一个过程；治理过程的基础不是控制，而是协调；治理既涉及公共部门，也包括私人部门；治理不是一种正式的制度，而是持续的互动。[①]张凤阳等认为，作为一个政治行为范畴，治理通常指在政治系统的特定范围内行使权威，对政务或公共事务作出有效地安排，以维护政治秩序和维护正义价值。[②]《管理学大辞典》将治理定义为个人和机构管理共同事务的诸多方式的总和，是使相互冲突或不同利益得以调和并采取联合行动的持续过程。[③]

一些重要的国际组织也对治理的概念进行了界定。

世界银行认为治理是通过建立一套被接受为合法权威的规则而对公共事务进行公正而透明的管理，是为发展而在管理一个国家的经济和社会资源方面的权力。[④]国际货币基金组织认为治理包含一个国家被管理和统治的所有方面，包括其经济政策和规则框架。欧洲联盟《欧洲治理白皮书》提到，治理是影响到欧洲权力的行使，特别是从开放、参与、责任、效率与和谐的观点出发的规则、程序和行为。[⑤]欧洲援助则将治理定义为国家为其公民服务的能力，指一个社会中利益诉求、资源管理以及权力实施所依赖的规则、过程以及行为。

法国人类进步基金会指出治理是公民利益间关系以及地方、国家和全球

① 俞可平. 治理与善治［M］. 北京：社会科学文献出版社，2000：5.

② 张凤阳，等. 政治哲学关键词［M］. 南京：江苏人民出版社，2014：308.

③ 陆雄文. 管理学大辞典［M］. 上海：上海辞书出版社，2013.

④ 皮埃尔·卡蓝默. 破碎的民主——试论治理的革命［M］. 高凌瀚，译. 北京：生活·读书·新知三联书店，2005.

⑤ Commissiondes Communaute sEurope ennes. LivreBlanc de la Gouvernance Europeenne［R］. Bruxelles，2001：9.

等各不同层次间关系在公共空间中的组织艺术，是具有意义、兼顾各种社会复杂性并有利于对话和集体行动的游戏规则的创造艺术。①

联合国开发计划署使用的治理概念，在内容的广度和深度上都要宽泛得多——治理是一个社会通过国家、公民社会和私人部门之间的互动，管理其经济、政治和社会事务所依靠的价值、政策和制度体系。它是一个社会自我组织作出决策并执行决策以取得相互理解和共识并采取行动的方式。它包含公民和群体的利益表达、求同存异以及行使合法权利和义务的机制和过程。它是为个人、组织和公司设定界限和提供激励的规则、制度和实践。治理包含社会、政治和经济维度，存在于人类事业的各个层面，无论是家庭、村庄、都市、国家、地区抑或全球。②

全球治理委员会对治理概念的界定比较具有代表性，其于1995年发表的《我们的全球之家》研究报告认为，治理是各种公共或私人的机构管理其共同事务的诸多方式的总和。它是使相互冲突的或不同的利益得以调和并且采取联合行动的持续的过程。这既包括有权迫使人们服从的正式制度和规则，也包括各种人们同意或以为符合其利益的非正式的制度安排。它有四个特征：治理不是一整套规则，也不是一种活动，而是一个过程；治理过程的基础不是控制，而是协调；治理既涉及公共部门，也包括私人部门；治理不是一种正式的制度，而是持续的互动。③

综上所述，治理是一个内容丰富、包容性很强的概念。它认为政府并不是国家唯一的权力中心，各种公共的和私人的机构只要其行使的权力得到了公众的认可，就都可能成为在各个不同层面上的权力中心。治理中的自主网络在某个特定的领域中拥有发号施令的权威，它与政府在特定的领域中进行合作，分担政府的行政管理责任。在公共事务的管理中，还存在着其他的管理方法和技术，政府有责任使用这些新的方法和技术来更好地对公共事务进

---

① 治理改革讨论与比较研究国际网络——法国夏尔·雷奥波·马耶人类进步基金会的一项建议［M］// 跨文化对话：第17辑. 上海：上海三联书店，2005：49.

② 周红云. 国际治理评估指标体系研究述评［J］. 经济社会体制比较，2008（6）.

③ The Commission on Global Governance. Our Global Neighborhood——The Report of the Commission on Global Governance［M］. Oxford：Oxford University Press，1995. p1.

行控制和引导。治理思想强调国家行为的变化。这些变化包括国家采取行动能力的相对下降，在公众中的合法性危机，私营部门和机构对各级国家行为的干预，以及市场模式的新的重要性。①治理是联邦制度的辅助性和企业文化的亲密结合，促进了机构、企业和协会之间谈判式合作的多样化。治理是一种与新的软权力配合使用的新政治“鸡尾酒”，这包括：日益采用协商方式的国家，偏爱显露公民属性的企业，以及新型地区经济共同体，例如今日正在艰难建构政治型组织的欧洲联盟。②

（2）相关概念辨析

治理（governance）与统治（government）、管理（management）、行政（administration）、管制（control）、善治（good governance）等词既相互区别又相互联系，对其进行辨析有助于厘清治理的本质。

长期以来，治理与统治在与国家公共事务相关的管理活动和政治活动中交叉使用，并且专用于与国家公务相关的宪法或法律的执行问题，或指管理利害关系不同的多种特定机构或行业。③俞可平将西方治理理论与中国实际相结合，从权力主体、权力性质、权力来源、权力运行向度和作用范围等方面解释了“治理”与传统“统治”的不同。④“与统治不同，治理指的是一种由共同的目标支持的活动，这些管理活动的主体未必是政府，也无须依靠国家的强制力量来实现。”⑤具体来讲，治理作为一种政治管理过程，与统治一样需要权威和权力，二者的最终目的都是为了维持正常的社会秩序。其基本区别在于：“治理”的权威不一定来自政府，而“统治”则必然是政府；“治理”的权威主要源于公民的认同和共识，而“统治”的权威主要源于政府的法规命令；“治理”是权力上下互动的管理过程，而“统治”则是

---

① 弗朗索瓦·格扎维尔·梅里安，肖孝毛. 治理问题与现代福利国家［J］. 国际社会科学杂志（中文版），1999（1）.

② 让-皮埃尔·戈丹. 何谓治理［M］. 钟震宇，译. 北京：社会科学文献出版社，2010：19.

③ 鲍勃·杰索普. 治理的兴起及其失败的风险：以经济发展为例的论述［J］. 国际社会科学杂志（中文版），1999（1）.

④ 俞可平. 推进国家治理现代化的六大措施［EB/OL］. 2016-12-2. http://www. qstheory. cn/zywz/201404/t20140402_336567. htm.

⑤ 俞可平. 全球治理引论［J］. 马克思主义与现实，2002（1）.

自上而下的管理过程。

治理与传统的政府管理不同。亨利·法约尔（Henri Fayol）认为管理是所有人类组织都有的一种活动，由计划、组织、指挥、协调与控制这五项要素组成。比较而言，治理侧重各利益相关方的协调，目的是持续合作；管理的技术含量更高，目的是优化资源配置以最大化产出。两者的差异在于：第一，主体不同。传统的政府管理中，政府是唯一的主体。治理则不同，其参与的主体不仅有政府部门，还包含非政府组织、企业、个人等其他主要利益相关者。这不仅打破了“政府全能”主体的神话，而且也使政府成为治理的对象之一。第二，权力来源不同。在管理中，政府作为国家权力机关的执行者，其权力的重要来源是国家权力机关的授权。虽然从根本上讲权力机关的授权是人民的授权，但现实中人民授权毕竟还是间接实现的。而在治理中，一部分权力直接由人民来行使，这便是治理的“自治或共治”。第三，运作方式不同。传统的管理模式中，政府的运作方式和向度是单向的、强制性的，这种运作方式缺乏必要的政策弹性，甚至有时会引起民众对某些行政行为合法性的质疑，其运作的有效性也得不到相应的保证。治理的运作模式是复合的、合作的、包容的，治理行为的合理性受到更多重视，其有效性大大增加。①

此外，治理也不等同于行政和管制。行政指的是政府部门或公共部门的内部管理，所指的范围很窄，限于政府或公共事务，是正式的制度安排。管制意为管辖统治，其核心是控制，特点是以政府为主，目的是使不同利益得以调和并使公共事务可持续有效运行。管制是单一向度的自上而下的统治，治理则是多向度的上下互动、彼此合作、相互协商。

治理也不是万能的，在复杂多变的社会环境中，“治理失效”也有其存在的可能，“善治”是治理目前最大的追求，且其公共管理和公共政策活动适应性也最强。“善治就是使公共利益最大化的公共管理过程。善治的本质特征就在于政府与公民对公共生活的合作管理，是政治国家与市民社会的一

① 江必新. 推进国家治理体系和治理能力现代化［N］. 光明日报，2013-11-15.

种新颖关系，是二者的最佳状态。”[①]老子在《道德经》中写道：“上善若水。水善利万物而不争，处众人之所恶，故几于道。居善地，心善渊，与善仁，言善信，政善治，事善能，动善时。夫唯不争，故无尤矣。”从这一论述中可以看出，以“善”作为终极追求，“水”的特性最能代表治理达到的“善”的境界，也就是“善治”。在现实社会中，能实现“和谐的秩序”就是善治。这种善治包括四个要素：秩序性、参与性、成本性和稳定性。秩序性是指善治首先要有良好的秩序；参与性是指良好的秩序是通过公民民主参与实现的；成本性是指能够以较低的成本实现公民民主参与下的良好秩序，即以低成本实现善治；稳定性是指在公民民主参与下以低成本实现的良好秩序是稳定的、可持续的。[②]也有研究者提出，作为治理追求目标的“治”至少应该具备六个基本要素：“合法性、透明性、责任性、回应性、有效性和法治”。[③]具体而言，合法性指的是社会秩序和权威被自觉认可和服从的性质和状态；透明性指的是与公民利益相关的政府政策信息的公开性；责任性指的是公众尤其是公职人员和管理机构由于其承担的职务而必须履行的相应责任和义务；回应性与责任性密切相关，它的基本意义是公职人员和管理机构必须对公民的要求作出及时的和负责的反应；有效性指管理的效率，它有两方面的基本含义：一是管理机构设置合理，管理程序科学，管理活动灵活；二是最大限度地降低管理成本；法治即法律是公共管理的最高准则，任何政府官员和公民在法律面前人人平等。[④]事实上，“最优善治”只是一种理想状态，追求实现“最适宜的善治”比追求“最优善治”更切合实际。

综上我们可以归纳出，治理的本质在于政府统治方式的转变，由一元统治到多元治理，政府部门与众多利益主体相互合作，共同处理公共事务。治理实现了权力主体的多元化或权威的多中心化，在治理过程中，政府并不是唯一的权威或权力中心。治理的对象是多元主体的共同事务，官方或民间

①③④ 俞可平. 治理与善治［M］. 北京：社会科学文献出版社，2000：8.

② 邓大才. 走向善治之路：自治、法治与德治的选择与组合——以乡村治理体系为研究对象［J］. 社会科学研究，2018（4）.

的公共管理组织在一个既定的范围内运用公共权威维持秩序以满足公众的需要；治理的方式是多元主体以多种形式采取集体行动，联合协调相互之间的利益或冲突；治理的准则是具有强制力的正式制度、规则，以及非正式的制度安排，如习俗、传统、舆论、民意等。

由此，我们可以对“治理”进行简要界定。治理是指政府通过正式的制度和非正式的安排，协同社会组织、市场、利益群体和公民个人等行为主体，运用参与、对话、协商、谈判等形式，在自愿、平等、互利的前提下，共同管理公共事务，以应对共同面临的时代挑战，达到好的治理效果。

上述“治理”的概念包括了六个基本要素：

第一，治理主体的多元性。治理强调了管理过程中权力运行向度的变化，不仅仅有政府，还有社会组织、市场、利益群体和公民个人等，这与传统的政府一家包办各种公共事务的管理性质与方式完全不同，也与排斥政府作为主体之一的治理观不同；同时，治理强调多元主体的多层治理，全球层面、国家层面、地方层面，各种政府间和非政府间国际组织、社会团体和公民个人等在内的多元主体，依据不同的行为原则发挥不同的功能作用。“多元”是治理中“共治”的基础。

第二，治理方式的多样性。既有正式的制度设计，也有非正式的各种安排。这与只强调正式的制度安排的治理观不同，要求各行为主体之间既有参与、对话，又有协商、谈判，追求广泛的共识，不仅是公共事务的接受者、利益者，还是提供者、监督者。“多样”是治理中“共治”的载体。

第三，治理对象的平等性。治理拒绝等级观念，允许不同身份的个人或群体平等参与，并且各方参与者之间的关系是自愿、平等、互利的，不是为了某一方的私利。“平等”是治理中“共治”的前提。

第四，治理过程的协作性。治理的实质在于建立在市场原则、公共利益和意识认同之上的合作。在实施对公共事务的管理过程中各方都要协同行动，不能各自为政、各行其是。“协作”是治理中“共治”的手段。

第五，治理内容的公共性。各方合作管理的是“公共事务”，而不是“私人事务”，在调节社会各方利益、妥善解决问题的同时，谋求更大的共同利益。“公共”是治理中“共治”的对象。

第六，治理结果的价值性。即为了应对共同面临的挑战、达到好的治理效果，达成公共利益最大化的社会管理过程——善治。“价值”是治理中“共治”的目标。

3. 既有理论的反思

如前所述，治理是对统治、管理、行政、管制的扬弃和超越，是在反思“政府失效”和“市场失灵”问题的基础上，扬弃了效率主义和“唯市场论”，打破了传统的公共与私人、政府与市场的两分法，模糊了政府、市场、社会之间的分界，扩展了治理的主体、方法和职能。治理反映了西方政治学家和社会学家为了应对政府失序和市场失灵问题，努力寻求走出危机之路和解决问题之道。治理理论顺应了西方国家公民社会崛起的大势，受到了西方政界、学界和民众的认同，少一些统治，多一些治理”（less government，more governance）成为“第二条道路”和“新中派”追求的政治目标。治理是依靠政府与社会组织、企事业单位、社区，以及个人等不同的行为主体，通过平等的合作伙伴关系，依法、民主、科学地对国家的经济政治社会文化等事务进行规范和管理，最终实现公共利益最大化的过程。

虽然治理已成为一种全球趋势，反映了人类社会发展的共同规律，但治理理论作为发生和发展于西方国家的理论，具有适应于西方国家特殊语境的特点，因而需要对其进行客观评价和反思。

首先，作为一种工具理性，治理代表了人类社会发展的基本方向，是世界各国通向现代化之路的普遍追求和必然选择。作为工具，治理具有广泛的适用性，无论是东方国家还是西方国家，社会主义国家还是资本主义国家，发展中国家还是发达国家，无论在哪一种社会政治体制下，无论谁上台执政，各国政府都希望有更好的治理。另外，在全球化不断深化的今天，国与国之间的交往与联系日益增加，各国在发展中面临的问题也具有相似性，特别是发展中国家具有发达国家不具有的后发优势，广泛借鉴人类社会一切先进的文明成果，不失为一种赶超现代化的英明选择。

其次，作为一种价值理性，治理需要与各国国情相适应，其实现形式必然具有多样化。善治所包含的价值，诸如民主、自由、法治、责任、公开、平等、博爱是人类社会的共同追求，但善治的具体落实则不同。在英美等发达资本主义国家，治理是社会中心主义的西方道路的自然演化，是在资本主义制度自我发展的过程中产生的，并且与发达的市场经济以及完善的市民社会等社会基础相契合。因此，在引进和吸收西方治理理论的时候，首先需要立足基本国情，不能盲目嫁接和移植西方国家政治制度。另外，虽然治理具有工具理性的一面，但其价值色彩又决定了它与意识形态或多或少地有所关联，因此要警惕治理意识形态化以及由此带来的价值侵袭。

当今世界正经历新一轮大发展大变革大调整，全球治理体系变革加速推进。以什么样的理念指导全球治理体系变革和建设，既反映各国对全球治理和国际秩序内在矛盾的认识与把握能力，也影响全球治理体系变革和建设的方向。党的十八大以来，习近平总书记对中国参与全球治理极为重视，提出了共商共建共享的全球治理理念，开启了中国引领全球治理的新时代。共商共建共享的全球治理观是中国积极参与全球治理体系变革和建设的基本理念和主张，为建设一个更加美好的世界提供了中国智慧，为破解世界共同面临的治理难题提供了中国方案。中国坚持共商共建共享的全球治理观，积极倡导合作共赢理念、正确义利观，努力推动全球治理体系朝着更加公正合理的方向发展，推动各国携手建设人类命运共同体。这一治理观对构建新型国际关系正产生积极而深远的影响。

（二）教育治理

1.教育治理的概念

无论西方还是中国，关于教育治理，现成的直接论述极少，目前尚无明确或比较完整的定义。

美国著名教育学家托马斯·J.萨乔万尼（Thomas J. Sergiovanni）认为，教育治理是政治单位，是联邦机关、州各部门及地方学区行使权力和发挥影响的结构和机制。相对应地，他认为教育管理不仅包括学校管理，也包括教育组织中公共政策的贯彻，比如执行效果、引导、控制、教育组织的指导、为实现教育目的所采用的明智的方法等。[①]在《教育治理与管理》一书中，萨乔万尼从“作为一种政治组织的学校”“地方学区的政策制定”“联邦政府的影响”和“州（政府）在教育中的新角色”四个层面，分析了美国教育治理的结构及运行。在他看来，教育治理是被包含在教育管理之中的。詹姆斯·W.格里斯（James W. Gthrie）等人著的《教育管理与政策：美国学校的有效领导》中，也有“美国学校的治理”，其中包含了“学区的特征”“学校董事会”“地方学区管理者”和“教育中介机构”。此外，已经译介到中国的《政治、市场和学校》《教育中的放权与择校：学校、政府和市场》《谁在管理我们的学校——变化中的角色和责任》《掌控公立学校教育：地方主义与公平》等著作，虽然没有直接提出教育治理，但其中都已经渗透了治理的理念。这反映出国外已经将教育与微观政治进行了有机联系，注意到学校与政府、社区和中介之间的互动，管理与治理的有机结合。

近年来，德国出版了多卷本“教育治理”丛书。该丛书的第一卷《教育治理：教育系统的协调与控制》，专门对本丛书所研究的教育治理进行了界定。“在不同社会科学的支撑下，近些年治理研究逐渐发展为能跨越界限的颇具潜力的研究视角。治理研究首先是在应对政治和行政管理学中的问题时发展起来的，但它很快就被应用到国际和德语世界的高等及基础教育领域。相对于早期的‘调控理论’中的概念，治理理论能够对教育调控和结构变迁问题进行更广泛的阐释和分析，也就是说，它可以在一种多层系统中对各主体的功能协调问题进行分析。这意味着分析视角的重大扩展：想要成为系统组成部分的主体，其功能会对其他主体的功能产生影响。由此社会性依赖问题变得可控，进而复杂系统也会具有特征。只要功能协调是社会性系统不容置疑的特征，它就会以不同的方式在不同层次上呈现。改变社会系统及其内部调控特征的努力，因此也就包括了要在不同形式、方法和层面上转换既

① SERGIOVANNI T J. Educational Governance and Administration（6th Edition），Pearson/Allyn，2009［M］. 北京：中国人民大学出版社（英文影印版），2011，p. ix.

定的功能协调。”[①]该书认为，治理研究的焦点是多元主体，它关注权力中心之外的边缘主体在系统中的功能。从治理视角出发研究教育系统，就是要摒弃以往自上而下的分析模式，阐释系统的多层特征以及不同层次之间的相互作用。教育治理就是将治理的三大核心概念，即多元主体、多层系统和功能协调应用到教育系统的研究之中，从而实现控制层次的总体多元化，为分析系统控制发展提供更好的切入点，为发掘更多的规律做出贡献。在此基础上，教育治理理论还可为教育控制和结构变迁方面的问题提供广泛的、跨学科的解决方法。教育治理的理论基础涵盖教育学、社会学、政治学、管理学、经济学、信息科学、移民研究等。该书各章则分别从研究对象、分析方法、教育绩效等方面对教育治理进行了全面分析。丛书第17卷则专门从方法论的角度，对如何运用教育治理理论研究相关问题进行了讨论，包括“在有关教育治理问题的研究中应遵循哪些规则和方法、在教育治理研究中从哪些方法切入会取得哪些相应的效果、教育治理研究有哪些好的标准和尺度”等。[②]

为了进一步促进教育治理研究，推动这一新兴领域的交流，2016年4月，美德两国教育专家在美国首都华盛顿召开了“国际视角下教育系统的治理”研讨会，讨论领域主要集中在“领导与系统控制”“中小学全课题计算机辅助监控系统”“大数据、小数据：教育研究中数字化的潜力与限制”三个领域。[③]

国内学界在教育治理领域的研究成果，主要集中在四个领域，即理论基础研究、现代化研究、高等教育治理研究、职业教育治理研究，全面、系统研究教育治理的目前并不多见。

在内涵研究方面，褚宏启对教育治理做出了全面阐释，教育治理是指

---

① ALTRICHTER H. Educational Governance：Handlungskoordination und Steuerung im Bildungssystem［M］. Wiesbaden：VS Verlag für Sozialwissenschaften，2007，S. 10.

② MERKI K M. Educational Governance als ForschungsperspektiveKatharina［M］. Wiesbaden：VS Verlag für Sozialwissenschaften，2006，S. 12.

③ AERA. Governance in the Education System–international perspectives［EB/OL］.［2016–12–02］. http//www. dipf. de/en/dipf–news/press–information/governance–in–the–education–system–international–perspectives.

“国家机关为了实现教育发展目标，通过一定的机构设置和制度安排，协同各类社会组织、利益群体和公民个体，共同管理教育公共事务、推动教育发展的过程”[①]。

在主体和特征方面，褚宏启等认为，治理的突出特征是多主体参与，即主体的多元化，利益相关者必须成为教育治理主体是教育治理的一个基本要求[②]；耿超认为，强调多元共治是教育行政方式转变的方向和主要特征[③]；邓云峰认为，教育治理需要政府、社会、家长、学校等共同参与[④]；许杰指出，亟待重构学校主体的功能定位，提升其主体性[⑤]；李亮等指出，教育治理的主体应包括“以政府为代表的教育公共机构、个人，以企业为代表的教育私人机构以及非公非私独立于政府和企业之外的第三部门”[⑥]；张杰认为，教育治理应以构建政府、学校、社会新型关系为核心内容，同时要发挥教育中介组织在我国教育治理进程中的重要作用[⑦]；汪卫平等则强调非政府组织参与教育治理的重要作用[⑧]。

总而言之，从教育管理与教育治理关系上看，二者在价值、主体、机制等方面存在本质区别，教育治理包含着教育领域思想观念、组织结构、管理体制和方法技术等各方面的深刻变革，其内涵更加丰富，但同时也不应忽视二者之间的延续性，这也是我们理解教育治理时所应秉持的本土化视角。

借鉴既有的成果，我们对教育治理的基本含义作出如下阐释：教育治理

---

① 褚宏启. 教育治理：以共治求善治［J］. 教育研究，2014（10）.

② 褚宏启，贾继娥. 教育治理中的多元主体及其作用互补［J］. 教育发展研究，2014（19）：1-7.

③ 耿超. 多元共治：教育行政方式的转变［J］. 华东师范大学学报（教育科学版），2018，36（1）：35-41，161.

④ 邓云峰. 从教育管理走向教育治理［J］. 未来教育家，2014（4）：62.

⑤ 许杰. 教育治理中的学校主体建构［J］. 教育科学研究，2015（11）：19-23.

⑥ 李亮，祝青江. 治理定义下的教育治理引论［J］. 人民论坛，2016（14）：29-31.

⑦ 张杰. 教育治理视域下教育中介组织的发展失衡现象探析［J］. 当代教育科学，2016（22）：24-27.

⑧ 汪卫平，郝天聪. 非政府组织参与的教育治理创新：内容、主题、特点——基于WISE教育项目奖的文本分析（2009—2016）［J］. 教育学术月刊，2017（9）：62-72.

是指政府通过正式的制度和非正式的安排，协同社会组织、市场、学校和公民个人等行为主体，运用参与、对话、协商、谈判等形式，在自愿、平等、互利的前提下，共同管理教育公共事务，以应对共同面临的时代挑战，达到好的治理效果。

2. 教育治理的特征

教育治理的主要特征是多元中心参与，从原来的政府单一统治、管理，向多中心主体参与的民主化、科学化、法治化的合作治理转变。具体来讲：

第一，治理主体的多元性。教育治理呈现的是一种新型的民主形态，不仅仅是政府，大量非政府组织、社会中介组织、市场、家长、学校以及公民个人等，都可以成为教育公共治理与服务的主体，共同承担着教育公共事务治理的责任。政府、学校和社会等主体形成一个多元化的网络组织体系，引发权力的重新调整和角色的重新分工，建立平等协商制度、参与制度、咨询制度和监督制度，保证教师、家长、学生、社区人员都能够参与教育治理，实现多元共治。

第二，治理目标的公共性。教育的公共性表明，教育基于正当性或正义性而关涉公民社会的公共事务及公民品质。因此，教育治理过程中必须明确，无论是公立教育还是私立教育，无论是家庭教育、学校教育还是社会教育，只要立足于培养公民的正义观念和正义感，都具有公共性质，因而都应当以对公共事务的关怀和公民品德的培养为旨归。

第三，治理对象的平等性。在教育治理过程中，政府必须平等地对待所有的公民，防止教育公共服务提供者对服务对象的歧视性筛选，保证服务提供范围上的整体性和公共性。为此，政府需要保障公民受教育机会的均等和权利的均等；投入基本的教育公共服务与基础设施并均衡配置教育资源，提供有质量的教育；尽可能地维护教育过程的公平；提供多样性、个性化的教育服务，从而保证差异公平。①

第四，治理方式的协作性。教育治理更多的是强调各个主体之间的自愿、平等合作，各方主体采取互动方式，相互协作，共同协调不同主体的价值追

① 胡丽娟，严凌燕. 国际视野下的教育治理创新与发展动态［J］. 教育发展研究，2015（8）.

求和利益诉求，实现相互补充和统一。各教育利益主体的权益得到广泛关注和关涉，国家机关、社会团体、学校、个人之间是一种相互妥协、合作共赢的关系。教育立法、教育决策等得到充分讨论与论证，体现出民主、科学、客观、法治的特征。

第五，治理结果的价值性。教育治理的典型特征是多元主体共同参与治理，其直接的目标是达到好的治理、成功的治理，即“善治”[①]。善治概念的提出，赋予了治理理论更多的价值色彩，使治理不仅仅是关涉谁治理和如何治理的工具理性，而且也对治理得如何有了一整套价值评价目标，从而使治理理论具有工具性和价值性相统一的特征。尽管存在概念的模糊性，但我们仍能对治理的关键因素和核心价值有一个基本的认识，即治理必定是政府、公民社会和私人部门三方的合作互动，善治所涉及的主体价值必定包括民主、人权、法治、平等、透明、负责任等基本内容。“多一些治理，少一些统治”，是世界各国的普遍价值追求和发展趋势。

3. 教育治理的善治

我国教育领域中的公共治理与转变教育行政职能、建设现代学校制度等改革是一致的。但这些改革仍在进行中，真正意义上的教育善治尚未实现。由于政府和市场均可能在教育领域失灵，治理也存在失败的风险。如何促进教育事业健康发展，保证教育治理目标顺利实现，是当前我国政府以及各方主体共同面临的挑战。

第一，以多元、参与构成“善治”的基础。近年来，我国在教育治理方面越来越重视各方利益主体的“话语权”，尊重不同价值诉求的充分表达，寻求利益的平衡，以期教育治理的效果或利益最大化。当前的教育治理已不再是政府的教育强权控制状态，“强调按照多元教育主体相应的权责比例共同达成对教育政策或教育制度的社会性回归”[②]。在教育治理系统中，政府部门与非政府组织、公民个人不是对立矛盾的关系，而是具有共同目标——使教育达到“善治”，可以联合起来共同治理的关系。在寻求教育“善治”

① 褚宏启. 教育治理：以共治求善治［J］. 教育研究，2014（10）.
② 李涛. 教育公共治理若干问题探析［J］. 教育发展研究，2009（8）.

的教育决策实践中，随着民主化和法治化的发展，追求“善治”实际上就是各方利益相关主体协商、对话、相互博弈后达成的符合各方利益诉求的契约过程，必须保证教育相关主体的合法权益，保证参与主体的有效参与，征求和听取他们的观点和建议，使其政策意见能在教育政策或立法方面得到必要的回应、讨论或论证，保证教育生态系统的平衡发展，实现决策的科学化、民主化、法治化。

第二，以放权、自治实现“善治”的效能。政府放权不等于政府不干涉教育治理体系的发展，而是改变过去政府权力主导一切的制度安排，政府成为教育治理的主体之一而非唯一主体。政府将教育发展的一部分权力退还给社会，让社会其他主体有足够的空间和权力去参与教育事业的发展，参与教育政策的制定与实施。在教育治理与政府教育改革相一致的情况下，“善政”是实现教育善治的关键一环。政府不仅在其中作为一方主体，还可以协调和整合多元主体的利益分歧，维护整体利益，可以确定国家教育发展的战略目标与方向，化解多元主体目标分散造成的困境，可以进行宏观规划、统筹和调控，使教育治理呈现持续发展局面。在我国教育治理中，学校始终是参与治理的主体之一，是教育发展最为基层和直接的执行者。学校在教育活动以外，应当加强自身治理，即自治。学校作为主体之一，没有足够的自主权，教学活动缺乏活力，是当前我国教育发展过程中存在的突出问题。把办学的自主权下放给学校，就是让学校与政府的行政权力脱钩，加快建立现代学校管理制度，探索教育治理新发展，使学校逐步形成“自主管理、自主发展、自我约束、社会监督”①的管理机制，促进学校依法依规办学，使学校的独立性、主体性更加凸显，根据师生的需求完善教育治理体系，全面提高教育教学质量。

（三）新时代中国特色教育治理观

1. 以“九个坚持”为核心的中国教育治理观

党的十八大以来，以习近平同志为核心的党中央站在坚持和发展中国特色社会主义，实现中华民族伟大复兴的中国梦的战略高度，把优先发展教育

① 褚宏启. 教育管理将走向“善治”［N］. 现代教育报，2015-04-16.

事业、加快推进教育现代化、建设教育强国、办好人民满意的教育摆在治国理政的突出位置，开展了一系列根本性、开创性、长远性的工作，深刻回答了“培养什么样的人、如何培养人、为谁培养人”这一重大理论和实践问题，形成了一系列新理念新思想新观点。2018年9月10日，全国教育大会在北京召开，习近平总书记发表重要讲话，全面回顾了党的十八大以来我国教育事业发展取得的显著成就，科学回答了关系我国教育现代化的若干重大问题，系统总结了推进我国教育改革发展的“九个坚持”，对当前和今后一个时期教育工作作出了重大部署。这“九个坚持”，坚持中国逻辑、系统观念和问题导向，思想深刻、内涵丰富、实践性强，是习近平新时代中国特色社会主义思想的重要组成部分，是政治家从改革发展的视角对教育体系的全面审视。

第一，领导观。坚持党对教育事业的全面领导。回答了中国教育现代化由谁来领导的问题，明确了党是领导中国教育事业发展的核心力量。这是中国特色社会主义教育制度的最大优势，是办好教育的根本保证。教育部门和各级各类学校的党组织要增强“四个意识”，坚定“四个自信”，做到“两个维护”。各级党委要把教育改革发展纳入议事日程，党政主要负责人要熟悉教育、关心教育、研究教育。各级各类学校党组织要把抓好学校党建工作作为办学治校的基本功，把党的教育方针全面贯彻到学校工作各方面。

第二，目的观。坚持把立德树人作为根本任务。回答了中国教育现代化的实现目标问题，突出了教育的主责主业。培养什么样的人、怎样培养人、为谁培养人事关教育目的，是教育工作必须回答的根本问题。作为中国共产党领导的社会主义国家，必须把培养社会主义合格建设者和可靠接班人作为根本任务，在坚定理想信念上下功夫，在厚植爱国主义情怀上下功夫，在加强品德修养上下功夫，把社会主义核心价值观教育融入立校办学、育人育才全过程，树立正确的世界观、人生观、价值观。

第三，战略观。坚持优先发展教育事业。回答了教育现代化的战略地位问题，强调全面落实教育优先发展战略。实现“两个一百年”和中华民族伟大复兴中国梦的奋斗目标，归根到底靠人才、靠教育。作为推动党和国家事业发展的重要先手棋，必须坚持科教兴国战略和人才强国战略，对加快教育现代化、建设教育强国做出总体部署和战略设计，以适度超前的教育现代化2035战略支撑国家现代化，不断使教育与党和国家事业发展的要求相适应、与人民群众的期待相契合、与国家综合实力和国际地位相匹配。

第四，方向观。坚持社会主义办学方向。回答了教育的性质问题，坚持以习近平新时代中国特色社会主义思想为指导。要全面贯彻党的教育方针，把思想政治工作贯穿教育教学全过程，实现全员育人、全过程育人、全方位育人，为学生一生成长奠定良好的思想基础，使他们成为德才兼备、全面发展的人才。

第五，道路观。坚持扎根中国大地办教育。回答了中国教育现代化的发展道路问题，就是要体现中国特色。中国有独特的历史、文化和国情，发展中国特色、世界水平的现代教育，必须传承中华文化血脉、扎根中国大地、践行中国特色社会主义道路、服务国家发展。只有扎根中国，加强中华优秀传统文化教育、革命文化教育、社会主义先进文化教育，才能更好地走向世界。

第六，宗旨观。坚持以人民为中心发展教育。回答了教育的根本宗旨问题，把办好人民满意的教育作为初心和使命。教育是民生之基，只有始终坚持以人民为中心的发展思想和工作导向，才能使教育改革走在正确的道路上。教育改革与发展必须遵照以人民为中心的总体要求，坚持教育的人民性，把办好人民满意的教育作为出发点和落脚点，让每个孩子享有受教育的机会，让14亿人民享有更好更公平的教育，让人民群众有更多获得感、成就感、幸福感，不断满足人民日益增长的优质多样的教育需要。

第七，改革观。坚持深化教育改革创新。回答了教育现代化的动力问题，坚持问题导向的教育改革。强烈的问题意识是推动教育事业发展的强大动力。党的十八大以来，中国教育改革进入深水区，要解决的都是牵动性强的深层次问题，都是一些难啃的硬骨头。要冲破思想观念的束缚、突破利益固化的藩篱，坚决破除各方面体制机制弊端，解放和激发内在活力，增强教育发展动力，使中国教育越办越好、越办越强。

第八，使命观。坚持把服务中华民族伟大复兴作为教育的重要使命。回答了教育战略定位问题，重视教育才能赢得未来。要把建设教育强国作为中华民族伟大复兴的基础工程，培养实现中华民族伟大复兴中国梦的有理想、有本领、有担当的时代新人，努力为中国人民服务，为中国共产党治国理政服务，为巩固和发展中国特色社会主义制度服务，为改革开放和社会主义现代化建设服务。

第九，教师观。坚持把教师队伍建设作为基础工作。回答了教育现代化的依靠力量问题，高素质教师队伍是建设教育强国的依靠。要落实教育大计，教师为本，体现兴国必先强师理念，把教师作为教育发展的第一资源，把教师工作置于教育事业发展的重点支持战略领域。优先谋划教师工作，优先保障教师工作投入，优先满足教师队伍建设需要，大幅提升教师综合素质、专业化水平和创新能力，以“四有好老师”为目标，做好学生发展的“引路人”，形成优秀人才争相从教、教师人人尽展其才、好教师不断涌现的良好局面。①

习近平总书记的“九个坚持”，高屋建瓴、博大精深，是一个从实践到认识再到实践的循环开放体系，是被实践证明了的真理，是认识论、实践论和方法论的总集成，对于推动新时代教育强国建设具有很强的指导性和针对性。这“九个坚持”结构完整、内容丰富、逻辑严谨，处处散发着马克思主义基本原理与中国具体实践紧密结合的思想光辉，始终洋溢着中华民族以爱国主义为核心的民族精神和以改革创新为突出特征的时代精神的奋斗气息，时刻彰显着中国特色社会主义道路自信、理论自信、制度自信和文化自信。

2.“共商共建共享”的全球教育治理观

全球教育治理是指主权国家、国际组织、跨国公司等行为主体，通过正式的制度和非正式的安排，运用参与、对话、协商、谈判等形式，在自愿、平等、互利的前提下，共同管理国际教育公共事务，以应对共同面临的时代挑战，达到全球范围内的好的治理效果。参与全球教育治理是中国由教育大国走向教育强国的必由之路。秉持什么样的全球教育治理观是中国参与全球教育治理的逻辑起点，构建人类命运共同体则是中国参与全球教育治理的终极

① 曾天山．“九个坚持”揭示新时代中国特色社会主义教育发展规律［N］．中国教育报，2018-09-13．

目标。在全球治理方面，中国提出了“共商共建共享”的全球治理观。这是基于社会主义核心价值观而提出的平等、开放、合作、共享的中国治理观，为解决当前人类面临的共同难题提供了新的理念和思路，是构建人类命运共同体的基本原则和必要条件。

“共商共建共享”的全球治理观也是中国参与全球教育治理应秉持的价值观和理念。对教育而言，“共商”是前提，即全球各国、国际组织等利益相关方共同协商、交流，加强互信，在全球共同的教育问题上达成共识，化解矛盾；“共建”是基础，即与各国、国际组织寻求合作结合点，共同分享成功的教育经验，共同通过发展教育为建设全球命运共同体而努力；“共享”既是过程也是结果，全球教育共同发展，包括国家和国际组织共同分享教育的成果，每个人享有平等接受教育的权利，每个人都得到充分和自由的发展。

“一带一路”倡议，为中国参与全球教育治理进行了铺垫和准备。当前，中国与众多国家及国际组织建立了多层次全方位的教育合作关系，我国的各级政府部门、各类研究机构、教育智库与世界主要国家、联合国教科文组织、世行、经合组织、G20、金砖国家等的教育合作在不断拓展与深化。通过加入相关国际组织、设立组织机构、开展国际教育对话与交流、参与设置全球教育治理议题、参与国际通用教育标准的制定、参与国际教育评估、培养和输送全球教育治理人才、开展国际教育援助等方式，积极参与全球教育治理，研究打造全球教育公共产品，为人类社会贡献中国特色的教育智慧、教育治理方案和力量，最终为构建人类命运共同体提供教育支撑。这既是中国的使命担当，更是迈进教育强国、负责任大国的必然选择。

二、教育治理的研究价值

教育治理研究具有四个方面的重要价值。

1. 构建教育治理的理论体系

理论建构是一门学科建立的基本前提，是一门学科建设的成熟标志。一门学科可能有许多知识范畴，每一个知识范畴可能有许多知识视点，但没有完成理论建构的学科，它不具整体性，也不可能构成逻辑体系。只有完成了理论建构的学科，才更具逻辑体系的严密性、知识范畴的整体性与知识视点的统合性，才更有思想价值和理论的力量。[①]教育与科技、文化、卫生等同样是社会领域的重要问题，不仅受到各国的重视，也得到各方的青睐。教育治理作为全球社会治理的一个重要组成部分，学术界目前的研究更多是零散的知识视点，成逻辑体系的教育治理研究甚少，且基于中国立场、构建中国教育治理观的研究尚未成熟。教育治理研究可以充分整合教育治理理论、原则及方法，把相关知识进行逻辑梳理，融会贯通，建立具备中国本土特色的教育治理的基本理论框架和体系，从而丰富全球治理及教育学的理论体系，最终提升中国在全球教育治理领域的话语权和影响力。

2. 提供教育治理的实践案例

教育治理的案例是研究教育治理相关理论、原则、方法的重要依据，也是挖掘教育治理理论及方法的源头活水。选择具有典型性、代表性的教育治理案例进行研究、分析，既可以提炼总结理论，指导推动实践，也可以为相关主体参与教育治理提供鲜活的实践案例指南。本书选择教育治理的体系与结构、机制与特征等作为案例，从中透视中国教育治理的现状和趋势，洞悉中国教育治理的成效与问题，总结中国教育治理的经验和教训，推动中国教育治理的现代化。通过剖析其中的理念、方法、策略及行动，对中国教育治理进行全面深入地解析，凝练、上升为教育治理相关理论。同时，也可以通过中国教育治理实践案例的分析，为全球教育治理提供分享和借鉴。

3. 为中国的教育研究与改革提供新范式

当前，我国正处于从教育大国向教育强国迈进的关键阶段。教育治理体系和治理能力现代化是教育现代化的根本保障，教育现代化又是教育强国的基本标志。改革开放四十年来，中国的教育事业取得了巨大成就，多项教育指标已达到甚至超过发达国家平均水平，义务教育、高等教育、职业教育等领域均取得长足进步，成绩令世人瞩目。然而，我国在教育领域的管理多于治理，政府部门管得过多、统得过死的状况仍未得到根本性改观。在教育

---

① 黄永刚，张健华. 杨贤江现代教育理论体系研究［M］. 杭州：浙江大学出版社，2015：89.

问题上，家庭、社会关注度、参与度不充分，教育相关的社会组织、民间力量发展缓慢、实力孱弱，难以有效发挥第三方的功能与作用。因而，中国教育治理研究能为我国教育研究提供治理视角下的教育问题解决范式，从而为我国教育领域问题的解决提供新的视角，促进中国教育治理的变革，加速中国教育治理体系和能力现代化的步伐，助力教育现代化进程，为实现中华民族的伟大复兴奠定基础。

4. 为中国参与全球教育治理提供支撑

中华人民共和国成立以来，尤其是改革开放四十年来，中国参与全球教育治理从无到有、从弱到强。中国积极加入国际组织如联合国教科文组织、世界银行、经合组织以及各类国际知名智库，支持国际组织在中国设立办事处及各类二级教育机构，支持国际知名智库设立教育研究分中心等，通过国际组织的平台积极参与全球教育事务，取得了诸多成效。中国参与全球教育规则制定的话语权有所增强，中国教育在国际上的影响力有所提升。但总体而言，中国参与全球教育治理的深度与广度仍显不足，参与全球教育治理的专业人才匮乏，在国际组织任职的中国人比例偏低，在全球教育治理领域的话语权和影响力有待进一步提高。这些问题的解决，亟须教育治理研究在理论、方法及实践方面的突破。中国教育治理研究无疑可以为中国参与全球教育治理提供理论与方法的支撑，从而为中国在全球教育治理中的角色、理念、行动提供强有力的支持，为中国及中国主导的国际组织参与全球教育治理提供中国本土的理论，树立中国参与全球教育治理的理论自信。

三、教育治理的研究方法

教育治理研究的方法主要包括规范研究和实证研究。规范研究为理论的创建提供框架和思路，实证研究则为理论的创建提供支持和依据。教育治理的规范研究主要解决是什么的问题，通过文献分析、比较分析等方法来明确教育治理的相关问题。教育治理的实证研究主要解决怎么办的问题，通过调查、访谈等方法来明确教育治理的具体方式及途径。规范研究与实证研究相结合，是教育治理研究的基本路径选择。

文献分析方法。通过查阅一次文献和二次文献，掌握教育治理的原始资料及分析资料，包括英文资料和中文资料，对此类文献进行深入认真的研究分析。查找教育治理的文本、文件，搜集教育治理研究的相关论文、著作和报告、文集等，为后期的分析、比较做准备。

历史分析方法。通过对中国教育治理进行历史分析，梳理、展现中国教育治理兴起的历史背景和演进过程，描述、介绍中国教育治理发展的体系与结构，并从经济、政治、文化等方面探寻中国教育治理兴起和发展的深层次动因，进而判断中国教育治理的未来趋势，为中国的教育治理提供经验教训及现实启示。

比较分析方法。比较是发现事物间异同、寻求共识的重要方法。例如，本书对中国教育治理的运行机制，如研究者的政策研究过程、政府官员的政策制定过程、执行者的实施过程等进行了比较分析，从而发现中国教育治理的基本特征和内在动力，寻求教育治理的改进方式和参与全球教育治理的目标路径，提升教育治理现代化的能力水准。

实证分析方法。实证研究方法是按照一定程序性的规范进行经验研究、量化分析的研究方法。实证研究方法可以大体分为三类，即定性研究、定量研究和定性定量结合的混合研究。在中国教育治理研究中，通过实证研究方法对教育治理现状进行分析、评判，帮助我们客观、科学地认识中国教育治理成效及问题。

上述研究方法需要针对教育治理研究的具体问题、内容进行选择与取舍，在研究的不同阶段可以对应使用不同的研究方法。如研究的前期需要大量应用文献分析法，中后期比较分析法则会更多涉及。对教育治理的现状、趋势等问题需要使用历史分析法，对教育治理的问题、成效和改进等则需要实证方法的支撑。

第一章 中国教育治理的历史演进

中国教育治理源自教育管理活动的产生和演变，其间历经从集权到分权、从计划到市场、从政府包揽到政府与学校、社会等共同治理一系列变革，在寻求多方关系的平衡中，在全球教育治理、国家体制改革、教育管理转型共同作用下，最终形成了政府宏观管理、学校自主办学、社会有序参与、各方合力推进的治理格局。

第一节 从管理到治理的发展历程

一、中国教育管理的产生和探索（1949 年以前）

中国深厚的文化底蕴与悠长的历史积淀，以及不同社会发展阶段的教育思想和制度的延续与更新，为中国教育管理的产生奠定了良好的基础。

（一）古代时期教育体制的确立

春秋战国时期，随着政治、经济的发展，私学作为一种新的教育组织形式应运而生，打破了以往“学在官府”的教育局面，在以后的中国教育历史上彰显着特有价值。封建社会时期，为了更好地促进教育发展、维护阶级统治，历朝历代统治者均注重兴学设教，构建符合统治需求的教育制度，如文教政策的出台、教育内容的确立、管理体制的建设及考试制度的演变等，同时还探索出中央官学、地方官学、私学、书院等多元化的教育组织形式。

（二）近代时期学制系统的设立

到了封建社会后期，古代传统教育日渐衰微，中国开始走上教育近代化之路。清政府在立足中国实际、引入西方经验的基础上，对教育制度进行了有益探索。颁布新的学制，如“壬寅学制”“癸卯学制”，对我国学制体系建设具有重要的历史作用。北洋政府时期，成立了教育部，建立了由中央到地方的教育领导体制，并对清末学制进行了改订，先后出现了“壬子癸丑学制”与1922年“新学制”（又称“壬戌学制”）。尤其是1922年“新学制”，其参照美国的“六三三制”，将学制划分为初等教育、中等教育和高等教育三级，同时发展师范教育和职业教育。1922年“新学制”的产生是中国近代教育史上的重要里程碑，一直沿用至解放战争前夕，为我国近代学校教育制度的形成奠定了重要基础。国民政府时期，在1922年“新学制”（“壬戌学制”）的基础上，制定了“戊辰学制”，同时建立了训育制度，实行督导制、教科书审查制度及毕业会考制度等，并颁布了各种法律与规程，进行了一定的教育法制建设。

（三）新民主主义教育制度的建立

中国共产党在其领导的革命根据地教育中，开展了新民主主义教育的实践，在农村革命根据地、抗日民主根据地和解放区的不同时期，分别制定了相应的教育方针与政策，建立了教育行政系统与学校系统，开展了诸如学校教育、社会教育、干部教育以及识字运动等各级各类教育，为中华人民共和国成立后的教育改革发展积累了有益经验。

概言之，中国教育发展体制、机制、制度、体系、法律、政策等的建立和完善，有力促进了中国教育管理的逐步兴起、不断拓展与全面深化。这是历史演进的必然选择，更是时代发展的现实追求。

二、中国教育管理的变革和创新（1949—2012年）

基于现代公共管理的视角，中华人民共和国成立以来教育管理的变革与国家教育管理体制改革相始终，中国教育体制改革的进程就是中国当代教育管理变革的过程。[①]

（一）计划管理，高度集权（1949—1977年）

中华人民共和国成立后，伴随着高度集中的计划经济体制的建立，逐渐

① 程斯辉，李中伟. 从政治教育学到民生教育学——中国共产党领导教育的与时俱进［J］. 复旦教育论坛，2011（4）：5-14.

形成了一种高度集中与统一的整体主义社会，国家控制、管理着方方面面，社会和个人的空间基本不复存在。在教育领域，一方面，经过20世纪50年代初对旧教育的接管、改造后，所有各级各类教育均由国家举办，中国历史上源远流长的民间办学的传统至此中断，曾经十分活跃、数量众多的民间教育机构、教育组织基本取消，社会化、多样化的教育格局被大一统的、高度集权的计划管理体制所取代。另一方面，政务院文化教育委员会直接领导教育事业，并指导教育部（高等教育部）的工作，先后印发或以政务院的名义发布《关于高等学校领导关系的决定》《关于整顿和发展中等技术教育的指示》《中学暂行规程（草案）》《小学暂行规程（草案）》《幼儿园暂行规程（草案）》《关于修订高等学校领导关系的决定》《关于改进中等专业教育的决定》等文件，对各级各类教育的领导体制作了详尽而又明确的规定，其主要精神是对教育实行集中统一领导。学校基本没有自主权，主要是作为培养人的执行机关和教育行政部门的附属机构而存在。

高度集权制度往往会限制基层社会的活力，并且未必能保证权力运行的切实有效，反而会滋生官僚主义。因此，毛泽东不赞同苏联管理模式，强调要走自己的路。1958年的教育革命带来了教育管理体制的剧烈改变，除了强调政治挂帅，着力加强党对教育的领导外，中央决定下放教育事业管理权，改变以条条为主的管理体制，中小学及中等专业学校等由地方管理，号召“全党办学”“全民办学”。这场较大规模的由中央向地方的放权过程，其目的是克服中央官僚体制，赋予地方更大的活力与自主空间。然而，由于这些改革缺乏完善的制度设计，并且与持续的政治斗争及革命的意识形态相裹挟，与之相伴随的往往是社会持续的动荡。整个教育行政体制也始终处于起伏跌宕之中。“文化大革命”结束后，教育事业的计划管理体制全面恢复，在短时期内带来了秩序和效率，整个社会“人心向学”，教育事业蓬勃发展。但随着教育事业的进一步发展，计划管理体制的弊端又一次逐渐显露出来。

（二）责任共担，适度分权（1978—2000年）

改革开放之初，党和政府在教育管理体制改革上推行简政放权策略，这是我国当代教育治理兴起的独特历史背景。

1985年颁布的《中共中央关于教育体制改革的决定》，拉开了教育改革的序幕，其核心是调整中央与地方的关系、政府与学校的关系，强调中央向地方放权，政府向学校放权，逐步扩大地方政府教育管理的权力、职责。在义务教育方面，实行基础教育由地方负责、分级管理的原则，基础教育管理权属于地方。中央负责决定大政方针和宏观规划，具体政策、制度、计划的制订和实施以及对学校的领导、管理和检查，责任和权力都交给地方。由省、自治区、直辖市决定省、市（地）、县、乡分级管理的职责划分。在职业教育方面，充分调动企事业单位和业务部门的积极性，并且鼓励集体、个人和其他社会力量办学，可以自办、联办或与教育部门合办。在高等教育方面，实行中央、省（自治区、直辖市）、中心城市三级办学的体制，逐渐将高等专科学校、高等职业学校的设置权等下放到省级政府，形成了中央和省级政府两级管理、以省级政府为主的高等教育管理体制。

1993年，中共中央、国务院颁布了《中国教育改革和发展纲要》，提出要改变政府包揽办学的格局，逐步建立以政府办学为主体、社会各界共同办学的体制。基础教育以地方政府办学为主；中等以下教育体制改革的深化，主要是继续完善分级办学、分级管理的体制；职业技术教育和成人教育主要依靠行业、企业、事业单位办学和社会各方面联合办学；高等教育体制改革，主要是要逐步形成以中央、省（自治区、直辖市）两级政府办学为主、社会各界参与办学的新格局，理顺政府与高等学校、中央与地方、国家教委与中央各业务部门之间的关系，逐步建立政府宏观管理、学校面向社会自主办学的体制。

1999年颁布的《中共中央国务院关于深化教育改革全面推进素质教育的决定》提出，要进一步简政放权，加大省级人民政府发展和管理本地区教育的权力以及统筹力度，促进教育与当地经济社会发展紧密结合。在高等教育方面，按照“共建、调整、合作、合并”的方式，对管理体制和布局结构进行调整，形成中央和省级人民政府两级管理、以省级人民政府管理为主的新体制；在高等职业教育和大部分高等专科教育方面，将权力以及责任交给省级人民政府；在基础教育方面，继续完善基础教育主要由地方负责、分级管理的体制。根据各地实际，加大县级人民政府对教育经费、教师管理和校长任免等方面的统筹权。同时，积极鼓励和支持社会力量以多种形式办学，满足人民群众日益增长的教育需求，形成以政府办学为主体、公办学校和民办学校共同发展的格局。

（三）以人为本，共同治理（2001—2012 年）

进入21世纪后，全面建设小康社会的时代特征促使中国教育治理体系和治理能力向现代化进一步迈进，中央政府致力于将经营性的政府行为转变为以公共服务为本的治理体系，凸显“以人为本”的主题。随着对教育公平与质量的诉求日趋强烈，社会对于政府在教育事业中的职能定位有了更高的期待，在教育政策制定或教育管理实践中要突出公平、均衡、民主、和谐。2010年召开的全国教育工作会议指出，要深化教育管理体制改革，正确处理政府、学校、社会的关系，落实和扩大学校办学自主权，建设依法办学、自主管理、民主监督、社会参与的现代学校制度。要以转变政府职能和简政放权为重点，提高公共教育服务水平，明确各级政府责任，规范学校办学行为，形成政事分开、权责明确、统筹协调、规范有序的教育管理体制。

2010年，中共中央、国务院印发了《国家中长期教育改革和发展规划纲要（2010—2020年）》，至此，教育治理成为我国深化教育领域综合改革的重要目标和战略任务。该纲要绘制了十年教育改革与发展的宏伟蓝图，成为建设、完善中国教育治理体系的指导纲领。在办学体制改革方面，提出要健全政府主导、社会参与、办学主体多元、办学形式多样、充满生机活力的办学体制，形成以政府办学为主体、全社会积极参与、公办教育和民办教育共同发展的格局。如学前教育要建立政府主导、社会参与、公办民办并举的办园体制，职业教育要建立健全政府主导、行业指导、企业参与的办学机制。在管理体制改革方面，明确各级政府责任，规范学校办学行为，促进“管办评”分离，形成政事分开、权责明确、统筹协调、规范有序的教育管理体制。同时，加强省级政府教育统筹，进一步加大省级政府对区域内各级各类教育的统筹；转变政府的教育管理职能，改变直接管理学校的单一方式，综合应用立法、拨款、规划、信息服务、政策指导和必要的行政措施，减少不必要的行政干预。在建立现代学校制度方面，推进政校分开、管办分离，适应中国国情和时代要求，建设依法办学、自主管理、民主监督、社会参与的现代学校制度，构建政府、学校、社会之间新型关系；落实和扩大学校办学自主权，政府及其部门要树立服务意识，改进管理方式，完善监管机制，减少和规范对学校的行政审批事项，依法保障学校充分行使办学自主权和承担相应责任；完善中国特色现代大学制度，加强章程建设、扩大社会合作、推进专业评价；完善中小学学校管理制度，主要是完善校长负责制，建立健全教职工代表大会制度，建立中小学家长委员会，建立中等职业学校与行业、企业合作机制等。

由此可见，新中国教育管理的变革和形成，是为了更好地调动各级政府、广大师生员工和社会各方面的积极性，这必然涉及集权与分权、计划与市场、政府与社会、政府与学校、学校与社会等一系列复杂关系。这期间，教育治理的思想和意识逐渐显现，即教育管理逐步向教育治理过渡，以便寻求多方关系的平衡与和谐，在维持理性秩序的同时，激发各方的激情与活力。

三、中国教育治理的兴起和发展（2013 年至今）

教育是“国之大计、党之大计”，在我国国家制度和国家治理体系中具有基础性、战略性、全局性、先导性的重要作用。党的十八届三中全会通过的《中共中央关于全面深化改革若干重大问题的决定》，将“推进国家治理体系和治理能力现代化”作为深化各领域改革的总目标，开启了我国由教育管理向教育治理转变的进程，中国教育治理随着国家治理的产生而兴起。

（一）“管办评”分离，明确主体责任

1. 中央和地方结合

通过调适中央与地方的关系，促进顶层设计与地方探索相结合。2017年，中共中央办公厅、国务院办公厅印发的《关于深化教育体制机制改革的意见》提出，要坚持顶层设计与基层探索相结合，既加强系统谋划，又尊重基层首创精神，充分调动地方和学校改革的积极性、主动性、创造性，及时将成功经验上升为制度政策。在推进教育治理体系现代化建设的进程中，首先，推进局部的阶段性改革开放要在加强顶层设计的前提下进行，加强顶层设计要在推进局部的阶段性改革开放的基础上来谋划。新时代教育治理的显著特征是加强顶层设计，诸如深化考试招生制度改革、现代职业教育体系建

设、一流大学学科建设等重大教育改革，均经国务院常务会议审议，再报中央全面深化改革领导小组会议和中央政治局会议审议，最后由国务院和相关部委全面推进、具体实施。2018年3月，为加强党中央对教育工作的集中统一领导，根据十九届三中全会《深化党和国家机构改革方案》，组建了中央教育工作领导小组，作为党中央决策议事协调机构，这对于加强教育改革的顶层设计，有效处理中央和地方、全局与局部关系，增进改革的系统性、整体性、协同性，形成整体效应具有重要意义。其次，随着我国教育改革进入“深水区”，许多地区和学校从实际出发，坚持问题导向，总结提炼出许多改革探索的新经验，一些被实践证明行之有效的改革经验，为国家层面的宏观决策提供了重要的实践支持。

2. 府际协商

通过理顺部门间关系，建立完善政府统筹、府际协商的治理机制。府际关系，指政府之间在垂直和水平上的纵横交错关系，以及不同地区的政府间关系。对于同一地区而言，主要涉及同级政府内设部门间的横向府际关系。在政府教育治理体系内部，除主管教育事务的教育行政部门以外，发展和改革委员会、组织、财政、人力资源与社会保障、编制、规划国土资源、住房城乡建设、科技、国有资产监督、经济信息化、税务等部门，均有自身的治理逻辑并负有相应的教育管理职责。但是，长期以来存在的部门间各自为政、多头行政局面，教育行政部门与其他政府职能部门之间屡屡发生的沟通不畅、相互扯皮推诿现象，对学校办学秩序造成严重影响。建立与完善政府统筹、府际协商的教育治理机制，由教育行政部门统筹政府相关职能部门的教育管理活动，是深化政府教育治理体系改革的重要方式。

（二）“放管服”结合，激发办学活力

1. 综合改革

实施简政放权，重构新型政校关系。扩大学校办学自主权一直是教育治理的主线。2014年召开的全国教育工作会议将全国教育工作的目标确定为：深化教育领域综合改革，加快推进教育治理体系和治理能力现代化。具体来讲就是：深入推进“管办评”分离，扩大省级政府教育统筹权和学校办学自主权，完善学校内部治理结构，建立教育基础性制度体系，构建充满活力、富有效率、更加开放、有利于科学发展的教育体制机制，人民群众关心的教育热点、难点问题进一步缓解，政府依法宏观管理、学校依法自主办学、社会有序参与、各方合力推进的格局逐步形成。2017年《关于深化教育体制机制改革的意见》将“政府依法宏观管理、学校依法自主办学、社会有序参与、各方合力推进”作为“充满活力、富有效率、更加开放、有利于科学发展”的教育治理格局的重要组成部分。学校自主办学权，源于政府的放权。对于政府而言，需要科学规划国家和区域教育事业发展的类型、规模与速度，使每一所学校都有科学合理的发展定位；需要建立健全系统化的教育标准体系，使学校在自主办学过程中有标准可依；需要通过清单管理，把该放给学校的权力下放给学校，使学校有权可用；需要加强事中事后监管，监督和保障学校依法用好办学权力；需要为学校合理配置教育资源、提供专业化的服务，使学校健康持续发展。习近平总书记在2018年9月10日召开的全国教育大会上进一步明确指出，要深化教育体制改革，健全立德树人落实机制，扭转不科学的教育评价导向，坚决克服唯分数、唯升学、唯文凭、唯论文、唯帽子的顽瘴痼疾，从根本上解决教育评价指挥棒问题。要深化办学体制和教育管理改革，充分激发教育事业发展生机活力。要提升教育服务经济社会发展能力，调整优化高校区域布局、学科结构、专业设置，建立健全学科专业动态调整机制，加快一流大学和一流学科建设，推进产学研协同创新，积极投身实施创新驱动发展战略，着重培养创新型、复合型、应用型人才。要扩大教育开放，同世界一流资源开展高水平合作办学。

2. 内部治理

建立现代学校制度，激发内部办学活力。在推进教育治理体系与治理能力现代化进程中，尽管目前尚无一部法律对学校办学过程中的责权利予以明确界定和规范，但是，为落实各级各类学校的法定办学自主权，可以通过学校章程的制定与完善，将学校的依法自主办学具体化为依章程自主办学，使学校自主办学有章可循；可以通过学校制度体系建设，制定并完善教学、科研、学生、人事、资产与财务、后勤、安全、对外合作、学生组织、学生社团等方面的管理制度，建立健全各种办事程序、内部机构组织规则、议事规则等；进一步加强和改善党对学校的领导，完善普通中小学和中等职业学校校长负责制、高等学校党委领导下的校长负责制；建立由学校负责人、教师、学生及家长代表、社区代表等参加的校务委员会，注重发挥校务委员会对学校章程、发展规划及年度工作报告、学校重大教育教学改革以及涉及学生、家长、社区工作重要事项的决策作用，完善民主决策程序；加强校务委员会、高等学校理事会与学术委员会、教职工代表大会、学生代表大会、家长委员会等组织建设，完善学校内部治理结构，完善民主决策程序，依法保障广大教职工和学生参与学校民主管理和监督；完善校务公开制度，保证教职工、学生、社会公众对学校重大事项、重要制度的知情权；推动学校积极开展自我评价，完善学校内部质量保障体系和机制，引入第三方社会组织的专业评价，建立科学、规范、公正的教育监督、监测与评价制度；完善学校法律救济制度，维护学校、师生合法权益。2019年2月，中共中央、国务院印发了《中国教育现代化2035》，中共中央办公厅、国务院办公厅印发了《加快推进教育现代化实施方案（2018—2022年）》，提出推进教育现代化的十大战略任务，其中一项就是推进教育治理体系和治理能力现代化，建立多元参与的协同治理新机制，这是教育现代化的重要保障。具体包括：提高教育法治化水平，构建完备的教育法律法规体系，健全学校办学法律支持体系。健全教育法律实施和监管机制。提升政府管理服务水平，提升政府综合运用法律、标准、信息服务等现代治理手段的能力和水平。健全教育督导体制机制，提高教育督导的权威性和实效性。提高学校自主管理能力，完善学校治理结构，继续加强高等学校章程建设。鼓励民办学校按照非营利性和营利性两种组织属性开展现代学校制度改革创新。推动社会参与教育治理常态化，建立健全社会参与学校管理和教育评价监管机制。

（三）政校社一体，发挥三方作用

1. 拓展渠道

拓展渠道即积极稳妥地发挥社会组织、市场参与教育的作用。自从我国开始建立市场经济以后，政府、学校关系演变成政府、学校与社会三者之间的关系。在推进以“管办评”分离、“放管服”结合为核心的治理体系现代化建设过程中，除参与办学外，社会组织正以其自身的专业化优势，以市场机制参与包括教育在内的公共事务。正如2013年《中共中央关于全面深化改革若干重大问题的决定》所指出的，推广政府购买服务，凡属事务性管理服务，原则上都要引入竞争机制，通过合同、委托等方式向社会购买；《教育部关于深入推进教育管办评分离促进政府职能转变的若干意见》强调，创新提供公共教育服务方式，健全政府购买教育服务机制，在决策咨询、学校管理、提供义务教育和学前教育学位、师资培训、特殊人群服务、教育质量和办学绩效评价等领域推广政府购买服务，提高公共教育服务的质量和效率，各种线上教育资源、相关体育艺术团体、教育管理公司、教育评估事务以及卫生、安全所等专业机构，正以其丰富的教育资源、专业化的服务资质，参与教育服务、支持、监督与评价等事务。2019年10月31日，中国共产党第十九届中央委员会第四次全体会议通过的《中共中央关于坚持和完善中国特色社会主义制度、推进国家治理体系和治理能力现代化若干重大问题的决定》，提出要构建服务全民终身学习的教育体系。全面贯彻党的教育方针，坚持教育优先发展，聚焦办好人民满意的教育，完善立德树人体制机制，深化教育领域综合改革，加强师德师风建设，培养德智体美劳全面发展的社会主义建设者和接班人。推动城乡义务教育一体化发展，健全学前教育、特殊教育和普及高中阶段教育保障机制，完善职业技术教育、高等教育、继续教育统筹协调发展机制。支持和规范民办教育、合作办学。构建覆盖城乡的家庭教育指导服务体系。发挥网络教育和人工智能优势，创新教育和学习方式，加快发展面向每个人、适合每个人、更加开放灵活的教育体系，建设学习型社会。

2. 强化督导

强化督导即建立健全教育治理监督、评价与问责制度。首先，建立与完善教育行政权力运行制约和监督制度，加强对政府和教育行政部门的监督及监察、审计等专门监督，形成包括党内监督、人大监督、民主监督、司法监督、社会监督、舆论监督的一体化监督体系；逐步建立健全教育行政绩效评估制度，以公平、公开、公正的评估标准与评估指标重点评估教育行政履职、行政效率、行政效益、行政成本等，并以适当方式向社会公开评估过程和评估结果。其次，建立与完善学校多元评价制度，建立基于学生健康成长的区域教育质量综合评价制度、基于校长专业发展的校长评价制度、底线管理与特色发展相结合的学校办学评价制度，以及学校满意度调查与评价制度。改革教育评估模式，推进政府购买服务，委托第三方专业评估组织，对政府教育行政绩效、学校办学水平、校长办学业绩、学生体质和课业负担等，开展客观、独立、公正、全面、深入的专业评估。再次，建立与完善教育问责制度，将教育监测、评估结果作为评价政府及其主要负责人教育行政工作业绩、学校校长办学业绩的重要参考，对不履行或者拖延履行法定教育职责的、超越或者滥用教育行政职权的、违反法定教育行政程序造成不良后果的，依法追究相应责任；建立基于清单管理与政务公开、财务公开制度相结合、基于学校章程的责任倒查制度。①

（四）推进教育治理体系和治理能力现代化

教育治理包括教育治理体系和教育治理能力，推进教育治理体系和治理能力现代化是新时代深化教育改革的重大命题和核心任务，二者是辩证统一、相辅相成的。良性的教育治理体系，可以为提高教育治理能力打下基础，有了一定水平的教育治理能力，才能有效发挥教育治理体系的正向功能。从改革实践看，治理体系建设总体上先于治理能力的建设。如果说治理体系更多地支撑了各级各类教育的普及，治理能力将更多地助推教育质量提升。教育治理的终极价值目标是提高教育效能，促进教育公平；教育治理的重点目标与现实切入点是促进教育自由，增强教育活力；教育治理的底线目标是提高教育效率，形成教育新秩序。②当前我国深化教育领域综合改革的主要目标，就是要形成具有中国特色的教育治理体系和治理能力。

教育治理体系是国家治理体系的重要组成部分，它是一个由一系列教育制度构成的完整系统。在教育现代化过程中，必然要求教育制度逐渐完善，进而形成能够促进和保障教育事业各方面科学发展的政策制度系统。教育治理体系现代化是一种从“教育管理”的传统形态向“教育治理”现代形态不断变迁的过程。这种变迁过程具体包括四个方面的转变：教育管理主体由单一性向多元化转变、教育管理体制机制由集中性向民主性转变、教育管理

---

① 范国睿，孙闻泽. 改革开放40年教育体制机制改革的历史与逻辑分析［J］. 教育研究，2018（7）：18-21.

② 褚宏启. 教育治理：以共治求善治［J］.教育研究，2014（10）.

过程由强制性向互动性转变、教育管理方式由控制性向合作化转变。[①]“教育治理体系现代化的主要衡量标准是教育权力运行的制度化与规范化、过程民主化、运行法治化、结构一体化和效率最大化。”[②]教育治理体系现代化就是要适应变化了的社会经济条件以及教育发展状况，通过教育体制机制的改革、教育法律法规的完善，推动制度体系的科学化，实现教育治理的法治化、规范化。

教育治理能力是公共教育治理中的不同主体（包括政府及其职能部门、学校、社团、中介和民间组织、市场、公民等）依照国家法律，运用国家制度管理教育各方面事务的能力，包括教育政策执行能力、教育资源利用能力、教育体系规范能力等多方面的能力。教育治理能力的现代化，需要转变政府职能，把学校、社会纳入教育治理体系中，构建政府、学校、社会在教育治理中的新型关系，三者进行合理分权，激发政府的积极性、学校自主发展的主动性及社会力量参与的积极性。要求教育治理中的不同主体适应时代变化，增强依法、依规办事的意识，善于严格依照法律和制度进行治理，提高科学执政、民主执政、依法执政水平，把法律与制度优势转化为管理效能。教育治理能力现代化，既决定着教育现代化水平的高低，也是实现国家治理现代化的基础。因此，要根据新时代各利益群体的诉求，不断提升教育治理的规范性、民主性和高效性。

教育事业的改革与发展是国家治理的重要领域，教育治理现代化同时也是国家治理现代化的重要内容。推进教育治理体系和治理能力现代化，就是要适应国家治理体系和治理能力建设，根据教育发展的自身规律和教育现代化的基本要求，以构建政府、学校、社会新型关系为核心，以推进“管办评”分离为基本要求，以转变政府职能为突破口，建立系统完备、科学规范、运行有效的制度体系，形成政府宏观管理、学校自主办学、社会广泛参与的格局，更好地调动中央和地方两个积极性，更好地激发每个学校的活力，更好

① 余雅风. 以制度为关键和重点，让教育治理更有水平——推进教育治理体系和治理能力现代化［J］. 中国电化教育，2020（1）.

② 张建. 教育治理体系的现代化：标准、困境及路径［J］. 教育发展研究，2014（9）.

地发挥全社会的作用。政府宏观管理，就是要转变职能、简政放权、创新方式，把该放的放掉，把该管的管好，做到不缺位、不越位、不错位。学校自主办学，就是要落实学校办学主体地位，明确权利责任，自我管理、自我约束、自我发展。社会广泛参与，就是教育质量要接受社会评价、教育成果要接受社会检验、教育决策要接受社会监督，最大限度吸引社会资源进入教育领域。政府、学校、社会，“管办评”三者之间，权责边界既应当是清晰的，又一定是相对的，既相互制约又相互支持，由此形成现代教育治理体系，不断提升现代教育治理能力。

党的十九大以来，中国教育治理进入新阶段。新时代的中国教育治理着眼于实现“两个一百年”奋斗目标，适应新时代我国社会主要矛盾变化，从党的十九大确立的战略目标和重大任务出发，聚焦“坚持和完善统筹城乡的民生保障制度，满足人民日益增长的美好生活需要”，确立了完善中国特色社会主义教育制度、提高教育治理体系和治理能力现代化水平的总体方向和重点任务，为加快教育现代化、大力提高国民素质提供了重要行动指南。主要体现在以下四个方面：第一，坚持和完善统筹城乡的民生保障制度，核心目的是满足人民日益增长的美好生活需要。在教育领域，就要牢牢把握全面贯彻党的教育方针、培养德智体美劳全面发展的社会主义建设者和接班人的根本方向，完善立德树人体制机制，加强师德师风建设，使教育改革发展成果更多更公平惠及全体人民。第二，基于党的十九大确定的“七个有所”（幼有所育、学有所教、劳有所得、病有所医、老有所养、住有所居、弱有所扶），作出健全国家基本公共服务制度体系的重大决策。当前，尤其要在“幼有所育、学有所教”方面深化教育领域综合改革，构建服务全民终身学习的教育体系，为促进人的全面发展筑牢基础性的制度体系保障。第三，紧紧抓住人民群众最关心最直接最现实的利益问题，注重加强普惠性、基础性、兜底性民生建设，保障群众基本生活。在基本公共教育服务均衡化、均等化乃至城乡一体化方面，依法确保各级政府担负起坚持教育优先发展、促进教育公平的主责。第四，着眼于当今社会需求高度分化格局，创新公共服务提供方式，鼓励支持社会力量兴办公益事业。在教育与学习领域，顺应人民对美好生活新期待，聚焦办好人民满意的教育，激发社会各方积极性，尽快形成共建共治共享的有效机制，逐步拓宽终身学习通道，建设符合国情的学习型社会，更好满足人民群众多层次多样化需求。[①]

第二节　中国教育治理兴起的动因

治理的兴起并非空穴来风，也绝非人为地制造出一套新口号。政府权力的减弱、市场经济的局限、全球问题的出现、第三部门的壮大等，导致政府管理和市场机制在社会资源配置中出现问题。治理成为应对和解决这些问题的新理念。它是人类社会应对全球化背景下日益复杂的发展问题的必然产物，是人类政治文明进步的集中体现。“人类的政治生活正在发生重大的变革，其中最引人注目的变化之一，便是人类政治过程的重心正在从统治走向治理，从善政走向善治，从政府的统治走向无政府的治理（governance without government），从民族国家的政府统治走向全球治理（global governance）。”[②]随着治理理论及实践的兴起，教育领域的学者也开始逐渐关注治理概念及理念在教育领域的应用。

教育属于人类生存的基本需求，教育权是人类的基本权利之一。教育在全球范围内的发展，涉及人类的基本需求和利益，世界各国面临的教育问题趋于全球化，单独依靠一国或某几国及组织已难以彻底解决这些问题。“教育政策不再是哪个民族国家的责任或事情，事实是国家教育体系的工作正在跨越区域（across a range of scales）或全球范围进行再协调。就传统而言，教育活动被视为国家独有的，甚至是神圣不可侵犯的主权领域。而今天不可否认的是新的变化正在发生，教育与超国家力量的联系愈加紧密。”[③]各国及国际组织等机构之间需要相互合作交流，共同制定及遵守规则，以寻求解决问题的方法和途径。教育治理为解决人类面临的基本教育问题提供了治理

① 张力. 教育治理体系和治理能力现代化的历史方位［N］. 中国教育报，2020-01-06（1）.

② 俞可平. 全球治理引论［J］. 马克思主义与现实，2002（1）.

③ 杜越. 联合国教科文组织与全球教育治理［J］. 全球教育展望，2011（5）.

理念和工具。特别是通信技术、信息技术和网络技术的突飞猛进，使得教育领域的许多问题成为具有共性特质的难题，如信息化背景下的核心素养、信息技术教育、教育与经济、教育与创新等。这些问题的解决，要求各方站在全社会的高度，树立现代治理的理论和理念，充分运用各个方面的影响和各个主体的力量，寻求问题的最佳解决方案。教育是一个显现全球化的负面影响和需要更多有效的全球治理的场所。[①]人类对教育人文性及人对全面发展的持续追求和不懈探索，促使人们积极寻求教育改革发展的目标理念及手段方法，发展优质教育以应对社会的发展，体现出参与教育治理的主动态势。因此，教育治理是顺应时代发展趋势和社会进步走向的一种新型治理理论。

一、现实需要：国家体制改革的驱动

改革开放前，党委领导下的政府集中统一管理，不仅包括整个的政治事务和行政事务，也包揽着全部的社会事务和经济事务，这种“一元治理”体制的最大弊端在于管理上的集权和低效，忽略了人们的创造性和自主性。此外，由于实行高度的计划管理，市场因素被忽视，在社会资源的创造和配置上一直处于国家管理和市场调节失灵的状态。改革开放战略的实施无疑是为了改变这一状态。从治理主体的角度看，改革开放后，政府不再是唯一的治理主体，事业单位、企业等都将拥有治理主体地位。因此，这是一种不涉及基本政治框架变动，而偏重于运用新的管理方式的以行政管理体制为核心内容的政府治理改革。2013年，党的十八届三中全会通过的《中共中央关于全面深化改革若干重大问题的决定》明确提出，全面深化改革的总目标是完善和发展中国特色社会主义制度，推进国家治理体系和治理能力现代化。全文共24次提到“治理”一词并且进行多种表述。自此，“治理”理念引入到社会各个领域，表明作为学术概念讨论已久的治理理论正式进入中国的战略、方针、政策领域。治理是超越意识形态和基本政治制度，更具开放性、包容性和全球化特征的全新理念。它更加能够影响各国在相互竞争、

① 卡伦·芒迪. 全球治理与教育变革：跨国与国际教育政策过程研究的重要性［J］. 申超，译. 北京大学教育评论，2011（1）.

文明成长当中对人类社会的推动作用和人类社会发展的深层次东西。作为全面深化改革的总目标和“治国理政”的新理念、新方略，它打破了以往对改革板块式的认识，不仅是马克思主义理论的重大创新和党的治国方略的重大转型，而且是中国共产党执政成熟的重要标志和长期执政的必然选择，从某种意义上说使中国特色社会主义迈入国家治理新时代。

适应经济社会体制改革的需求和趋势，是我国教育治理的推动力量与根本要求。在中国教育治理历程中，每一次的探索都是顺应经济、政治、科技等体制改革的要求而开展的。20世纪80年代，连续发布《中共中央关于经济体制改革的决定》《中共中央关于科学技术改革的决定》《中共中央关于教育体制改革的决定》三个重要文件，构成这一时期以体制改革为特征的社会改革与发展的总框架，从而大大推动了中国社会治理现代化的进程。反映在教育领域，就是要通过改革来更好地调动各级政府、广大师生员工和社会各方面的积极性，促进教育事业发展。这一阶段教育体制改革的核心被定义成简政放权、扩大学校的办学自主权。在中央和地方的教育管理权责关系上，强调通过教育治理，改革管理体制，在加强宏观管理的同时，坚决实行简政放权，扩大学校的办学自主权。1992年，党的十四大提出建立社会主义市场经济体制的改革目标。这一时期教育治理的重点是建立与社会主义市场经济体制相适应的教育体制。1993年《中国教育改革和发展纲要》指出，要建立与社会主义市场经济体制和政治体制、科技体制改革相适应的教育新体制。随着社会主义市场经济体制的初步建立和市场逻辑的引入，市场竞争、资源配置等逐渐成为政府部门进行教育调控的手段。为建立适应社会主义市场经济体制和政治、科技体制改革需要的教育体制，中国加快了教育的改革与发展，逐步改变了政府包揽教育的格局，进一步顺应时代要求而不断丰富和完善教育治理方式。1999年颁布了《中共中央国务院关于深化教育改革全面推进素质教育的决定》，2010年，中共中央、国务院印发了《国家中长期教育改革和发展规划纲要（2010—2020年）》，至此教育治理成为我国深化教育领域综合改革的重要目标和战略任务。2019年2月，中共中央、国务院印发了《中国教育现代化2035》，同时又印发《加快推进教育现代化实施方案（2018—2022年）》，再次强调教育治理问题。纵观改革开放四十年来中国教育治理的探索历程，可以窥见，只有立足于时代发展要求及社会发展全局，随社会发展而逐步丰富自身内涵建设，中国教育治理才能不断地获取推动自身建设的动力与活力。

二、根本动力：教育管理转型的推动

现阶段我国积极倡导教育治理，主要基于两个主要的原因：一方面主要是基于国家总体发展的大布局对传统教育管理的挑战；另一方面也是配合国家治理体系宏观战略，加快教育治理现代化的步伐。我国对教育治理的关注与倡导，除受到国际教育生态环境变革的影响之外，主要是基于当前我国教育管理过程中存在的一些突出问题。问题的解决需要引入新的思维与认识理念，教育治理正是基于我国教育管理改革发展新形势，破解教育发展转型过程中出现的教育管理体制机制问题的新思维、新范式，是对管理体制机制的弊端所造成的各种不可治理性的科学回应。同时，随着我国经济社会的快速发展，人们对优质教育资源的需求日益增长，已有的教育官僚制结构缺乏灵活性与回应性，不能适应民众日益多样化与个性化的教育诉求。人们对教育的期待与政府有限容量之间的矛盾冲击着教育发展理念和管理方式，“倒逼”教育治理范式转型。教育治理的产生有其历史的渊源和现实的需要，是现代教育管理的重要理念和价值追求。

党的十八大提出，要始终把改革创新精神贯彻到治国理政各个环节，坚持社会主义市场经济的改革方向，不断推进理论创新、制度创新以及其他各方面创新，为中国教育治理的总体推进与发展打下了牢固基础。以习近平同志为核心的党中央提出了习近平新时代中国特色社会主义思想，并将全面深化改革作为基本方略之一，坚决破除一切不合时宜的思想观念和体制机制弊端，构建系统完备、科学规范、运行有效的制度体系，不断推进国家治理体系和治理能力现代化。《国家教育事业发展“十三五”规划》提出将坚持改革创新作为教育事业发展的基本原则和根本动力，不断深化教育综合改革，将顶层设计和实践探索有机结合，充分调动基层特别是广大学校、师生的积极性、主动性和创造性，通过教育体制机制改革创新解决难题、激发活力、推动发展。2018年召开的全国教育大会，强调要系统深化育人方式、办学模式、管理体制和保障机制改革，着力形成充满活力、富有效率、更加开放、有利于高质量发展的教育体制机制。这成为新时代教育治理的重要工作内容。由此可见，正是通过改革创新，中国教育治理的内涵不断得以丰富，增强了发展的生机与活力，为进一步发展、完善提供了不竭动力。

三、外部影响：全球教育治理的带动

自20世纪60年代开始，西方福利国家政府全面干预的负面性影响不断累积，职能扩张、效率低下、服务低劣的弊端不断显现，诱发了普遍存在的政府管理和信任危机。至此，曾经占据主导地位近一个世纪之久，以传统官僚制为核心的西方公共行政陷于衰落的窘境。20世纪70年代以来，各国开始探求应对政府失灵的治疗良方，以减少政府干预、主张私有化为特征的新自由主义思潮悄然兴起。20世纪90年代起，治理作为应对政府与市场失灵的一种补充机制，开始登上历史的舞台。治理强调民主、参与、回应、责任、法治等精神，力图突破传统的“政府与市场”的二维世界，开启社会公共事务管理的新模式。如果说1985年的《中共中央关于教育体制改革的决定》标志着中国教育改革开放的开始，那么2017年的《关于深化教育体制机制改革的意见》则标志着中国教育改革进入全面推进教育治理体系与治理能力现代化的新阶段，体现了党的执政理念的转变，更彰显了教育治理所蕴含的公平正义、民主法治和科学精神。

教育治理作为国家治理重要战略的有机组成部分，必然会受到国家治理改革的大环境的影响。在教育领域，政府垄断供给和生产所引发的效率低下、专制危机等问题与市场的竞争性、趋利性所导致的教育公平与效率的矛盾，促使人们开始积极寻求既能够维护教育的公平正义，又能够激发市场竞争活力的治理新路径。在治理理论的影响下，不同于以往以“全能政府”为特征的“规制型”范式和追求“自由放任”的“市场型”范式的教育治理应运而生。我国教育治理的进程也势必受到全球治理理论与实践的影响。但教育治理的逐渐兴起和发展，并不是跟在一般治理变革之后的结果。教育领域的治理有着其自身发展的特性和相对独立性。与西方不同的是，西方教育治理是在较为成熟的民主政治、公民社会和市场经济体制下为补救国家统治和市场调节的失灵而兴起的；而中国教育治理的兴起则面临着民主政治改革，市场经济体制重建以及公民社会再造等多元治理主体形成的历史背景。因此，中国教育治理的兴起是政府、社会组织、市场、学校以及公民个人等多元治理主体共同形成和发展完善的历史过程。

第二章 中国教育治理的结构体系

教育治理结构体系是指以政府为核心的多元治理主体为实施教育活动，按照一定秩序和内部联系建立起来的各级各类教育形式及其组合而成的整体。从类型上看，主要包括作为主体的普通教育，作为两翼的职业教育和终身教育；从层次上看，主要包括学前教育、义务教育、高中教育、高等教育、民办教育、继续教育、民族教育、特殊教育等各种形式的教育公共服务体系。这构成了目前中国教育治理有机联系与相互衔接的基本框架。

第一节 巩固、提高的普通教育

一、学前教育：公益、普惠

学前教育，又称幼儿教育，是指实施幼儿教育的机构根据一定的培养目标和幼儿的身心特点，对学龄前儿童实施的有计划的早期教育。其主要任务是使儿童身心获得协调发展，为接受小学阶段的教育做好准备。实施学前教育的机构主要有幼儿园、托儿所、学前班等，学习期限从一年到三年不等。幼儿园有全日制、半日制、寄宿制、季节性幼儿园和学前班之别，办学主体有公办与民办之分，一般为三年制，按幼儿的年龄分设小班（三岁）、中班（四岁）、大班（五岁）。托儿所主要是招收三岁以下的婴幼儿，基本上都是民间办理的。学前班儿童的年龄与幼儿园大班儿童的年龄相同，均附属在小学里面，尤其是在幼儿园尚未普及的农村及贫困地区多有设置，这可使幼儿能尽快地适应小学的学习生活，为正式接受初等教育做好充分的入学准备。

（一）学前教育的多重性质

1. 教育性

学前教育是中国教育事业的重要组成部分，因此首先具有教育性。1979年颁布的《城市幼儿园工作条例（试行草案）》明确规定：幼儿园是对三岁至六岁幼儿进行学龄前教育的事业机构。幼儿教育是社会主义教育事业的组成部分，是培养有社会主义觉悟的有文化的劳动者的基础。1989年发布的《幼儿园工作规程（试行）》指出：幼儿园是对三周岁以上学龄前幼儿实施保育和教育的机构，是基础教育的有机组成部分，属学校教育的预备阶段。1991年发布的《关于改进和加强学前班管理的意见》对学前班的性质做了规定：学前班是对学龄前儿童进行教育的一种组织形式。在现阶段，它是农村发展学前教育的一种重要形式；在城市，则是幼儿园数量不足的一种辅助形式。1996年发布的《幼儿园工作规程》指出：幼儿园是对三周岁以上学龄前幼儿实施保育和教育的机构，是学校教育的预备阶段。2001年颁布的《幼儿园教育指导纲要（试行）》指出：幼儿园教育是基础教育的重要组成部分，是我国学校教育和终身教育的奠基阶段。

2010年以来，党和政府对学前教育的发展给予极大的重视，有关学前教育发展的政策文件密集出台，不仅发文数量多，而且辐射范围广。管理体制方面，主要为《国务院关于当前发展学前教育的若干意见》（2010年），作为学前教育发展的专门政策，强调以健全现有学前教育的工作管理机制为目标，全方位多途径实施学前教育，保障教育质量和教育公平。教师队伍方面，主要有《教育部财政部关于实施幼儿教师国家级培训计划的通知》（2011年）、《幼儿园教师专业标准（试行）》（2012年），进一步凸显幼儿教师专业知识素养的政策目标价值，对我国幼儿教师专业理念、知识和能力做出了明确的规定。制度规范方面，主要有《托儿所幼儿园卫生保健管理办法》（2010年）、《幼儿园收费管理暂行办法》（2011年），为提高幼儿园、托儿所的保教工作水平，促进儿童的身心健康发展提供良好保障。此外，《关于加大财政投入支持学前教育发展的通知》（2011年），不仅强调要进一步扩大学前教育资源并加大对学前教育事业的财政投入，而且增加了对扩大中西部农村的学前教育的资源目标设计。此外，在政策措施中强调“利用农村闲置校舍改建幼儿园”“开展学前教育巡回支教试点”等保障措施，体现了对提升中西部农村地区学前教育质量和教育公平的高度关注。《中央财政支持学前教育发展资金管理办法》（2015年）指出，要规范和加强中央财政支出学前教育发展资金，特别是在政策措施中设计了“我国学前教育发展资金分配使用”“资金管理的总原则和管理办法”等积极规范学前教育资金的有效措施，确保了我国学前教育财政投入工作的科学性。

《国家中长期教育改革和发展规划纲要（2010—2020年）》提出，要遵循幼儿身心发展规律，坚持科学的保教方法，保障幼儿快乐健康成长。为此确立了政府主导、社会参与、公办民办并举的办园体制，要求积极发展公办幼儿园，大力扶持民办幼儿园；实行成本合理分担机制，对家庭经济困难的幼儿入园给予财政补助；完善幼儿园工作制度和管理办法；制定学前教育办园标准和收费标准；建立幼儿园准入和督导制度，加强学前教育管理，规范办园行为；依法落实幼儿教师地位和待遇，加强幼儿教师队伍建设。2019年印发的《中国教育现代化2035》提出，以农村为重点提升学前教育普及水平，建立更为完善的学前教育管理体制、办园体制和投入体制，大力发展公办园，加快发展普惠性民办幼儿园。同时印发的《加快推进教育现代化实施方案（2018—2022年）》提出，推进学前教育普及普惠发展，健全学前教育管理机构和专业化管理队伍，加强幼儿园质量监管与业务指导。由此可知，学前教育是我国学制中的重要一环，且其地位在不断提升。在不同时期均表现出教育性特征，作为终身学习的开端，它是学校教育的奠基阶段。

2. 公益性

学前教育是一项社会公共事业，具有福利性和公益性。1951年政务院颁发的《关于改革学制的决定》便确立了我国幼儿园教育的公共事业性质，公立幼儿园具有鲜明的福利性和公益性。这一原则始终延续至今，表现出我国学前教育的显著特征。改革开放后，我国学前教育的法规文件中都规定了学前教育的社会公共福利性质。如《关于改进和加强学前班管理的意见》指出：举办学前班不得以营利为目的。1997年发布的《全国幼儿教育事业“九五”发展目标实施意见》特别提出：幼儿教育既是教育事业，又具有福利性和公益性的特点。《国务院关于当前发展学前教育的若干意见》指出：

学前教育是重要的社会公益事业，发展学前教育，必须坚持公益性和普惠性，努力构建覆盖城乡、布局合理的学前教育公共服务体系，保障适龄儿童接受基本的、有质量的学前教育；必须坚持政府主导、社会参与、公办民办并举，落实各级政府责任，充分调动各方面积极性；必须坚持改革创新，着力破除制约学前教育科学发展的体制机制障碍；必须坚持因地制宜，从实际出发，为幼儿和家长提供方便就近、灵活多样、多种层次的学前教育服务。

2018年11月，中共中央、国务院出台《关于学前教育深化改革规范发展的若干意见》。该意见分为总体要求、优化布局与办园结构、拓宽途径扩大资源供给、健全经费投入长效机制、大力加强幼儿园教师队伍建设、完善监管体系、规范发展民办园、提高幼儿园保教质量、加强组织领导等九个部分。意见指出，党的十八大以来，我国学前教育事业快速发展，资源迅速扩大、普及水平大幅提高、管理制度不断完善，“入园难”问题得到有效缓解。同时也要看到，由于底子薄、欠账多，目前学前教育仍是整个教育体系的短板，发展不平衡不充分问题十分突出，“入园难”“入园贵”依然是困扰老百姓的烦心事之一。主要表现为：学前教育资源尤其是普惠性资源不足，政策保障体系不完善，教师队伍建设滞后，监管体制机制不健全，保教质量有待提高，存在“小学化”倾向，部分民办园过度逐利、幼儿安全问题时有发生。意见旨在进一步完善学前教育公共服务体系，切实办好新时代学前教育，更好实现幼有所育。意见明确，到2020年，全国学前三年毛入园率达到85%，普惠性幼儿园覆盖率（公办园和普惠性民办园在园幼儿占比）达到80%；到2035年，全面普及学前三年教育，建成覆盖城乡、布局合理的学前教育公共服务体系。

（二）学前教育的主要任务

学前教育制度确立以来，在促进我国三至六岁儿童身心全面和谐发展、解放劳动力以及支持社会主义建设等方面，发挥了重要的功能，起到了独特的作用。在很长一段时期，其主要任务有以下几点：

1. 实施全面发展的教育

对幼儿实施全面发展的教育是学前教育的基本功能和首要任务。从《城市幼儿工作条例（试行草案）》，到《幼儿园工作规程（试行）》《幼儿园工作规程》和《幼儿园教育指导纲要（试行）》，再到《国务院关于当前发展学前教育的若干意见》、《中国儿童发展纲要（2011—2020年）》（2011年）、《中国0—6岁儿童营养发展报告》（2012年）、《3—6岁儿童学习与发展指南》（2012年）等，这一系列以幼儿发展为本的政策的出台，正是基于促进幼儿身心全面和谐发展目标的现实选择。四十年来，国家颁布的一系列有关幼儿教育的重要法规文件都将“对幼儿实施全面发展的教育，促进幼儿身心和谐良好的发展”，作为幼儿教育的核心使命和根本职责，强调幼儿园的任务是：实行保育和教育相结合的原则，对幼儿实施体、智、德、美全面发展的教育，促进其身心和谐发展。特别是国务院发布的《中国儿童发展纲要（2011—2020年）》，提出多项儿童营养指标，明确我国儿童营养改善的总目标和要求，进一步体现了关注幼儿身心和谐发展的政策设计。

2. 奠定终身学习的基础

学前教育的第二项任务是为幼儿进入小学阶段的学习做好准备，为幼儿终身的学习和发展打好基础。《幼儿园工作规程》指出：幼儿园和小学应密切联系，互相配合，注意两个阶段教育的相互衔接。《国务院关于当前发展学前教育的若干意见》指出：学前教育为幼儿入小学做准备，为培养一代新人打下良好基础。《全国幼儿教育事业“九五”发展目标实施意见》则强调：要加强对农村地区幼儿学前班的领导与管理，端正办班指导思想，防止“小学化”倾向。要针对幼儿身心发展特点和认知规律，组织一日（半日或其他形式）教育活动，切实为幼儿入小学做好准备。

3. 形成家园互动的氛围

《幼儿园工作规程（试行）》第三条规定，幼儿园的任务既是对幼儿实施全面发展的教育，同时为幼儿家长安心参加社会主义建设提供便利条件。幼儿园应主动与幼儿家庭配合，帮助家长创设良好的家庭教育环境，向家长宣传科学保育、教育幼儿的知识，共同担负教育幼儿的任务。《幼儿园教育指导纲要（试行）》也指出：幼儿园应与家庭、社会密切配合，共同为幼儿创造一个良好的成长环境。此外，我国学前教育还注重对处境不利的幼儿给予教育补偿，主要体现在党和政府在政策上关注处境不利的儿童。1992年国务院《九十年代中国儿童发展规划纲要》、2003年国务院《关于幼儿教育改革与发展的指导意见》、2010年《国务院关于当前发展学前教育的若干意见》等文件，都提出要对欠发达地区、低收入家庭、流动人口的儿童给予一定的关注，加大对中西部地区、农村地区的教育投入，保证处境不利的幼儿能有公平接受学前教育的机会。《幼儿园工作规程》还特别指出：幼儿园对烈士子女，家中无人照顾的残疾人子女和单亲子女等入园，应予照顾。

二、初等教育：协调、多元

初等教育即小学教育，系义务教育的第一阶段，是“使受教育者打下文化知识基础和做好初步生活准备的教育”①。

（一）初等教育的实施机构

中华人民共和国成立以来，实施初等教育的机构一般分为两类：一类是对六至十二岁左右的儿童实施教育的普通小学；另一类是为未能接受初等教育的成年公民开办的成人初等学校，主要是进行扫盲教育和基本的文化知识教育。此外还包括承担实施小学教育任务的其他机构，如招收儿童、少年学员的文艺、体育及特种工艺等机构。改革开放以后，我国教育事业蓬勃发展，随着义务教育的实施，当前我国初等教育的机构为普通全日制小学。根据政府颁布的《中华人民共和国义务教育法》等有关规定，招生对象一般为年满六至十二周岁的儿童，修业年限为五至六年，开设的课程主要有思想品德、语文、数学、自然、历史、地理、图画、音乐和体育等。

（二）初等教育的学制类型

中国初等教育制度改革是在1976年后对教育工作的拨乱反正中拉开序幕的。纵观中国义务教育学制的发展历程，概括起来主要有以下几种：“六三”制、“五三”、九年一贯制、“五四”制。1977年，邓小平在科学和教育工作座谈会上发表了《关于科学和教育工作的几点意见》的讲话，在初等教育制度方面，明确指出教育制度中有许多具体问题，一个是学制问题，是否先恢复小学五年，中学五年，以后再进一步研究。1978年教育部正式颁发中小学统一的教学计划，规定全日制中小学学制改为十年，其中小学

① 袁贵仁. 中国教育［M］. 北京：北京师范大学出版社，2013：11.

仍为五年。

1980年，中共中央颁发了《关于普及小学教育若干问题的决定》，其中指出：普及教育，涉及学制问题。中小学学制准备逐步改为十二年制。今后一段时期，小学学制可以五年制和六年制并存，城市小学可以先试行六年制，农村小学学制暂时不动。教育部应当尽快提出学制改革方案，确定统一的基本学制。此后，小学学制一直是六年、五年并存，重新回归到新中国成立初的“六三三”学制。这是中央对学制改革问题所作出的一个重要决策。然而，在实施数年后，六年制学制在实施过程中，由于相应的课程与教材修订工作没有很好的衔接，导致当时的教育内容以六年的时间修习显得过于轻松。因而，1985年以后，九年一贯制作为新的探索制度在一些学校实施。1986年，第六届全国人民代表大会第四次会议通过《义务教育法》，标志着义务教育制度在我国确立，由此也明确了义务教育学制为“六三”制，但在部分农村及偏远地区仍然有“五三”制的存在。2001年，国务院发布的《关于基础教育改革与发展的决定》中指出：“十五”期间，国家将整体设置九年义务教育课程。现实行“五三”学制的地区，2005年基本完成“六三”学制过渡，有条件的地方可以实行九年一贯制。2005年，九年免费义务教育在农村地区全面实现，我国义务教育正式完成了全国范围内“六三”学制的统一，但也允许部分学校开展“五四”制的实验。

三、中等教育：优质、均衡

中等教育是在初等教育基础上实施的中等普通教育和专业教育，承担着为高一级学校输送合格新生和提高劳动者素质的双重任务。

（一）中等教育的学制划分

1978年，教育部正式发布《全日制十年制中小学教学计划试行草案》，规定：全日制中小学学制为十年，中学五年，小学五年。中学按初中三年、高中二年分段。这一计划的颁布，停止了1958年以来实行的中学四年制，拉开了新时期中等教育学制改革的序幕。但由于教学内容较1966年及其以前有所提高，师生负担很重，学制仍需延长。1980年，中共中央、国务院在《关于普及小学教育若干问题的决定》中提出：中小学学制，准备逐步改为十二年。1981年，教育部发出通知，要求各地从实际条件出发，逐步有计划、有准备、有步骤地将五年制中学过渡为六年制，并颁布《全日制六年制重点中学教学计划试行草案》。此后，各地大多恢复了三三分段的中学学制。由于1986年确立九年制义务教育的学制为“六三”制和“五四”制并存，因而我国中学一般为三三分段的六年制和四三分段的七年制，在武汉、南京等的少数学校实施的初中四年、高中三年的“四三”制实验影响较大。

（二）中等教育的学习形式

在实施过程中，中等教育主要有全日制普通中学、中等专业学校两种形式。普通中学分为初级中学与高级中学两个阶段，现行学制均为三年。初级中学的教育对象是十三四岁至十六七岁的少年，高级中学的教育对象是十六七岁至二十岁的青年，他们分别处于人生的少年期和青年期。开设的课程主要有语文、数学、外语、政治、历史、地理、物理、化学、生物、体育、音乐、美术、生理卫生、劳动技术等。初中属于义务教育的第二个阶段，无须升学考试，划区就近接收小学毕业生入学教育。待三年学业期满，初中毕业生面临分流，主要有两种选择：一是入读普通高中继续文化课深造，为将来升学做准备；二是入读中等专业学校学习一门专业技能，为就业做好充分的准备。高中招收义务教育阶段毕业的合格初中生，通过高等学校招生考试，为高等学校输送合格新生。中等专业学校相当于普通高中阶段的教育，分为中等技术学校、师范学校和职业学校，学制为二至三年、三至四年不等，设置有工科、农科、林科、医药、卫生、财经、管理、政法、艺术、师范、体育、旅游等，招收初中或少部分高中毕业生，主要培养社会各行各业所需要的中级专门技术和实用人才。普通高中教育是国民教育体系的重要组成部分，在人才培养中起着承上启下的关键作用。办好普通高中教育，对于巩固义务教育普及成果、增强高等教育发展后劲、进一步提高国民整体素质具有重要意义。为此，2019年国务院办公厅印发了《关于新时代推进普通高中育人方式改革的指导意见》，提出要深化育人关键环节和重点领域改革，坚决扭转片面应试教育倾向，切实提高育人水平，为学生适应社会生活、接受高等教育和未来职业发展打好基础。

需要指出的是，包括小学和初中两个阶段的义务教育，是我国现行教育体系中的一个至关重要的组成部分。其中，小学为六年制，初中为三年制，合为九年制义务教育，均为免试、免费入学，具有强制性、免费性和普及性等主要特点。另外，广东、浙江、福建以及内蒙古等省、自治区的部分地市已试行十二年制义务教育。中国这样一个人口众多的发展中国家，在经济文化发展不均衡、受教人口基数大、经费严重短缺的情况下，依然确立了所有适龄儿童少年必须接受的九年义务教育制度，创造了世界教育史上的奇迹。就管理体制而言，2006年新修订的《中华人民共和国义务教育法》规定，义务教育实行国务院领导，省、自治区、直辖市人民政府统筹规划实施，县级人民政府为主管理的体制。义务教育经费投入实行国务院和地方各级人民政府根据职责共同负担，省、自治区、直辖市人民政府负责统筹落实的体制。根据《中华人民共和国教育法》《中华人民共和国义务教育法》《国务院关于基础教育改革与发展的决定》的规定，当前中央政府对基础教育的管理职责主要包括：确定义务教育的教学制度、教育教学内容、课程设置、课程标准和基本质量标准，审定教科书；确定义务教育阶段办学标准、学校建设标准；确定教职工编制标准、工资标准、学生人均公用经费基本标准；依法对义务教育进行投入等。基础教育的其他行政管理职责属于地方各级人民政府，包括教师、校长的管理、教育经费的投入与管理，学校的审批与管理，教育教学质量的评估、督导等职责，省级人民政府应当进一步明确省级以下各级政府的职责权限。2019年印发的《中国教育现代化2035》提出，要提升义务教育巩固水平，健全控辍保学工作责任体系。提升义务教育均等化水平，建立学校标准化建设长效机制，推进城乡义务教育均衡发展。在实现县域内义务教育基本均衡的基础上，进一步推进优质均衡。要提升高中阶段教育普及水平，推进中等职业教育和普通高中教育协调发展，鼓励普通高中多样化有特色发展。中共中央办公厅、国务院办公厅印发的《加快推进教育现代化实施方案（2018—2022年）》提出，推进义务教育优质均衡发展，加快城乡义务教育一体化发展。要加快高中阶段教育普及攻坚，推动普通高中优质特色发展。

四、高等教育：内涵、一流

高等教育是在中等教育的基础上，由高等专科学校、高等职业技术学院、独立设置的专门学院、大学、研究生院及其他高等教育机构等所实施的专业教育，承担着培养高级专门人才、发展科学技术文化、促进现代化建设的重大任务。

（一）高等教育的类型结构

就人才培养层次而言，高等教育分为专科教育、本科教育和研究生教育三个层次，还可细分为全日制普通博士学位研究生（包括学术型博士和专业博士）、全日制普通硕士学位研究生（包括学术型硕士和专业硕士）、全日制普通第二学士学位、全日制普通本科（包括通过高考录取的四年制、五年制本科和通过统招专升本考试录取的二年制本科）、全日制普通专科（高职高专）。其中，全日制的专科教育修业年限为二至三年，本科教育为四年，硕士研究生教育为二至三年，博士研究生教育为三年以上。非全日制高等学历教育的修业年限会适当延长。高等学校根据实际需要，报主管的教育行政部门批准，可以对本学校的修业年限作出调整。接受高等学历教育的学生，由所在高等学校或者经批准承担研究生教育任务的科学研究机构根据其修业年限、学业成绩等，按照国家有关规定，发给相应的学历证书或者其他学业证书。接受非学历高等教育的学生，由所在高等学校或者其他高等教育机构发给相应的结业证书。结业证书应当载明修业年限和学业内容。

1977年，邓小平在《关于科学和教育工作的几点意见》中指出，关于教育制度和教育质量问题，教育还是要两条腿走路。就高等教育来说，大专院校是一条腿，各种半工半读的和业余的大学是一条腿，两条腿走路。在大专院校中先集中力量办好一批重点院校。重点院校除了教育部要有以外，各省、市、自治区和各个业务部门也要有一点。1977年底，中断十年之久的高考制度得到恢复，半工半读和业余大学占据了高等教育的半壁江山，在新时期高级人才培养中扮演了重要角色。随着现代大学制度的逐步建立，半工半读和业余大学逐步被淘汰，代之以广播电视大学和函授学校、成人教育、继续教育等新形式。1985年《中共中央关于教育体制改革的决定》提出，改变高等学校全部按国家计划统一招生，实行国家计划统一招生、用人单位委托招生、国家计划外招收自费生三种招生制度，毕业生全部由国家包分配；改变高等教育科类比例不合理的状况，加快财经、政法、管理等薄弱系科和专业的发展，扶持新兴、边缘学科的成长；改变专科、本科比例不合理的状况，着重加快高等专科教育的发展。1993年，中共十四届三中全会《关于建立社会主义市场经济体制若干问题的决定》指出，高等教育要改革办学体制，改变条块分割的状况，除特殊行业外，区别不同情况分步过渡到中央和地方两级管理的体制，扩大地方和院校的办学自主权。同年，中共中央、国务院颁布《中国教育改革和发展纲要》，提出高等教育要逐步形成以中央、省（自治区、直辖市）两级政府办学为主，社会各界参与办学的新格局。

进入21世纪以来，随着社会主义市场经济的日益发达，社会对技能型人才的需求不断增大，普通高等教育体系、结构、布局等的调整与改革的步伐加快，高等教育大众化程度逐年提高。《国家中长期教育改革和发展规划纲要（2010—2020年）》中关于完善现代大学制度的规定对高等教育发展具有指导意义，如坚持和完善校长负责制、加强大学章程建设、探索建立高等学校理事会或董事会制度、推进中国特色学校评价模式、建立高等学校质量年度报告发布制度等。党的十八大以来，以习近平同志为核心的党中央提出一系列有关教育发展的新思想，对高等教育作出一系列重大决策部署，科学回答了中国高等教育走什么道路以及培养什么人、怎样培养人、为谁培养人等根本问题，把对高等教育发展规律的认识提升到新高度。

党的十九大报告中明确提出，要以习近平新时代中国特色社会主义思想为指导，深入推进高等学校“双一流”建设，建设一批世界一流大学和学科，这是新时代高等教育事业改革和发展的行动指南，也是实现中国特色、国际水平教育强国战略的重要部署。2019年印发的《中国教育现代化2035》提出，要提升一流人才培养与创新能力。分类建设一批世界一流高等学校，建立完善的高等学校分类发展政策体系，引导高等学校科学定位、特色发展。持续推动地方本科高等学校转型发展。优化人才培养结构，综合运用招生计划、就业反馈、拨款、标准、评估等方式，引导高等学校及时调整学科专业结构。加强创新人才特别是拔尖创新人才的培养，加大应用型、复合型、技术技能型人才培养比重。加强高等学校创新体系建设，建设一批国际一流的国家科技创新基地，加强应用基础研究，全面提升高等学校原始创新能力。探索构建产学研用深度融合的全链条、网络化、开放式协同创新联盟。提高高等学校哲学社会科学研究水平，加强中国特色新型智库建设。健全有利于激发创新活力和促进科技成果转化的科研体制。《加快推进教育现代化实施方案（2018—2022年）》提出，要推进高等教育内涵发展。加快“双一流”建设，推动建设高等学校全面落实建设方案，研究建立中国特色“双一流”建设的综合评价体系。建设一流本科教育，深入实施“六卓越一拔尖”计划2.0，实施一流专业建设“双万计划”，实施创新创业教育改革燎原计划、高等学校毕业生就业创业促进计划。提升研究生教育水平，完善产教融合的专业学位研究生培养模式、科教融合的学术学位研究生培养模式，加强紧缺高端复合人才培养。完善高等教育质量标准和监测评价体系。提升高等学校科学研究与创新服务能力，实施高等学校基础研究“珠峰计划”，建设一批前沿科学中心，支持高等学校建设一批重大科技基础设施，积极参与国家实验室建设。继续实施高等学校哲学社会科学繁荣计划。

（二）高等教育的管理体制

就管理体制而言，高等教育实行中央和省级政府两级管理，并以省级政府为主的管理体制。1986年《高等教育管理职责暂行规定》，对中央与地方政府的高等教育管理权限进行了初步划分。1998年《中华人民共和国高等教育法》明确指出，国务院统一领导和管理全国高等教育事业，省级人民政府统筹协调本行政区域内的高等教育事业，管理主要为地方培养人才和国务院授权管理的高等学校，在中央大政方针和宏观规划指导下，国家逐步扩大省级政府的高等教育决策权和统筹权。[①]2000年，国务院决定将除师范、医药类之外的高等职业教育的审批权下放给省级人民政府。2010年，《国家中长期教育改革和发展规划纲要（2010—2020年）》明确规定：中央政府统一领导和管理国家教育事业，制定发展规划、方针政策和基本标准，优化学科

① 中华人民共和国教育部研究室．中华人民共和国教育法律集［M］．北京：外文出版社，1999：172.

专业、类型、层次结构和区域布局，整体部署教育改革试验，统筹区域协调发展。[①]总体而言，中央政府的管理职责主要包括：一是通过制定行政法规、发布决定和命令等方式，对全国高等教育事业进行统一领导和宏观管理。二是通过制定国家高等教育发展规划和年度招生计划，指导高等教育发展。三是审批实施本科以上高等教育学历教育的学校和部分高等职业学校。四是管理一部分关系国家经济、社会发展全局并在高等教育中起示范作用的骨干学校和少数行业性强而地方不便管理的学校。五是法律、行政法规和中央文件规定的其他职责。地方政府的管理职责主要包括：统筹协调本行政区域内的高等教育事业，制定本地区高等教育发展规划，依法管理省属高等学校、独立学院和民办高校，审批部分高等职业学校，落实法律、行政法规、规章和中央政府有关决定、命令等。[②]

第二节　融合、协同的职业教育

职业教育是指根据一定的社会发展需要，在一定的普通教育的基础上，对受教育者进行从事某种职业所需要的专门知识、技能和职业道德教育，使受教育者成为社会职业所需要的人才。也称为“职业技术教育”“技术职业教育”“技术教育”等，它是随着资本主义大工业生产方式的产生、发展而兴起的一种教育活动，具有职业性、社会性、实践性、终身性等特征。职业教育是国家教育体系的重要组成部分，是促进经济、社会发展和劳动就业的重要途径。

一、职业教育发展概述

（一）职业教育的起步（1949—1976 年）

我国非常重视职业教育的发展，早在1949年颁布的《共同纲领》中便提

---

① 国家中长期教育改革和发展规划纲要（2010–2020年）[M]. 北京：人民出版社，2010：46.

② 国家中长期教育改革和发展规划纲要（2010–2020年）[M]. 北京：人民出版社，2010：47.

出：国家应加强中等教育和高等教育，注重技术教育，加强劳动者的业余教育和在职干部教育，给青年知识分子和旧知识分子以革命的政治教育，以适应革命工作和国家建设工作的广泛需要。为培养工业技术人员，新中国成立初期的职业学校以中等技术学校为主，1952年颁发的《关于整顿和发展中等技术教育的指示》《初等技术学校暂行实施办法》《中等技术学校暂行实施办法》系列文件中，规定要办理正规的、速成的、业余的各种技术学校或训练班。1958年颁布的《关于教育工作的指示》提出，要多快好省地办教育：国家办学和厂矿、企业、农业合作社办学并举，许多厂矿企业单位和市县均举办中等技术学校或技工学校。1966年后，职业教育遭受重挫，呈现停滞和萎缩状态。

该时期职业教育发展的基本特征有三点：一是引进苏联的职教制度。新中国成立后的相当一段时期，在学习苏联职业教育制度过程中，我国创办各种中等技术学校或训练班，甚至在高级小学附设技术培训班，使高小毕业生和初中毕业生能升入艺徒学校、技术学校或培训班，成为初级、中级技术人员。二是实施分类职业教育制度。新中国成立之初国家在整顿与发展中等技术教育的过程中，实施分类的职业教育，主要有正式的学校教育和各种形式的培训班。正式的学校以中等专业学校为主，由原先的职业学校改名而来；培训班主要有三类：第一类是全日制的学校，第二类是半工半读的学校，第三类是各种形式的业余学习的学校。三是实施中央和地方办学并举的管理体制。新中国成立后，教育部统一管理各级各类的职业教育。1958年以后，公办和民办的职业中学和一般中等专业学校办学权由中央下放到地方，地方拥有自行决定课程设置的权力。

（二）职业教育的成长（1977—1999年）

十一届三中全会后，党和国家把工作重心转移到经济建设上来，有文化的专业技术人员成为社会经济建设的重要资源，为职业教育发展提供了广阔的空间，职业教育迎来发展的春天。1978年全国教育工作会议召开，提出要扩大职业技术学校的比例，拓展与拓宽了职业技术教育发展空间。1980年召开了全国中等专业教育工作会议，进一步深化落实全国教育工作会议的指示精神，确定中专学制，完善了我国的职业教育制度。同年发布《关于中等教育结构改革的报告》，明确提出普通教育与职业技术教育并举，全日制学校与半工半读学校、业余学校并举，国家办学与业务部门、厂矿企业、人民公社办学并举的方针。1981年先后颁布《关于加强职工教育工作的决定》《关于广开门路、搞活经济，解决城镇就业问题的若干决定》，建立正规的职工培训制度。1982年颁布的《关于举办职工中等专业学校的试行办法》，提出建立职工中等专业学校，进一步完善职业教育制度。1983年颁发的《关于改革城市中等教育结构、发展职业教育的意见》中规定，继续实行普通教育与职业教育并举，全日制学校与半工半读学校、业余学校并举，国家办学与业务部门、厂矿企事业单位、集体经济单位办学并举的方针。1985年，全国教育工作会议作出大力发展职业和技术教育，改革劳动就业制度的决定，提出调整中等教育结构，大力发展职业技术教育，逐步建立起一个从初级到高级、行业配套、结构合理又能与普通教育相互沟通的职业技术教育体系。1991年，全国职业教育工作会议召开，提出要大力发展职业教育，促进我国经济建设和社会发展，同时颁发《关于大力发展职业教育的决定》，确立职业教育必须采取大家来办的方针。1993年，《中国教育改革和发展纲要》颁布并实施，对调整和完善城市职业教育制度作出了规划，规定有条件的地区可兴办高等职业教育，这是新中国成立以来首次提出兴办高等职业教育。1994年在《关于〈中国教育改革和发展纲要〉的实施意见》中进一步明确规定：改革现有高等专业学校、职业大学和成人高校以及举办灵活多样的高等职业班途径，积极发展高等职业教育。1995年《成人高校试办高等职业教育的意见》《关于开展建设示范性职业大学工作的通知》均是对高等职业教育制度的进一步扩展，并注重加强职业大学的质量监控。1996年《中华人民共和国职业教育法》的出台，标志着职业教育法治化建设取得历史性突破，随后几年紧密围绕此法治建设文件出台了配套实施计划，如1998年颁布的《面向二十一世纪深化职业教育教学改革的原则意见》《关于实施〈职业教育法〉加快发展职业教育的若干意见》《面向二十一世纪教育振兴行动计划》，1999年颁布的《试行按新的管理模式和运行机制举办高等职业技术教育的实施意见》。

该时期是中国职业教育制度建设的关键期，首先是完成了职业教育法治化建设，明确了职业教育的根本任务、办学体制和管理体制，形成了学校职业教育和职业培训两大门类，建成初等、中等和高等三大职业教育体系。其次是提出发展和规划高等职业教育，培养了一大批高质量的专业技术人才，适应了我国经济建设的现实需要。再次是从职业教育数量的发展转向对质量的监控，推动职业院校评估工作的逐步开展，为切实保障各级各类职业教育发展提供制度监督。

（三）职业教育的兴盛（2000年至今）

进入21世纪之后，我国经济与社会发展进入全面建设小康社会的快车道，职业技术教育也迎来繁荣发展的新时代。1999年，我国高等学校开始大规模扩招，对中职学校、高职学校的办学产生颇有影响力的冲击，同时也为职业教育从量的增长到质的提升转换提供了现实机遇，使职业教育的内涵建设被提上政府与职业院校的议事日程。在此背景下，校企合作、行业企业参与职业教育建设与发展成为21世纪我国职业教育的重要特征。

2002年颁发的《国务院关于大力推进职业教育改革与发展的决定》，是新世纪中国特色职业教育发展的制度依据，其中明确指出，“职业教育为初、高中毕业生和城乡新增劳动者、下岗失业人员、在职人员、农村劳动者及其他社会成员提供多种形式、多种层次的职业学校教育和职业培训，是我国教育体系的重要组成部分，是国民经济的重要基础”[①]，提出要深化职业教育办学体制改革，形成政府主导、依靠企业、充分发挥行业作用、社会力量积极参与的多元办学格局。同年，为加强对职业院校教师队伍建设的质量管控，专门针对高职高专院校教师队伍的质量标准颁发《关于加强高职（高专）院校师资队伍建设的意见》。嗣后，《2003—2007年教育振兴行动计划》《关于以就业为导向深化高等职业教育改革的若干意见》《关于进一步推进高职高专院校人才培养工作水平评估的若干意见》等相关文件，确立了以就业为导向改革高等职业教育的改革计划。2005年颁布的《国务院大力发展职业教育的决定》，继续强调大力推行工学结合、校企合作的培养模式，

① 教育部法制办公室．中华人民共和国教育法律法规规章汇编（上）［M］．上海：华东师范大学出版社，2010：389.

依靠行业企业发展职业教育，推动职业院校与企业的合作。《关于进一步推进高职高专院校人才培养工作水平评估的若干意见》确定了职业院校质量评估标准，是对职业院校内涵发展的延续。2006年颁发的《关于实施国家示范性高等职业院校建设计划 加快高等职业教育改革与发展的意见》中，对建设示范性职业院校提出了实施意见，并在同年颁发《关于全面提高高等职业教育教学质量的若干意见》，从监控教学质量来提升职业院校的品质。

《国家中长期教育改革和发展规划纲要（2010—2020年）》提出，要健全政府主导、行业指导、企业参与的办学机制，制定促进校企合作办学法规，推进校企合作制度化。2011年，为推动职业教育适应经济发展方式转变和产业结构调整要求，培养大批现代化建设需要的高素质劳动者和技能型人才，教育部发布《关于充分发挥行业指导作用推进职业教育改革发展的意见》。为大力加强职业教育“双师型”教师队伍建设，2012年，教育部发布《关于进一步完善职业教育教师培养培训制度的意见》《关于“十二五”期间加强中等职业学校教师队伍建设的意见》。2015年，教育部印发《职业院校管理水平提升行动计划（2015—2018年）》《高等职业教育创新发展行动计划（2015—2018年）》。

2019年1月，国务院印发《国家职业教育改革实施方案》，把职业教育摆在教育改革创新和经济社会发展中更加突出的位置。该方案提出，牢固树立新发展理念，服务建设现代化经济体系和实现更高质量更充分就业需要，对接科技发展趋势和市场需求，完善职业教育和培训体系，优化学校、专业布局，深化办学体制改革和育人机制改革，以促进就业和适应产业发展需求为导向，鼓励和支持社会各界特别是企业积极支持职业教育，着力培养高素质劳动者和技术技能人才。2月印发的《中国教育现代化2035》，提出要加快发展现代职业教育，不断优化职业教育结构与布局。推动职业教育与产业发展有机衔接、深度融合，集中力量建成一批中国特色高水平职业院校和专业。中共中央办公厅、国务院办公厅印发的《加快推进教育现代化实施方案（2018—2022年）》，提出要深化职业教育产教融合。构建产业人才培养培训新体系，完善学历教育与培训并重的现代职业教育体系，推动教育教学改革与产业转型升级衔接配套。健全产教融合的办学体制机制，坚持面向市场、服务发展、促进就业的办学方向，优化专业结构设置，大力推进产教融合、校企合作，开展国家产教融合建设试点。建立健全职业教育制度标准，完善学校设置、专业教学、教师队伍、学生实习、经费投入、信息化建设等系列制度和标准，制定并落实职业院校生均拨款制度。建立国务院职业教育工作联席会议制度。3月29日，教育部、财政部印发《关于实施中国特色高水平高职学校和专业建设计划的意见》，决定集中力量建设一批引领改革、支撑发展、中国特色、世界水平的高职学校和专业群，带动职业教育持续深化改革，强化内涵建设，实现高质量发展。4月4日，全国深化职业教育改革电视电话会议召开，就职业教育战线以习近平新时代中国特色社会主义思想为指导，推动职业教育大改革大发展作出部署。

该时期职业教育在一系列制度法规保障下获得快速发展的机遇，达到了前所未有的高度。其特征主要有：一是重视职业教育法治化建设，明确职业教育的根本任务、办学体制和管理体制；二是重点支持高等职业教育发展，探索符合中国经济建设实际的高等职业教育道路；三是加强对职业教育教学质量监控，出台了一系列文件确定职业教育教学与评估标准。

二、职业教育体系构成

（一）初等职业教育

初等职业教育是在初等教育的基础上实施的，主要培养初级技术工人、农民和从事其他行业的熟练劳动者的职业教育。初等职业学校教育的招生对象为小学毕业生，学习年限为三至四年，主要是在农村初中、农村职业中学或农村职教中心进行。初等职业学校相当于初级中学，有三种办学形式：一是四年一贯制形式，将初中三年的文化课分四年讲完，期间加入专业技术课。第二种是“3+1”形式，即对初中毕业生进行一年左右时间的专业技术教育。第三种是“初二分流”形式，即初中二年级后将学生分为两部分，一部分继续完成全部文化课，主要为上一级学校输送新生；另一部分除上部分文化课外，主要进行初等职业教育，传授一技之长，为他们就业创造必要条件。[①]

---

① 车仁美，李万忠，江兴林，等. 职业教育工作手册［M］. 北京：中国人事出版社，2000：25.

初等职业教育在改革开放初期为农村教育做出了重要贡献，培养了一批懂得基本知识、掌握基本技能的熟练劳动者，有效地解决了一批无法升入普通中学继续深造的学生出路问题，同时也为社会主义现代化建设输送了大量合格的技术工人。随着社会主义教育事业的不断发展进步，初等职业学校教育逐步向中等、高等职业教育并轨，尤其是九年义务教育的实施，初等职业学校教育成为历史。

（二）中等职业教育

中等职业学校教育是在初级中等职业教育基础上实施的，主要培养中级技术工人、技术人员和管理人员及其他专业人员的职业教育。中等职业教育接收完成九年义务教育的毕业生，学制三年，是职业教育体系中的重点。中等职业教育机构主要是中等专业学校、技工学校和职业高级中学。中等专业学校是一种实行职业训练与普通中等教育相结合的中等职业学校，学习年限一般为三至四年，以培养学生掌握基本理论知识和实践技能为教学目标。技工学校是专门培养技术工人的中等职业学校，它以培养有社会主义觉悟的具备中级技术工人知识和技能的中级技术工人为目标。技工学校主要招收初中毕业生，学习年限三年，对个别有特殊需要的工种招收高中毕业生，学制一至二年。职业高中又称职业技术高中或高级职业技术中学，是专门实施职业教育的高级中学，是我国实施中等职业教育改革的过程中发展起来的新的办学形式。它以培养具有相当于高中毕业文化程度，并且有初、中级专业基础知识和实际操作能力的人才为目标，学制三年。学生毕业后既可以成为技术工人，又可以报考专业对口的高等院校，是中等职业教育的一支重要力量。

（三）高等职业教育

高等职业教育是高中阶段之后进行的职业教育，培养具有一定专业理论知识和职业技能的高级专业技术人才，由职业大学、职业技术学院、技术师范院校和普通高等院校构成主要的实施主体，修业二至三年。高等职业教育是职业教育中的最高层次，所培养的是既要技能卓越，又须品行端正的实用人才。高等职业教育属于高等学历教育范畴，具有高等学历教育的一般特点，但又具有与普通高等学校教育相区别的明显特征：第一，高等职业教育以就业为导向确定办学目标，面向市场、面向生产与服务第一线培养实用人才。

第二，高等职业教育以工学结合为培养模式，以能力培养为主线着力培养学生的职业岗位工作能力，强调理论与实践并重、教育与训练相结合。第三，高等职业教育以“双师型”教师队伍为支撑，聘请行业、企业和社会中有丰富实践经验的专家或专业技术人员为兼职教师，同时定期输送教师到企业学习和培训，在职称评定和教师聘任方面为“双师型”教师队伍建设提供政策支持。第四，高等职业教育以产学研结合为机制，实施订单式人才培养，从专业设置、教学计划、教学实施、实习实训到就业评价等环节，充分发挥企业和用人单位的参与作用，为用人单位订单式培养专门人才。第五，高等职业教育实施“双证书”制度，学生取得学历证书的同时，直接获得职业资格证书，增强学生的就业竞争力。

就管理体制而言，高等职业教育实行在国务院领导下，分级管理、地方为主、政府统筹、社会参与的管理体制。《中华人民共和国职业教育法》规定，国务院教育行政部门负责职业教育工作的统筹规划、综合协调、宏观管理。国务院教育行政部门、劳动行政部门和其他有关部门在国务院规定的职责范围内，分别负责有关的职业教育工作。县级以上地方各级人民政府应当加强对本行政区域内职业教育工作的领导、统筹协调和督导评估。[①]《国务院关于大力推进职业教育改革与发展的决定》规定，推进职业教育管理体制改革，建立并逐步完善在国务院领导下，分级管理、地方为主、政府统筹、社会参与的职业教育管理体制。目前，职业教育的发展和管理职责，主要在地方政府。中央政府主要负责职业教育宏观政策的协调和制定。

第三节　公共、开放的终身教育

终身教育是指一个人在各阶段中所受各种教育的综合，是个体所受不同类型教育的统一综合。“它不仅是正规教育和非正规教育之间关系的发展，

① 中华人民共和国教育部研究室. 中华人民共和国教育法律集［M］. 北京：外文出版社，1999：61.

而且也是个人（包括儿童、青年、成人）通过社区生活实现其最大限度文化与教育的目的，从而构成的以教育政策为中心的要素。"[①]终身教育制度则是在学校教育制度的基础上，吸收终身教育思想的内涵，突破原有教育的封闭性和对象的有限性，建立一种开放的、个性化的制度，极大地适应了经济发展的需要，对提高全民素质，建设学习型社会提供了制度保障。

一、终身教育发展概述

（一）终身教育的萌芽（1949—1990 年）

我国现代终身教育的实践脱胎于新中国成立初期的扫盲教育和职工教育，现在称为成人教育。1949 年教育部颁布《关于开展今年冬学工作的指示》，提出"有计划有步骤地实行普及教育、加强中等教育和高等教育，注重技术教育，加强劳动者的业余教育和在职干部教育，给青年知识分子和旧知识分子以革命的政治教育，以应革命工作和国家建设工作的广泛需要"[②]。冬学教育包括政治和文化两个方面，其中文化方面主要是识字扫盲教育。冬学教育的开展，为我国农村社会教育和扫盲教育的开展创造了条件和经验，同时也为发展农村小学教育创造了条件。此外，广大工矿企业举办了职工业余教育，多种形式地对职工传授技术和文化，改变了职工的文化面貌，提高了新中国工人阶级的政治和文化素养，发展了社会生产力。

1951 年，政务院公布《关于改革学制的决定》，规定初等教育应当包括对自幼失学的青年和成人实施教育的工农速成初级学校、业余初等学校和识字学校（冬学、识字班）；中等教育应当包括工农速成中学、业余中学，各种高等学校应附设先修班和补习班，以便利工农干部、少数民族学生及华侨子女入学等。同时规定了在各类学校之外，为青年和成人设立各类补习学校和函授学校。1958 年国务院发布《关于教育工作的指示》，提出"办学的形式应该是多样性的，即国家办学与厂矿、企业、农村合作社办学并举，普

① E. 捷尔比. 生涯教育——压制和解放的辩证法［M］. 前平泰志，译. 东京：东京创元社，1983：198.
② 何东昌. 中华人民共和国重要教育文献［M］. 海口：海南出版社，1998：3.

通教育与职业（技术）教育并举，成人教育与儿童教育并举，全日制学校与半工半读、业余学校并举，学校教育与自学（包括函授学校、广播学校）并举，免费的教育与不免费的教育并举”①。1981年颁布《关于加强职工教育工作的决定》，提出“建设四个现代化的社会主义强国，需要一支广大的有社会主义觉悟、有科学文化知识、有专业技术和经营管理经验的职工队伍，需要有一支又红又专的专门人才”②。1985年颁布的《中共中央关于教育体制改革的决定》指出，有关干部、职工、农民的成人教育和广播电视教育是我国教育体系极为重要的组成部分，除了能够直接有效地提高劳动者和工作人员的素质，提高经济效益和工作效率外，对培养“四有”社会主义公民，形成好学上进的社会风气，具有重要作用。

（二）终身教育的开展（1991—2012年）

科学技术的迅猛发展以及人们对接受更高层次教育的要求，推动传统以提高素质和技能为中心的继续教育、成人教育，甚至于传统的教育体制发生剧烈变化，并向终身教育体制过渡。1993年《中国教育改革和发展纲要》指出：“成人教育是传统学校教育向终身教育发展的一种新型教育制度，对不断提高全民素质，促进经济和社会发展具有重要作用。”③1995年，八届人大三次会议通过了《中华人民共和国教育法》，规定“国家适应社会主义市场经济和社会进步的需要，推进教育改革，促进各级各类教育协调发展，建立和完善终身教育体系”④。

成人教育的发展为终身教育的实现、终身教育体系的建立奠定了基础，远程教育和网络教育则进一步推动了终身教育的发展。远程教育是教育机构借助媒体技术和各种教育资源实施的超越传统校园时空限制的教育活动。与传统学校相比，远程教育呈现出开放性、延伸性、灵活性、手段中介性和管

① 何东昌. 中华人民共和国重要教育文献［M］. 海口：海南出版社，1998：859-860.

② 何东昌. 中华人民共和国重要教育文献［M］. 海口：海南出版社，1998：1900.

③ 中华人民共和国教育部. 中国教育改革和发展纲要［EB/OL］. 1993-02-13. http://www.moe.edu.cn/jyb_sjzl/moe_177/tnull_2484.html.

④ 中华人民共和国中央人民政府. 中华人民共和国教育法［EB/OL］. 1995-03-18. http//www.gov.cn/banshi/2005-05/25/content_918.htm.

理性等特点。网络教育则是现代远程教育兴起的标志。1998年国务院颁布《面向21世纪教育振兴计划》，指出“现代远程教育是随着现代信息技术的发展而产生的一种新教育方式，是构建知识经济时代人们终身学习体系的主要手段”①。1999年开始，教育部已陆续批准68所高等学校开展现代远程教育试点工作，成立网络学院。传统广播电视大学依靠现代信息技术，面向地方、农村、基层、边缘和民族地区，培养各级各类应用型专门人才，为广大求学者提供接受终身教育的机会和条件。2012年7月，中央广播电视大学组建为国家开放大学。时任国务院副总理刘延东在《努力办好中国特色开放大学》的讲话中指出，在广播电视大学基础上建设国家开放大学，是满足人民群众多样化学习需求、促进教育公平、克服应试教育弊端和落实素质教育的重要途径，是构建终身教育体系、形成学习型社会的重要支撑，是教育服务国家发展、提高全民素质的重要措施。

（三）终身教育的加速（2013年至今）

党的十八大以来，终身教育体系完善方面取得显著成效，终身学习“立交桥”更加畅通，建成覆盖全国城乡、学历教育和非学历教育并重的继续教育组织体系。党的十九大报告中明确指出，中国特色社会主义进入新时代，社会主要矛盾是人民日益增长的美好生活需要和不平衡不充分的发展之间的矛盾。终身教育将在办好人民满意的教育实践中发挥更大作用。2013年，习近平主席在联合国“教育第一”全球倡议行动一周年纪念活动上发表的贺词中提到，中国将努力发展全民教育、终身教育，建设学习型社会，努力让每个孩子享有受教育的机会，努力让13亿人民享有更好更公平的教育，获得发展自身、奉献社会、造福人民的能力。为加快实现教育规划纲要关于基本形成学习型社会的目标，服务全面建成小康社会的战略要求，2016年，教育部等九部门出台《关于进一步推进社区教育发展的意见》，以促进全民终身学习、形成学习型社会为目标，以提高国民思想道德素质、科学文化素质、健康素质和职业技能为宗旨，以建立健全社区教育制度为着力点，统筹发展

① 中华人民共和国教育部. 面向21世纪教育振兴计划［EB/OL］. 1998-12-24. http//www.moe. edu. cn/publicfiles/business/html files/moe/s6986/200407/2487. html.

城乡社区教育，加强基础能力建设，整合各类教育资源。

2019年，中共中央、国务院印发的《中国教育现代化2035》提出，要构建服务全民的终身学习体系。构建更加开放畅通的人才成长通道，完善招生入学、弹性学习及继续教育制度，畅通转换渠道。建立全民终身学习的制度环境，建立国家资历框架，建立跨部门跨行业的工作机制和专业化支持体系。建立健全国家学分银行制度和学习成果认证制度。强化职业学校和高等学校的继续教育与社会培训服务功能，开展多类型多形式的职工继续教育。扩大社区教育资源供给，加快发展城乡社区老年教育，推动各类学习型组织建设。《加快推进教育现代化实施方案（2018—2022年）》提出，加快构建终身学习制度体系，加强终身学习法律法规建设，搭建沟通各级各类教育、衔接多种学习成果的全民终身学习立交桥，加快发展社区教育、老年教育，深入推动学习型组织建设和学习型城市建设。

《中共中央关于坚持和完善中国特色社会主义制度、推进国家治理体系和治理能力现代化若干重大问题的决定》提出，要构建服务全民终身学习的教育体系，为教育升位赋能，对国民教育体系建设提出了更高要求。一是要建设一个更大规模的体系。推动学前教育公益普惠发展，深化义务教育城乡一体化发展，加强控辍保学，进一步普及特殊教育和高中阶段教育，巩固职业教育百万扩招成果，加快发展继续教育、成人教育和老年教育，解决好教育供给能力问题，打造面向每个人的教育。二是要建设一个更加多样化的体系。促进各级各类教育高质量发展，完善职业技术教育、高等教育、继续教育统筹协调发展机制，搭建沟通各级各类教育、衔接多种学习成果的全民终身学习立交桥。支持和规范民办教育、中外合作办学。发挥网络教育和人工智能优势，创新教育和学习方式，打造适合每个人的教育。三是要建设一个更加公平的体系。要合理配置教育资源，重点缩小城乡、区域、校际、群体教育发展差距，加快补齐教育发展短板，坚决打赢打好教育脱贫攻坚战，打造惠及每个人的教育。

二、终身教育体系构成特征

相对传统的教育体制，终身教育体系打破了原有的普通教育、高等教育、职业教育和成人教育之间各自为政、互不联系的局面，整合各级各类学校，把正规教育与非正规教育，全日制学校与非全日制学校（夜校、假日学校）予以统合，建立一个信息开放、联系畅通、高度开放的教育大系统。①

（一）教育形式多样

从教育对象来看，要发展学前教育、初等教育、中等教育、普通高等教育、成人教育和老年教育等各种形式的教育。学前教育是终身教育的起点，普通教育（初等教育、中等教育、普通高等教育）构成终身教育的中心环节，成人教育和老年教育则是终身教育的支撑和归宿，并且由于老年教育的发展相对滞后、水平较低，因而更能够彰显终身教育发展的水平。从教育场所来看，要发展学校教育、家庭教育和社会教育。家庭教育具有基础性、连续性、全面性和易于接受等特点，对社会成员的成长具有特殊的意义和难以忽视的价值，是受教育者发展的起源地。学校教育在知识经济时代虽然有所改变，但由于其本身的体系化、规模化以及国家的大力支持等优势，仍然是终身教育体系的中坚力量。社会教育主要由各种社会机构，如大众传媒、文化机构、各种社会服务设施、社会团体等所承担的各种形式的教育，属于最广泛的教育；网络技术的快速发展和社交工具的流行，使教育逐步渗透到社会生活的各个领域，使社会教育的作用日益凸显。从教育手段来看，要发展远程教育。远程教育能够不受时空的约束，在终身教育体系的建设中发挥着独特的作用。终身教育作为一种大教育观，有着与传统校园封闭式教育完全不同的、开放的教育观念与模式，具体表现为全民性、灵活性等特点，与远程教育自身的特点相结合，使远程教育成为实现终身教育目标——学习型社会的手段。结合世界远程教育发展的历史走向，网络教育成为远程教育发展的主流。因而我们实现终身教育的基本渠道应当是提高学校的网络覆盖率，开发适合个性化教学软件，助推终身教育发展。

（二）教育结构衔接灵活

从结构来看，终身教育不是各级各类学校的简单相加，终身教育体系的建立更需要打破不同教育之间相互隔离的状态，形成各种教育纵向衔接，横

---

① 巩其庄，郭长征. 大教育引论［M］. 沈阳：辽宁教育出版社，1990：165-166.

向沟通，纵横交错的新格局。通过这样统合协调，既解决现存教育体制上存在的条块分割，力量分散的问题，又解决各年龄阶段的教育相互独立、不可替代的问题，从而优化教育结构，合理配置教育资源，提高教育质量和办学效益。第一，纵向衔接。在逐步完善从学前教育到研究生教育的普通教育体系的基础上，建立从初等职业教育到高等职业教育的职业教育体系。职业教育一般从中学阶段进行分流，初中毕业生大部分接受中等职业教育，中等职业教育学校毕业生和一部分高中毕业生接受高等职业教育。一些经济相对落后地区，可以从小学阶段分流，小学毕业生一部分接受初等职业教育。第二，横向沟通。建立终身教育体系的重点和难点是加强各级各类学校的横向沟通。普通教育要走联合办学的道路，按照“调整、共建、合作、合并”的方针，打破条块分割，实现资源共享，探索一条质量、规模、结构、效益协调发展的新路。成人学校要加强与普通学校的联系与合作，充分利用普通学校教育资源兴办成人教育。高等职业学校要与普通高等学校结构调整和体制改革相结合，发展高等职业大学，彻底改变高等教育低于普通高等教育的僵化观念。学校教育要密切结合家庭教育和社会教育，利用家庭教育、社会教育的丰富资源，提高受教育者的整体素质。加强公办学校和民办学校的联系与沟通，相互借鉴学习，共同为繁荣和发展教育事业而努力。

（三）以发展成人教育为核心

从类型来看，一要坚持成人教育主体地位。成人教育是终身教育体系构成要素之一，在终身教育体系中占据主体地位。这是因为成人教育是以成年人为对象，是帮助其提高知识和能力的一种教育，对国家经济发展、个人职业能力的提升具有重要意义。成人教育的实践有助于终身教育体系的最终确立。从纵向看，终身教育体系是由前成人教育和成人教育两个层次构成。从横向看，学校教育、社会教育和家庭教育的改革、发展和完善都离不开成人教育的发展。将成人教育作为实现终身教育的先导，具有重要意义。成人教育可以帮助成年人补救失去的基础教育，对于需要适应伴随工作、生活变化而来的新要求的人群，成人教育能够帮助其适应新变化。二要重视发展以成年人为主体的继续教育事业。我国现行的继续教育由学历继续教育和非学历继续教育两大部分组成。学历继续教育主要以非全日制、业余和远程教育等形式向成人提供学历课程，分为高等、中等和初等三个层次。高等层次的继续教育包括面向在职人员的博士课程、硕士课程、本科课程和专科课程，中等层次的继续教育包括初中和高中阶段的普通和职业课程，初等层次的继续教育包括小学、扫盲课程和扫盲后继续教育等。非学历性继续教育主要包括以提升职业技能为目的的各种职业培训和以改善生活质量为目的的社区教育等。[①]

近年来，随着“知识社会”“学习型社会”“终身学习”以及“终身教育”等教育理念的渗透，成人教育的概念逐渐为“继续教育”所替代，在此背景下，“扩大全体社会成员参与继续教育的机会，是保障公民受教育权利的重要体现”[②]。《国家中长期教育改革和发展规划纲要（2010—2020年）》对继续教育予以明确界定，称继续教育是面向学校教育之后所有社会成员特别是成人的教育活动，是终身学习体系的重要组成部分，因此提出要加快发展继续教育，建立、健全继续教育体制，以构建一个开放灵活的终身教育体系。

① 袁贵仁. 中国教育［M］. 北京：北京师范大学出版社，2013：18.

② 张力. 加快发展继续教育，实现全民学有所教［N］. 中国教育报，2010-03-25（6）.

第三章　中国教育治理的制度安排

教育治理的制度安排是政府、社会组织、市场、学校和公民个人等行为主体，在自愿、平等、互利的前提下，运用参与、对话、协商、谈判等方式，在共同管理教育公共事务过程中必须遵守的正式和非正式的执行规程和行动准则。从构成要素上看，可以分为三个层面：一是宏观层面的根本制度，包括教育的领导体制、方针政策；二是中观层面的基本制度，包括法律法规、管理体制、办学体制；三是微观层面的具体制度，包括教育投入、教育人事、考试招生、学业学位、督导评价。

第一节　根本制度

教育治理的根本制度是有关教育治理的方向性要求，事关办学兴教的政治方向、价值取向和服务面向，即谁来领导的领导体制、为谁服务的方针政策等。

一、领导体制

中国教育治理制度是以马克思列宁主义、毛泽东思想和中国特色社会主义理论体系为理论基础而建构起来的，契合中国国情，合乎民众所需，这是与其他国家和地区教育治理的本质性区别。教育作为上层建筑之一，为政治服务是它的基本属性。在当代中国，教育服务于政治集中表现在为社会主义现代化建设服务。既然马克思列宁主义、毛泽东思想和中国特色社会主义理论体系是社会主义建设的理论基石，也必然要成为发展社会主义教育事业的理论基础。离开这一科学理论的引领，教育就会迷失方向，就不可能在正确和科学的轨道上前行，就不可能有效地服务于社会主义建设，这是多年来中国教育改革与发展的经验总结。改革开放四十年来的实践充分证明，教育治理必须根植于马克思列宁主义、毛泽东思想这块沃土不动摇，用邓小平理论、“三个代表”重要思想、科学发展观以及习近平新时代中国特色社会主义思想，来指导中国教育的改革创新及制度设计，这样才能更好地服务于中国特色社会主义建设。

毫不动摇地加强党对教育工作的全面领导，坚定不移走中国特色社会主义教育发展道路。中国特色社会主义最本质的特征是中国共产党的领导，中国特色社会主义制度的最大优势是中国共产党的领导。“中国特色社会主义是当代中国发展进步的根本方向，只有中国特色社会主义才能发展中国”，“深化教育改革就必须要坚定不移地高举中国特色社会主义伟大旗帜”，①只有以中国特色社会主义理论为指导，才能发展中国的教育事业。这一论述被多次写进有关教育的主要法律文献。1993年的《中国教育改革和发展纲要》提出，发展教育事业要以建设有中国特色的社会主义理论为指导，加快教育的改革和发展，进一步提高劳动者素质，培养大批人才，建立适应社会主义市场经济体制和政治、科技体制改革需要的教育体制，更好地为社会主义现代化建设服务。1995年颁布的《中华人民共和国教育法》也强调，发展社会主义教育事业必须坚持以马克思列宁主义、毛泽东思想和建设有中国特色社会主义理论为指导。2010年的《国家中长期教育改革和发展规划纲要（2010—2020年）》又进一步明确，要高举中国特色社会主义伟大旗帜，以邓小平理论和“三个代表”重要思想为指导，深入贯彻落实科学发展观，实施科教兴国战略和人才强国战略，优先发展教育，办好人民满意的教育，建设人力资源强国。

在2018年召开的全国教育大会上，习近平总书记强调，加强党对教育工作的全面领导，是办好教育的根本保证。特别是教育对国家和民族来说，利在当代，关乎未来，培养的是社会主义建设者和接班人，加强党的领导尤

① 苏君阳. 国家中长期教育改革和发展规划纲要（2010—2020年）教育局长读本［M］. 北京：北京师范大学出版社，2010：2.

为重要。要始终坚持党管办学方向、管改革发展、管干部、管人才，把党的教育方针全面贯彻到学校工作各方面，使教育领域成为党领导的坚强阵地。习近平总书记明确要求，我们办的是社会主义教育，要培养社会发展、知识积累、文化传承、国家存续、制度运行所要求的人，培养一代又一代拥护中国共产党和我国社会主义制度、立志为中国特色社会主义奋斗终生的有用人才。这是我们思考和谋划教育工作的逻辑起点，也是必须牢牢把握的正确政治方向。要坚持教育为人民服务、为中国共产党治国理政服务、为巩固和发展中国特色社会主义制度服务、为改革开放和社会主义现代化建设服务，真正做到为党育人、为国育才。

2019年颁布的《中国教育现代化2035》提出，推进教育现代化，要以习近平新时代中国特色社会主义思想为指导，全面贯彻党的十九大和十九届二中、三中全会精神，坚定实施科教兴国战略、人才强国战略，紧紧围绕统筹推进“五位一体”总体布局和协调推进“四个全面”战略布局，坚定“四个自信”，将服务中华民族伟大复兴作为教育的重要使命，坚持教育为人民服务、为中国共产党治国理政服务、为巩固和发展中国特色社会主义制度服务、为改革开放和社会主义现代化建设服务，优先发展教育，大力推进教育理念、体系、制度、内容、方法、治理现代化，着力提高教育质量，促进教育公平，优化教育结构，为决胜全面建成小康社会、实现新时代中国特色社会主义发展的奋斗目标提供有力支撑。

党的十九届四中全会通过的《中共中央关于坚持和完善中国特色社会主义制度、推进国家治理体系和治理能力现代化若干重大问题的决定》则进一步提出，要把坚持和完善党的领导制度体系放在首要位置，强调党的领导制度是国家的根本领导制度，统领和贯穿其他方面制度。就教育而言，就是要建立和落实不忘初心、牢记使命的制度，坚决维护党中央权威和集中统一领导，坚持党管办学方向、管改革发展、管干部、管人才，把党的领导贯穿教育工作的各方面各环节，使教育领域成为坚持党的领导的坚强阵地。加强高校院系、民办学校、中外合作办学和中小学党建工作，实现“纵到底、横到边”全覆盖。落实意识形态工作责任制，决不给错误思想言论提供传播渠道。完善巡视巡察全覆盖机制，持之以恒正风肃纪，营造风清气正的良好政治生态。

二、方针政策

我国是中国共产党领导的社会主义国家，这就决定了我们的教育必须把培养社会主义建设者和接班人作为根本任务，培养一代又一代拥护中国共产党领导和我国社会主义制度、立志为中国特色社会主义奋斗终生的有用人才。这是教育工作的根本任务，也是教育现代化的方向目标。不同历史时期的政治经济发展目标不一样，对教育方针的表述也有所不同，但培养“社会主义建设者和接班人”这一方向始终没有改变，关注社会发展和人的发展成为比较一致的教育治理价值取向。

新中国成立初期对教育方针最完整的表述是1957年毛泽东在《关于正确处理人民内部矛盾的问题》一文中提出的，即我们的教育方针，应该使受教育者在德育、智育、体育几方面都得到发展，成为有社会主义觉悟的、有文化的劳动者。这既是首次使用“教育方针”这个概念，又体现出人的全面发展的教育理念，还明确了培养的目标是有社会主义觉悟的、有文化的劳动者。1985年的《中共中央关于教育体制改革的决定》提出，教育必须为社会主义建设服务，社会主义建设必须依靠教育，要求为中国经济和社会发展所培养的、能够坚持社会主义方向的各级各类人才都应该有理想、有道德、有文化、有纪律，热爱社会主义祖国和社会主义事业，具有为国家富强和人民富裕而艰苦奋斗的献身精神，都应该不断追求新知，具有实事求是、独立思考、勇于创造的科学精神。这是首次将“四有新人”写进党中央颁布的教育文献，体现对教育质量及人才品质的时代要求，既要服务于社会及经济发展，又要着重人的发展。1995年颁布的《中华人民共和国教育法》则表述为，教育必须为社会主义现代化建设服务，必须与生产劳动相结合，培养德、智、体等方面全面发展的社会主义事业的建设者和接班人。2006年修订后的《中华人民共和国义务教育法》亦强调，教育要使适龄儿童、少年在品德、智力、体质等方面全面发展，为培养有理想、有道德、有文化、有纪律的社会主义建设者和接班人奠定基础。2010年的《国家中长期教育改革和发展规划纲要（2010—2020年）》及2012年、2017年党的十八大、十九大报告中，多次强调教育要培养“社会主义建设者和接班人”这一行动指南，同时提出“两为”的教育行动纲领，即全面贯彻党的教育方针，坚持教育为社会主义现代化建设服务，为人民服务，与生产劳动和社会实践相结合，培养德智体美劳全面发展的社会主义建设者和接班人，并完整阐释了中国教育发展的“二十字”工作方针，即“优先发展，育人为本，改革创新，促进公平，提高质量”。

习近平总书记多次强调要落实立德树人根本任务，培养德智体美劳全面发展的社会主义建设者和接班人。在2018年9月召开的全国教育大会上，习近平总书记深刻指出，培养什么人，是教育的首要问题。要在党的坚强领导下，全面贯彻党的教育方针，坚持马克思主义指导地位，坚持中国特色社会主义教育发展道路，坚持社会主义办学方向，立足基本国情，遵循教育规律，坚持改革创新，以凝聚人心、完善人格、开发人力、培育人才、造福人民为工作目标，培养德智体美劳全面发展的社会主义建设者和接班人，加快推进教育现代化、建设教育强国、办好人民满意的教育。习近平总书记把劳动教育纳入社会主义建设者和接班人的要求之中，提出“德智体美劳”的总体要求，并从六个方面对如何培养社会主义建设者和接班人提出明确要求，这是党的教育理论的重大创新。这既是对改革开放以来中国教育发展的反思和总结，也是当前和今后教育治理的根本政策和战略部署。

第二节　基本制度

教育治理的基本制度是有关教育治理的基础性规定，包括政策层面必须遵循的法律法规、结构层面推进实施的管理体制、机制层面主要实行的办学体制等。

一、法律法规

教育法律法规是保障教育有序有效运行的基本制度，是依法治国背景下教育改革与发展的必然选择，为解决教育治理中的突出矛盾和紧迫问题提供了保障。从治理的角度看，中国教育法治建设的主体可以分为中央政府和地方政府两个层次。中央政府所进行的教育法治建设又有全国人大、国务院和教育部之分。全国人大颁布文件的一般称之为“法律”，国务院颁布的文件一般称之为“条例”，教育部颁布的文件一般称之为“纲要”“决定”“意见”“草案”等。而由地方政府所进行的教育法治建设，主要是根据中央政府的教育法律法规，来颁行适合本地区实际情况的教育行政法规和地方政府规章。目前，中国基本上形成了适合国情的教育法治体系，为中国各项教育事业的法治化治理奠定了坚实的基础。

改革开放以来，中国教育法治建设和依法治教进程逐步加快[①]：1980年颁布的《中华人民共和国学位条例》是中华人民共和国第一个有关教育的法规，由此确立了中国学位制度的基本框架，至今仍是学位管理的基本准则；1986年颁布的《中华人民共和国义务教育法》，确立了国家实施九年义务教育的基本制度，开启了中国义务教育法治化的进程；1993年颁布的《中华人民共和国教师法》，对教师的法律地位、权利、义务、任用、考核、培训、待遇等方面作了全面的规定，为教师队伍建设走向法治化和规范化提供了保障；1995年颁布的《中华人民共和国教育法》，具有教育基本法的性质，对教育事业进行了全面的规范，为专项教育法律的制定提供了基本的法律框架；1996年颁布的《中华人民共和国职业教育法》和1998年颁布的《中华人民共和国高等教育法》，作为专项教育法律，为解决职业教育和高等教育发展中的重大问题提供了法律依据。此外，2002年的《中华人民共和国民办教育促进法》、2003年的《中外合作办学条例》、2004年的《中华人民共和国民办教育促进法实施条例》、2006年对《中华人民共和国义务教育法》的重大修订、2015年对《中华人民共和国义务教育法》《中华人民共和国教育法》《中华人民共和国高等教育法》的修改、2016年对《中华人民共和国民办教育促进法》的修改等，注重对具体教育活动主体行为和利益关系的调整，注重对微观教育行为的规范，进一步明确了教育治理中权利的界限。

2019年的《中共中央关于坚持和完善中国特色社会主义制度、推进国家

---

① 袁贵仁. 中国教育［M］. 北京：北京师范大学出版社，2013：29-32.

治理体系和治理能力现代化若干重大问题的决定》提出，要坚持和完善中国特色社会主义法治体系，提高党依法治国、依法执政能力，为教育系统推进依法治教、依法治校指明了方向。具体来讲，就是要提高运用法治思维和法治方式抓治理的能力。要全面推进教育法治建设，切实增强广大干部师生尊法学法守法用法意识。加强青少年宪法法治教育，提高教育系统普法水平。要加快教育立法修法，研究制定学前教育法，推动修订教育法、职业教育法、教师法、学位条例，增加制度供给，完善教育制度实施体系。要加强教育行政执法工作，健全依法行政机制，完善教育制度实施体系。要全面推进依法治校，完善学校法人治理结构，提升学校内部治理水平。要深化教育领域“放管服”改革，转变政府职能，优化管理方式，综合运用法律、标准、信息服务等现代治理手段。要完善教育政策决策、执行、评估机制，提高政策制定科学性。要深化新时代教育督导体制机制改革，提高督导权威性和实效性。

为进一步推动《国家中长期教育改革和发展规划纲要（2010—2020年）》实施，在各级各类学校全面落实依法治国要求，大力推进依法治校，2012年，教育部印发《全面推进依法治校实施纲要》，全面推动教育行政管理体制以及学校内部管理体制的改革、创新，在依法行政、依法治校的基础上，构建政府、学校、社会之间新型关系，加快建设现代学校制度。2016年，教育部印发《依法治教实施纲要（2016—2020年）》，要求以法治思维和法治方式推进教育综合改革，加快构建政府依法行政、学校依法办学、教师依法执教、社会依法支持和参与教育治理的教育发展新格局，全面推进教育治理体系和治理能力现代化。

加强教育行政执法工作是当前教育系统落实全面依法治国基本方略、推进依法治教的重要方面，是适应教育改革发展新形势新要求、促进政府职能转变的关键举措。在加强教育立法，推进教育治理法治化、制度化的同时，我国政府也加大了对教育法律法规执法状况的监督和检查力度。2019年，教育部印发《关于加强教育行政执法工作的意见》，要求以习近平新时代中国特色社会主义思想为指导，贯彻落实习近平总书记全面依法治国新理念新思想新战略、习近平总书记关于教育的重要论述，加快建立健全权责清晰、权威高效的教育管理体制和政府统筹、部门合作、上下联动的执法工作机制，实现以法治思维和法治方法抓教育治理，推进教育治理体系和治理能力现代化。

二、制度建设

教育管理是国家治理的重要领域。教育管理体制就是国家治理教育的形式、方法及制度的总称，包括教育的领导体制、行政体制和现代学校制度三个方面，它随国家政治、经济、社会、技术及教育的发展变化而调整变革。

（一）制度建设的历程

我国宪法明确规定，国务院领导和管理教育工作，县级以上地方各级人民政府依照法律规定的权限，管理本行政区域内的教育事业。《中华人民共和国教育法》规定，国务院和地方各级人民政府根据分级管理、分工负责的原则，领导和管理教育工作。中等及中等以下教育在国务院领导下，由地方人民政府管理。高等教育由国务院和省、自治区、直辖市人民政府管理。[①]十一届三中全会以来，随着1985年《中共中央关于教育体制改革的决定》、1993年《中国教育改革和发展规划纲要》、1999年《中共中央国务院关于深化教育改革全面推进素质教育的决定》、2001年《国务院关于基础教育改革与发展的决定》、2004年《国务院关于大力推进职业教育改革与发展的决定》，特别是2010年《国家中长期教育改革和发展规划纲要（2010—2020年）》和《教育部关于2013年深化教育领域综合改革的意见》等一系列文件及相关法律法规的出台，中国教育管理已从社会需求层面转向政策实施层面，基本形成了以法治为基础的由中央政府和地方政府分级分类管理的体制，即按照分级管理、分工负责的原则，明确中央与地方政府的教育管理职能。所谓分级管理，是指各级人民政府对各级各类教育负有不同的管理责任。所谓分工负责，是指在同一级政府内，各部门如教育、财政、发展改革、人事、审计等部门，根据不同的职责分工，对教育事业发展

① 中华人民共和国教育部研究室．中华人民共和国教育法律集［M］．北京：外文出版社，1999：120．

负有不同的责任。中央政府统一领导和管理国家教育事业，制定发展规划、方针政策和基本标准，优化学科专业、类型、层次结构和区域布局。地方政府负责落实国家方针政策，开展教育改革，负责区域内教育改革和发展工作。[①]

1. 改革开放初期教育管理体制的改革

改革开放初期，中国教育管理体制的改革基本是围绕“重心转移、主体转变和供需分离”三个方面展开，具体如下：[②]

一是重心转移。即通过权限下放，改变过去整个国家教育活动管理权高度集中于中央政府和中央教育行政管理部门的状况，给予地方政府和学校更多的管理权和自主权。它反映了管理权限在原有体制内从上到下的变化，把管理的重心由中央下移到地方各级政府和学校。一方面，为发挥地方办学的积极性，适应社会发展和分化而出现的区域教育差异，除了大政方针和宏观规划由中央决定外，具体政策、计划的制定和实施，以及对学校的领导、管理和检查的权力和责任，都交给地方。另一方面，扩大学校尤其是高等学校的办学自主权。在招生、专业与系科的调整、机构的设置、干部的任免、经费的筹措与使用、职称评定、工资分配及国际交流等各方面，由政府宏观管理，高等院校面向社会自主办学。

二是主体转变。即改变过去政府包揽办学的格局，建立以政府办学为主体，社会各界共同办学的体制。其一，学校的举办主体由过去体制内的一元化向体制内与体制外相结合的举办主体多元的改革，如允许各种社会力量办学，私立学校和国际合作办学纷纷涌现。其二，学校的举办者、管理者和办学者的同一也逐渐走向分离。过去，在政府包揽办学的体制中，学校的举办者、管理者和由政府任命的学校领导基本上都是同一的。如今，由于出现了体制外不同的举办主体，而学校也获得了较大的自主权，便带来了三者之间的分离和差异。

三是供需分离。即教育供给与需求之间基本重合向相对分离转变。主要表现是：社会的教育需求逐渐从完全由政府提供的教育供给的约束和控制中

① 袁贵仁. 中国教育［M］. 北京：北京师范大学出版社，2013：24.

② 谢维和. 我国教育管理体制改革的走向及其分析［J］. 教育研究，1995（10）：22-23.

分离出来，并获得了相对的独立性；与此同时，教育供给本身也呈现出多元的状况。通过经济体制的改革和社会主义市场经济体制的不断完善，各个地方、各个部门初步形成了一定的利益主体，有了相应的利益驱动和约束，成为教育需求的现实主体；而劳动人事制度、工资制度、招生及毕业分配制度等一系列制度的改革，也使得教育，尤其是非义务阶段的各种教育，与人们的自身利益有了内在的联系，并促使个人在教育需求上有了更为实际和主动的选择。

总体而言，重心转移、主体转变和供需分离的教育管理体制改革，既是中国特色社会主义市场经济体制改革在教育领域的反映，也是教育改革顺应构建中国特色社会主义市场经济体制的必然要求。

2. 十八大以来教育管理体制的改革

随着我国教育改革进入深水区、攻坚期，涉及面更广、关联度更高，破解深层次矛盾和问题难度更大，尤其是各地改革进展不平衡以及保障政策措施不到位等情况依然存在，为深入贯彻落实党的十八大关于深化教育领域综合改革的要求和部署，切实推进我国教育管理体制的现代化转型，《教育部关于2013年深化教育领域综合改革的意见》对教育管理体制的改革提出了一系列新的举措：

一是完善均衡发展义务教育机制。建立健全教育资源配置机制，重点向农村、边远、贫困、民族地区倾斜。加快推进义务教育学校标准化建设。全面启动实施集中连片地区教育扶贫工程。全面推行中小学教师交流制度。逐步消除义务教育薄弱校、大班额。着力解决大城市的中小学择校问题，各省（自治区、直辖市）分别制定实施方案。开展义务教育均衡发展督导评估，建立义务教育均衡发展奖励机制。

二是落实省级政府教育统筹。健全中央和地方统筹有力、责权明确的教育管理体制。坚决实行简政放权，进一步推进中央向地方放权，扩大省级政府教育统筹权。对试点省份，有序下放学校设置、招生计划、学位点评审、学科建设等方面权限。分省制定省级政府加强教育统筹的工作方案，进一步细化目标任务。省级人民政府要切实负起加大教育统筹的职责，统筹落实推进各级各类教育协调发展职责，统筹落实城乡教育协调发展职责，统筹编制办学条件、教师编制、招生规模等基本标准，统筹确定合理教育支出结构。开展省级政府履行教育职责评价。

三是健全教育监测评价机制。研制学生综合评价标准，探索建立中国特色教育质量监测评价办法。启动中小学生课业负担、学生体质健康状况、人民群众教育满意度的监测评估。建立健全政府、行业、企业和第三方机构深度参与的职业教育质量监测评估体系。发挥社会组织、中介机构的教育评价作用。推广中小学“绿色评价”，组织开展试点。以质量、创新、贡献为导向，改进高校科研评价体系。健全教育质量监测评估机构。

四是推进教育督导体制改革。发挥国务院教育督导委员会作用，建立健全教育决策、执行、监督既相互制约又相互协调的权力结构和运行机制，尽快完善县级以上人民政府负责教育督导的机构。全面落实《教育督导条例》，扩大督导范围，实现各级各类教育督导全覆盖，依法对各级各类教育进行督导。

五是完善高校治理结构。加强高校教职工代表大会、学术委员会等相关机构建设，完善决策程序，规范高校内部权力运行，推进科学民主决策。全面落实校务公开，建立社会参与和监督高校办学的有效机制，加快形成高校自我发展、自我约束的良性机制。

此外，2017年，中共中央办公厅、国务院办公厅印发了《关于深化教育体制机制改革的意见》，进一步向学校教育管理的两端延伸，极大地完善了我国教育管理体系。在学前教育管理方面，“要创新学前教育普惠健康发展的体制机制”，“鼓励多种形式办园，有效推进解决入园难、入园贵问题”，要“理顺学前教育管理体制和办园体制，建立健全国务院领导、省市统筹、以县为主的学前教育管理体制。省市两级政府要加强统筹，加大对贫困地区的支持力度。落实县级政府主体责任，充分发挥乡镇政府的作用。以县域为单位制定幼儿园总体布局规划，新建、改扩建一批普惠性幼儿园”。同时，“鼓励社会力量举办幼儿园，支持民办幼儿园提供面向大众、收费合理、质量合格的普惠性服务”。在高等教育管理方面，强调要“依法落实高等学校办学自主权，完善中国特色现代大学制度，坚持和完善党委领导下的校长负责制，发挥党委领导核心作用”，要“改进高等教育管理方式，研究制定高等学校分类设置标准，制定分类管理办法，促进高等学校科学定位、差异化发展，统筹推进世界一流大学和一流学科建设”。由此，我国教育管理体制总体实现了由“计划管理”向“市场管理”、由“集权管理”向“分权管理”、由“传统管理”向“现代管理”的基本转型。2019年，党的十九届四中全会则提出，要加强和改进对地方教育工作的指导，充分发挥中央和地方两个积极性，形成工作合力。完善教育决策和执行制度，健全教育政策性文件制定程序，实行重大教育决策和规范性文件出台前咨询、听证、公示制度，完善教育政策落实情况评估机制，提高教育决策科学性。

（二）教育管理体制

教育管理体制主要包括教育领导体制、教育行政体制、现代学校制度三种形式。

1. 教育领导体制

由谁来领导教育是事关教育事业成败得失的最为核心、最为关键的问题。党对教育的领导，是社会主义性质决定的，也是教育“两为”方针的内在要求。中国共产党是中国特色社会主义事业的领导核心，理所当然也是教育事业的领导核心。中国共产党自成立之日，便担当起领导新民主主义革命时期教育的历史使命，不仅为夺取新民主主义革命的伟大胜利培育了大批人才，还为中华人民共和国建国初期教育事业的发展积累了丰富而宝贵的治理经验。其间，中国的教育发展虽然走过一些弯路或遭遇一些挫折，但党能及时调整战略决策，及时强化党对教育的正确领导，使得教育事业的根本性质及发展方向没有改变，始终朝着社会主义这个大方向前行。

改革开放以来，中国共产党不断强化在领导中国教育事业发展中的核心地位。1993年的《中国教育改革和发展纲要》明确指出，坚持党对学校的领导是全面贯彻教育方针，加强教育改革和发展，全面提高教育质量的根本保证。1999年的《中共中央国务院关于深化教育改革全面推进素质教育的决定》，同样强调全面推进素质教育，必须切实加强党和政府的领导。2010年的《国家中长期教育改革和发展规划纲要（2010—2020年）》，针对如何加强党和政府对教育工作的领导问题进行了充分的论述，即要把推动教育事业优先发展、科学发展作为重要职责，健全领导体制和决策机制，及时研究解决教育改革发展的重大问题和群众关心的热点问题。要把推进教育事业改革发展作为各级党委、政府政绩考核的重要内容，建立相应的考核机制和问责制度。2018年9月10日，习近平总书记在全国教育大会上再次强调“教育是国之大计、党之大计”。只有坚持党对教育工作的全面领导，明确政府发展和管理教育的责任，才能保证教育的正确发展方向，才能实施有效的教育治理，实现教育和经济社会协调发展。

2. 教育行政体制

教育行政体制“是一个国家领导教育的最基本方式，是教育体制的重要组成部分，也是国家行政管理的重要领域，是国家组织领导和管理教育事业的基本体系和工作制度”[①]。可以说，教育行政体制决定着政府系统内部教育行政权力的划分、政府机构的设置以及运行等各种复杂关系，是维系教育治理有序健康运行的基本保障。

从权力划分来看，自1985年中共中央决定改革教育体制以来，我国的教育行政体制发生了根本性的变化，基本上形成了与社会主义市场经济相适应的，与中国特色社会主义教育事业相匹配的教育行政体制。关于中央与地方政府的教育职责，根据《中华人民共和国宪法》和《中华人民共和国教育法》的规定，实施分级管理、分工负责的管理制度。所谓分级管理，是指各级人民政府对各级各类教育负有不同的管理职责；分工负责则是指在同一级政府内，诸如教育、财政、发改委、人事、审计、公安等各部门，根据不同的职责分工对教育事业发展负有不同的责任。《国家中长期教育改革和发展规划纲要（2010—2020年）》进一步明确了中央和地方政府的职责：推进中央向地方放权、政府向学校放权，明确各级政府责任，规范学校办学行为，促进“管办评”分离，形成政事分开、权责明确、统筹协调、规范有序的教育管理体制。中央政府统一领导和管理国家教育事业，制定发展规划、方针政策和基本标准，优化学科专业、类型、层次结构和区域布局。整体部署教育改革试验，统筹区域协调发展。地方政府负责落实国家方针政策，开展教育改革试验，根据职责分工负责区域内教育改革、发展和稳定。

---

① 袁贵仁. 中国教育［M］. 北京：北京师范大学出版社，2013：23.

从机构设置来看，教育部是国务院主管教育工作的职能部门，为中华人民共和国最高教育行政机构，1995年颁布的《中华人民共和国教育法》规定，国务院教育行政部门主管全国教育工作，统筹规划、协调管理全国的教育事业。2010年颁布的《国家中长期教育改革和发展规划纲要（2010—2020年）》中所讲的中央政府所要担当的教育职能，如统一领导和管理国家教育事业，制定发展规划、方针政策和基本标准，优化学科专业、类型、层次结构和区域布局，整体部署教育改革试验，统筹区域协调发展等，就是通过教育部这一最高教育行政机构职能的发挥来实现的。地方教育行政机构是地方各级人民政府对教育事业进行组织、领导和管理的机构，分为省、市、县、乡四级，具体机构设置为：省设教育厅，市设教育局，县设教体局，乡设文教组。根据1995年《中华人民共和国教育法》的规定，地方教育行政机构的基本职能：一是贯彻执行中央的教育方针、政策和法律、法规及上级教育行政部门的决定、命令；二是负责本地区教育事业发展计划、基本建设、教育经费、干部和教师的管理工作；三是领导本地区各级各类学校的教育教学工作，等等。2010年颁布的《国家中长期教育改革和发展规划纲要（2010—2020年）》中，进一步明确了地方教育行政机构的职责：统一管理义务教育，推进城乡义务教育均衡发展，依法落实发展义务教育的财政责任。促进普通高中和中等职业学校合理分布，加快普及高中阶段教育，重点扶持困难地区高中阶段教育发展。促进省域内职业教育协调发展和资源共享，支持行业、企业发展职业教育。完善以省级政府为主管理高等教育的体制，合理设置和调整高等学校及学科、专业布局，提高管理水平和办学质量。根据国家标准，结合本地实际，合理确定各级各类学校办学条件、教师编制等实施标准。统筹推进教育综合改革，促进教育区域协作，提高教育服务经济社会发展的水平。支持和督促市（地）、县级政府履行职责，发展管理好当地各类教育。

除此之外，还设置有国务院教育议事协调机构和政策咨询机构，诸如国家教育科技领导小组、国家教育体制改革领导小组、国家教育咨询委员会以及中央教育工作领导小组等机构。国家教育科技领导小组是1998年国务院决定成立的，办公室设在国务院办公厅，旨在加强对科技、教育工作的宏观指导和对科技重大事项的协调，主要职责：研究、审议国家科技和教育发展战略及重大政策；讨论、审计科技和教育重要任务及项目；协调国务院各部门及部门与地方之间涉及科技或教育的重大事项，等等。国家教育体制改革领导小组是2010年国务院决定成立的，办公室设在教育部，旨在加强对新时期教育体制改革的领导，主要职能：审议教育改革发展的重大方针和政策措施；研究部署、指导实施教育体制改革工作；统筹协调教育改革发展中的重大问题，等等。国家教育咨询委员会是2010年国家教育体制改革领导小组决定成立的，旨在加强对教育改革和发展提供咨询论证，以提高重大教育决策的科学性，主要职能：对重大教育政策、重大改革事项等进行论证评议，提供咨询意见；开展调查研究，对教育改革和发展的重大问题提出政策建议；对国家教育体制改革试点以及重大项目进行评估、提出报告等。中央教育工作领导小组组建于2018年。2018年3月，中共中央印发了《深化党和国家机构改革方案》。为加强党对教育工作的集中统一领导，全面贯彻党的教育方针，加强教育领域党的建设，做好学校思想政治工作，落实立德树人根本任务，深化教育改革，加快教育现代化，办好人民满意的教育，决定组建中央教育工作领导小组，作为党中央决策议事协调机构，秘书组设在教育部。主要职责：研究提出并组织实施在教育领域坚持党的领导、加强党的建设方针政策，研究部署教育领域思想政治、意识形态工作，审议国家教育发展战略、中长期规划、教育重大政策和体制改革方案，协调解决教育工作重大问题，等等。

3. 现代学校制度

学校制度是教育制度的重要组成部分，是整个教育治理的基石。近年来，随着教育现代化的发展，现代学校制度建设逐渐成为我国教育治理中的一个兼具理论与实践的重要问题。建设现代学校制度，有利于从根本上消除长期制约学校发展的制度性障碍，为学校发展创设优良的内外部环境，提升学校教育质量。

学校制度，又称“学校教育制度”，狭义上指的是一个国家的各级各类学校的体系方面的规则，简称“学制”。它规定了各级各类学校的性质、任务、入学条件、学习年限以及它们之间的衔接和关系。广义上指的是为了指导和约束学校的行为和与学校有关的组织、机构、人员等的行为而制定的教育法律、规章等成文的规则体系，以及学校、学校所在的社区中的组织、人员认可了的与学校有关的习惯、道德标准、风俗等未成文的规则体系。[①]现代学校制度作为一种“现时性”的学校制度安排，反映的是现代社会和教育快速发展的一般趋向和需要，强调以学生发展为核心、注重协调学校内外部关系，是一种改进了的、进步的、能适应时代要求的和向着未来的学校制度。[②]因此，现代学校制度，特指在知识社会初见端倪和全面建设小康社会的大的社会背景下，能够适应市场经济和建设学习型社会的基本要求，以完善的学校法人制度为基础，以现代教育观念为指导，学校依法自主、民主管理，能够促进学生、教职工、学校、学校所在社区的协调和可持续发展的一套完整的制度体系。[③]

现代学校制度包括普通教育和职业教育两种类型，基础教育学校制度、中等教育学校制度和高等教育学校制度三个层次。对不同类型与层次的学校而言，其具体表现特征在办学个性化方面各有侧重，存在一定的差异。例如，有学者认为，现代大学制度是“自主性和民主性的统一、人本性与开放性的统一、科学性和发展性的统一，生态性与和谐性的统一”。[④]有学者认为，现代职业学校制度具有“独立性、参与性、协调性、适应性、时代性”[⑤]等特征。还有学者认为，现代学校制度应具备适应社会形态进步、充分体现现代教育精神、捍卫教育公益性、凸显教育的社会价值、澄清好教育的标准以及促进教育中的人的终身全面发展等特征。[⑥]

自清末以来，建立现代学校制度就一直是教育改革的重要组成部分。在

① “基础教育阶段现代学校制度的理论与实践研究”总课题组. 关于现代学校制度的含义、特征、体系的初步认识［J］. 人民教育，2004（17）：2.

② 李兴洲. 反思“建立现代学校制度”［J］. 教育学报，2007（4）：55.

③ “基础教育阶段现代学校制度的理论与实践研究”总课题组. 关于现代学校制度的含义、特征、体系的初步认识［J］. 人民教育，2004（17）：2.

④ 方明，谷成久. 现代大学制度论［M］. 合肥：安徽大学出版社，2007：27.

⑤ 马建富. 现代职业教育体系构建的制度配置与政策创新［J］. 河北师范大学学报（教育科学版），2012（7）.

⑥ 朱小蔓. 基础教育阶段现代学校制度的理论与实验研究［M］. 北京：教育科学出版社，2008：27.

近百年的教育改革浪潮中，学校制度改革始终是重要主题之一。“从学日德、学美国、学欧洲，再到学苏联、学美国”，频繁地改换门庭、更张制度，反映了现代社会和教育快速发展的一般趋向和需要，也意味着一种与中国社会实际相适应、有效反映中国现代化需要的学校制度，始终处在未完成的状态。[①]20世纪70年代末以来，改革开放使中国经济社会得到持续的高速发展，教育事业也随之进入快速发展期，改革传统的教育管理体制，构建符合时代发展需要的现代学校制度，成为新时期教育改革的主旋律。

第一阶段：现代学校制度的提出与确立。中国现代学校制度的建设历经了一个由“学界理论探讨”再到“政府政策推动”的过程。2003年2月，有关研究课题组在《从人口大国迈向人力资源强国——中国教育与人力资源问题报告》中，首次将建立现代学校制度作为教育制度创新的改革目标与建议提出。[②]2003年7月，教育部开始在全国范围确定八个实验区作为基础教育阶段现代学校制度建设的试点。2004年3月，国务院印发《2003—2007年教育振兴行动计划》，明确提出“探索建立现代学校制度”的政策意见，首次从国家层面强调要“遵循‘从严治教，规范管理’的原则，加强学校制度建设，逐步形成‘自主管理、自主发展、自我约束、社会监督’的机制。建设‘精简、高效’的学校管理机构，完善校务公开制度，深化人事制度和分配制度改革”。并提出了建设现代学校制度的具体任务：“高等学校要坚持和完善党委领导下的校长负责制，推进依法办学、民主治校、科学决策，健全学校的领导管理体制和民主监督机制。中小学要实行校长负责、党组织发挥政治核心作用、教代会参与管理与监督的制度。职业学校可建立由行业、企业代表组成的理（董）事会制度。”同时还提出要“积极推动社区、学生及家长对学校管理的参与和监督”等指导意见。这一计划的提出，不仅引发了国内研究现代学校制度的热潮，还使建立现代学校制度成为一项重要的教育改革实践或实验活动，开始在教育管理部门和各级各类学校中全面推开。

---

① 李兴洲. 反思“建立现代学校制度”［J］. 教育学报，2007（4）：51.

② 中国教育与人力资源问题课题组. 从人口大国迈向人力资源强国——中国教育与人力资源问题报告［J］. 教育发展研究，2003（3）：26.

第二阶段：现代学校制度的探索与完善。建设现代学校制度就是要构建与现代国家发展相适应的学校规则体系。2007年5月，为全面落实科学发展观，充分发挥教育在现代化建设中的基础性、先导性、全局性作用，国务院制定并发布了《国家教育事业发展“十一五”规划纲要》，提出以素质教育为主题，以“普及、发展、提高”为主要任务，以协调发展为主线，以加强教师队伍建设为关键，以体制和机制改革为动力，从整体上对构建现代学校制度做出了重要部署。一是深化体制机制改革，在协调政府与学校的关系方面，进一步明确了中央、省、市（地）、县、乡各级人民政府对教育的管理责任，要求完善学校法人制度，建立和完善现代大学制度；在学校内部关系方面，强调建立健全办学规范、管理有序、监督有效、保障安全的学校内部管理制度，加强学校管理，推进科学民主办学和依法办学。二是健全现代教师管理制度，要求中小学现代教师管理制度应注重教师公开招聘、教师聘任、教师与校长定期交流和轮岗等制度建设；职业学校现代教师管理制度则以兼职教师的聘任与管理制度作为着力点；高校现代教师管理制度则将教师岗位分类管理、公开招聘、业绩评价和薪酬分配办法作为改革重点。三是提出了建设现代教育体系的目标，密切了学习型社会建设与现代学校外部制度之间的相关，要求充分发挥各级各类学校在终身学习中的作用，大力发展多样化的继续教育和社区教育，建立非义务教育阶段弹性学习制度，完善学分制。[①]这些指导意见从实施层面有力地推动了现代学校制度的建设。

2010年7月，《国家中长期教育改革和发展规划纲要（2010—2020年）》颁布，其中专设“第十三章”规定现代学校制度的建设，不仅提高了现代学校制度建设在教育制度顶层设计中的重要性，还进一步明确了现代学校制度建设的思路与举措，重点包括三个方面：一是树立新型的政校关系，推进政校分开、管办分离以及落实和扩大学校办学自主权，构建“依法办学、自主管理、民主监督、社会参与”的现代学校制度。二是完善学校内部管理制度。对现代大学制度来讲，强调完善治理结构、加强章程建设、扩大社会合

① 国务院. 国家教育事业发展“十一五”规划纲要［M］//新华日报社. 时政文献辑览（2007年3月—2008年3月）. 北京：人民出版社，2008：855-872.

作和推进专业评价。对中小学（兼顾职业学校）来讲，把校长负责制，校长人事管理制度，校内民主管理制度，家长、社区、企业参与学校管理与合作制度等作为建设重点内容。三是提出大力推进依法治校，要求在各级各类学校深入落实依法治国基本方略，为全面建设现代学校制度指明了方向与道路。①

2012年6月，教育部下发《国家教育事业发展第十二个五年规划》，规定了“十二五”期间现代学校制度建设的任务：一是健全学校管理的法律规章制度，重点推进“学校法”的调研起草工作，以公办学校财政拨款制度、人事管理制度改革为重点扩大学校办学自主权，发布实施高等学校章程制定办法，加强学校章程建设；二是完善各类学校治理结构，重要工作包括健全重大问题学校党委集体决策制度，健全社会支持和监督学校发展的制度，探索教授治学的有效途径，克服学校内部治理上的行政化倾向，推动中小学全面设立家长委员会，积极探索职业学校实行理（董）事会决策议事制度和监督制度；三是提高各类学校的服务管理能力，要求以服务学生、服务家长、服务教师为导向，推进校务公开，畅通群众反映问题、表达合理诉求的渠道。②上述一系列自上而下的制度创新与改造，促使中国现代学校制度得到了较快发展与完善。

第三阶段：现代学校制度的深化与实践。进入“十二五”“十三五”规划之年，随着国家全面深化改革的发展需要，尤其是在推进国家治理体系和治理能力现代化的背景下，现代学校制度作为教育现代化的重要制度之一，也进入了新的发展层次和阶段。

在制度改革方面，2012年11月，教育部颁布了《全面推进依法治校实施纲要》，将建设现代学校制度纳入全面落实依法治校和依法治国的体系之中，明确提出了七大方面的改进举措：一是通过依法制定具有自身特色的学校章程、提高制度建设质量、建立规范性文件审查与清理机制，健全学校依

① 国家中长期教育改革和发展规划纲要（2010—2020年）[M]. 北京：人民出版社，2010：41-43.

② 孙绵涛，王刚. 我国现代学校制度建设的成就、问题与对策 [J]. 教育研究，2013（11）：29.

法办学自主管理的制度体系；二是通过建立健全科学决策与执行机制、民主管理与监督机制、中小学家长委员会制度以及社会参与机制，进一步完善学校治理结构；三是依法组织和实施办学活动，落实师生主体地位，形成自由平等公正法治的育人环境；四是健全学校权利救济和纠纷解决机制和安全管理及突发事件应急处理机制，有效化解矛盾纠纷；五是深入开展法治宣传教育，形成浓厚的学校法治文化氛围；六是加强组织与考核，切实提高依法治校的能力与水平；七是转变政府职能以及政府对学校的行政管理方式，加强对学校依法治校的保障。

在实践探索方面，2010年10月，国务院发布了《关于开展国家教育体制改革试点的通知》，标志着中国现代学校制度从理论研究、学校自发探索进入了由国家主导的试点推进阶段。从现代大学制度来看，主要有六项改革主题：一是探索高等学校分类指导、分类管理的办法，落实高等学校办学自主权；二是推动建立健全大学章程，完善高等学校内部治理结构；三是建立健全岗位分类管理制度，推进高校人事制度改革，改革高校基层学术组织形式及其运行机制；四是建立高校总会计师制度，完善高校内部财务和审计制度；五是改革学科建设绩效评估方式，完善以质量和创新为导向的学术评价机制；六是构建高等学校学术不端行为监督查处机制，健全高等学校廉政风险防范机制。从基础教育现代学校制度来看，全国31个省、自治区、直辖市（除港澳台地区）全部参与了试点工作，主要内容包括：推进义务教育均衡发展；减轻中小学生课业负担；改善民办教育发展环境；健全教师管理制度和完善教育投入机制。例如，上海市积极建立市级统筹为主的义务教育财政投入机制；天津市重点推进义务教育学校现代化建设标准，形成城乡义务教育一体化的发展格局；山东省建立规范办学的长效机制，深化基础教育课程与考试制度改革；安徽省依托制度规范各类招生、办班、收费行为，完善教材管理，建立起稳定的、适应素质教育要求的教育教学秩序；江苏省完善综合素质评价、学业水平测试和文化科目考试相结合的中考改革模式；广东省中山市探索以校长职级制为核心，建立健全校长准任制度、校长选拔任用机制、校长评价机制、校长薪酬制度、校长培训制度，形成完备的校长人事管理制度体系，等等。各地极富创造性的试点探索，从不同方面推动了国家现代学校制度的建设与发展。①

当然，从历史、国际及整体视野来看，中国的现代学校制度建设仍处于理论和实践探索的初级阶段，很多理论研究需要系统化的实践检验、持续完善及与时俱进，很多实践探索仍需不断深入、经验总结及全面推广，这是一项长期而艰巨的系统工程。

三、办学体制

办学体制是教育行政部门根据国家教育法的要求，对各级各类学校的兴办进行治理的一套制度体系，主要涉及规定办学主体的构成、权利、义务及应遵守的规章制度等内容。办学体制改革是优化教育资源配置，提高教育资源利用率，化解教育投入不足与资源浪费之间矛盾的有效途径。目前我国办学体制改革逐步形成了以政府办学为主体、社会力量共同参与、公办学校和民办学校相辅相成的多元化发展道路。②

办学体制虽与教育体制及教育管理体制关系密切，但归根结底它受制于经济体制，或可说，办学体制是经济体制在教育领域的反映。因此，经济体制的改革往往会引起办学体制的变革。中华人民共和国成立以后，办学体制的改革大致经历了两个主要阶段。

（一）集中统一办学体制阶段

由中华人民共和国成立初期的基本国情和社会主义国家性质所决定，从1949年中华人民共和国成立到1978年改革开放之前，中国处于计划经济时期，其显著特征是国家在生产、资源分配以及产品消费各领域都高度依赖政府事先做出的指令性计划。早在20世纪50年代，中华人民共和国就消灭了私有经济和个体经济，农村也全部实行公有制，建立了人民公社。与此同时，在教育领域，取消了私立学校，所有学校均归国有。因此，在这一阶段，政府是唯一的办学主体，各级各类学校由政府包揽，政府掌握着开办学

① 孙绵涛，王刚．我国现代学校制度建设的成就、问题与对策［J］．教育研究，2013（11）：30-32.

② 邬志辉．当代教育改革实践与反思［M］．长春：东北师范大学出版社，2006：67-69.

校所需的财政、经济、政策及制度上的所有稀缺资源，办学规模、专业设置、投资制度、招生规模及教学内容等全都由政府统一规定，各级各类学校照章行事。这种集中统一的国有化办学体制，在新中国成立初期国家各种资源短缺，规章制度不完善时，有利于政府凝聚力量办教育，培养当时各领域的急需人才，使中国的教育事业快速起步，快速发展。简言之，它是与计划经济体制相适应的一种办学体制。

（二）探索多元主体办学体制的初始阶段

1978年党的十一届三中全会决定中国开始实行对内改革、对外开放的基本国策，后逐步提出建立社会主义市场经济体制的经济改革目标，即主张建立以公有制为主体的多种经济体制，包括私营经济、个体经济、混合所有制经济、中外合作经济等。随着改革开放的不断深入，市场经济的成功运作，大大解放了生产力、发展了生产力，极大地推动了国家经济社会的发展，人民生活水平不断提高，人民群众的文化水平得到较大提升，大众对教育的需求逐步增强。在新的国情和经济体制之下，单纯依靠政府投资办学的国有化办学体制的弊端开始凸显，国家经济力量的有限性也开始成为制约国家教育事业保持良性发展的瓶颈。因此，改变集中统一的国有化办学体制，吸纳社会各界力量参与办学，变国有化办学体制为一主多元的办学体制成为一种时代需要。

1982年，全国第一所民办大学——中华社会大学在北京成立。同年，全国人大五次会议通过的《中华人民共和国宪法》第十九章提出："全国鼓励集体经济组织、国家企业事业组织和其他社会力量依照法律规定举办各种教育事业。"1985年颁布的《中共中央关于教育体制改革的决定》进一步提出："鼓励各种社会团体和个人办学。"1992年邓小平南方谈话发表后，加速了中国改革开放的进程。1992年，党的十四大报告中提出，鼓励多渠道、多形式社会集资办学和民间办学，改变国家包办教育的做法。1993年颁布的《中国教育改革和发展纲要》规定了"改变政府包揽办学的格局，逐步建立以政府办学为主体，社会各界共同办学"的体制，国家对社会团体和公民个人依法办学，采取"积极鼓励、大力支持、正确引导和加强管理"的方针。1992年后，我国民办高等教育进入了新的发展时期。1997年，国务院颁布了《社会力量办学暂行条例》，这是我国关于民办教育的第一个法规，确定了民办教育的法律地位。[①]

在社会主义市场经济体制之下，由以公有制为主体的多种经济所有制并存发展的经济体制所决定，我国除了单一的公办体制和民办体制，还有如下几种混合型办学体制[②]：

国有民办。国有民办学校是指由国家和政府提供一定的土地和固定的基础设施，设立并依照法律程序交由具有法人地位的社会团体或公民个人承办的教育机构。承办者享有社会力量办学的政策和办学自主权，负责依法筹集全部或大部分学校事业费和日常运行经费，并负有对校产保值增值和对培养计划保质保量完成的责任。国有民办是介于纯政府办学与纯民间办学之间的一种形式。

公办民助。公办民助是指由社会组织与个人参与公办学校的投资、新建和扩建等，改善办学条件。办学形式主要有两种：一种是社区联办，即一些部门、单位主动投资，参与建校或投入到改善办学条件上，学校接受其子女入学；另一种是政企联办，政府与社会团体等部门联合办学。

混合股份。在学校资产中有私有的，有集体的，也有国家的，或有这三者中的两者，这同企业的有限责任公司制大同小异，为了有所区别，可称教育混合股份制。在这种体制下，有了盈利，不能把获利部分都拿来分红，首先要把发展基金、公积金、风险基金留下不少于结余的一半，剩下的由各产权主体按一定比例参加分配。

教育集团。教育集团的运作方式是：学校校长只管把教育教学抓好，对集团负责，资金投入、基本建设和学校发展等问题都由教育发展集团去解决。一个教育发展集团可跨几个学校和多个地区进行投资办学。

大学城制。大学城是继1998年上海高校后勤社会化改革后迅速发展起来的一种新体制，它有两种建立形式：一是企业筹建，即企业开发房地产并兼

① 杨德广. 从国有化办学体制向一主多元的办学体制转变［EB/OL］. 2008-01-21. http://pinglun. eastday. com/p/20080121/u1a3362867. html.

② 邬志辉. 当代教育改革实践与反思［M］. 长春：东北师范大学出版社，2006：68-69.

营后勤和物业服务，学校根据自身需要直接租用；二是政府主导，即整体规划和部分公共基础设施由政府部门负责，其他设备设施由政府通过招投标吸纳企业资本进入教育领域，利益共享。

（三）深化办学体制改革的阶段

与我国市场经济体制尚处于建构、完善的改革阶段相适应，办学体制也处于探索与重大转型阶段。尽管公办、民办及混合型等多种办学体制为我国教育事业的发展注入了活力，不仅缓解了政府办学的经济压力，还提高了民间资本办学的积极性，但从国家教育整体来看，仍存在结构性、体制性、公平性、区域性及质量性等办学问题。因此，办学体制改革与人才培养体制、考试招生制度、现代学校制度及教育管理体制改革需要通盘考虑、统筹兼顾、系统推进。现阶段的办学体制改革的主要任务是要建立政府主导、社会参与、办学主体多元、办学形式多样、充满生机和活力的办学体制。《国家中长期教育改革和发展规划纲要（2010—2020年）》第十四章明确提出了三大指导意见：[①]

一是深化办学体制改革。坚持教育公益性原则，健全政府主导、社会参与、办学主体多元、办学形式多样、充满生机活力的办学体制，形成以政府办学为主体、全社会积极参与、公办教育和民办教育共同发展的格局。调动全社会参与的积极性，进一步激发教育活力，满足人民群众多层次、多样化的教育需求。深化公办学校办学体制改革，积极鼓励行业、企业等社会力量参与公办学校办学，扩大优质教育资源，增强办学活力，提高办学效益。各地可从实际出发，开展公办学校联合办学、委托管理等试验，探索多种形式，提高办学水平。改进非义务教育公共服务提供方式，完善优惠政策，鼓励公平竞争，引导社会资金以多种方式进入教育领域。

二是大力支持民办教育。民办教育是教育事业发展的重要增长点和促进教育改革的重要力量，各级政府要把发展民办教育作为重要的工作职责，鼓励出资、捐资办学，促进社会力量以独立举办、共同举办等多种形式兴办教

① 国家中长期教育改革和发展规划纲要（2010—2020年）［M］. 北京：人民出版社，2010：44-46.

育。支持民办学校创新体制机制和育人模式，提高质量，办出特色，办好一批高水平民办学校。依法落实民办学校、学生、教师与公办学校、学生、教师平等的法律地位，保障民办学校办学自主权。清理并纠正对民办学校的各类歧视政策。制定完善促进民办教育发展的优惠政策。对具备学士、硕士和博士学位授予单位条件的民办学校，按规定程序予以审批。建立完善民办学校教师社会保险制度。健全公共财政对民办教育的扶持政策。政府委托民办学校承担有关教育和培训任务，拨付相应教育经费。县级以上人民政府可以根据本行政区域的具体情况设立专项资金，用于资助民办学校。国家对发展民办教育做出突出贡献的组织、学校和个人给予奖励和表彰。

三是依法管理民办教育。教育行政部门要切实加强民办教育的统筹、规划和管理工作。积极探索营利性和非营利性民办学校分类管理。规范民办学校法人登记。完善民办学校法人治理结构。民办学校依法设立理事会或董事会，保障校长依法行使职权，逐步推进监事制度。积极发挥民办学校党组织的作用。完善民办高等学校督导专员制度。落实民办学校教职工参与民主管理、民主监督的权利。依法明确民办学校变更、退出机制。切实落实民办学校法人财产权。任何组织和个人不得侵占学校资产、抽逃资金或者挪用办学经费。依法建立民办学校财务、会计和资产管理制度。建立民办学校办学风险防范机制和信息公开制度。扩大社会参与民办学校的管理与监督。加强对民办教育的评估。

（四）十八大以来综合改革的阶段

为实现加快推进教育现代化、努力办好人民满意的教育的目标，以破解制约教育科学发展的关键领域和薄弱环节为突破口，以加快转变教育发展方式、完善推进教育改革的体制机制为着力点，不失时机深化教育领域综合改革，2013年，教育部出台了《教育部关于2013年深化教育领域综合改革的意见》，进一步明确了改革办学体制的具体举措：

一是改善民办教育发展环境。出台鼓励和支持民办教育发展的意见，落实支持民办教育发展的政策措施。吸引社会资金进入教育领域。出台营利性和非营利性民办学校分类管理的指导意见。全面清理针对民办教育的歧视政策。探索公办学校多种办学形式，完善独立学院管理办法。

二是完善职业教育产教融合制度。研究制定职业教育校企合作促进办法。出台职业教育集团化办学的指导意见。提升行业指导职业教育的能力。建立健全行业企业参与办学的体制机制。建立职业学校与行业企业联动开发课程机制。

三是落实高校办学自主权。进一步减少和严格规范政府对高等学校的行政审批，减少行政干预，落实高校办学自主权。加快大学章程建设，理顺大学、政府和社会的关系，规范高校办学行为。2013年所有试点高校都要制定章程。扩大公开选拔大学校长试点。

四是扩大教育对外开放。扩大来华留学规模，落实《留学中国计划》，出台外国留学生招收和管理有关规定，提高来华留学教育水平。完善市场选择和淘汰机制，建立中外合作办学质量保障体系，支持办好一批高起点中外合作办学机构。实施《孔子学院发展规划（2012—2020年）》，充分发挥孔子学院综合文化交流平台作用。加强与港澳台地区的教育合作与交流。推进教育国家合作交流综合改革试验区建设。扩大省级教育行政部门在教育涉外管理方面职权。

总之，办学体制的改革是一项长期而艰巨的任务，它在很大程度上取决于经济体制和教育体制改革的进展。可以肯定的是，未来的办学体制必定是向着一条更加趋于法治、公平、自主与多元的道路发展。

第三节　具体制度

教育治理的具体制度是有关教育治理内部的各个具体环节，包括财政投入政策、人事管理体制、考试录取方式、学位管理规定、督导评价体系等。

一、教育投入

“教育投入是支撑国家长远发展的基础性、战略性投资，是公共财政的重要职能。”[①]中国政府坚持把教育优先发展摆在公共财政的突出位置予以重点保障，为此先后制定了一系列加大财政教育投入的政策和规定，逐步形成了较为完善的教育投入保障机制，教育投入已成为中国公共财政的第一大支出。

早在1985年的《中共中央关于教育体制改革的决定》开启了教育投入制度改革的序幕，首次提出保证教育投入的“两个增长”，即在今后一定时期内，中央和地方政府的教育拨款的增长要高于财政经常性收入的增长，并使按在校学生人数平均的教育费用逐步增长。1993年的《中国教育改革和发展纲要》提出，要逐步建立以国家财政拨款为主，辅之以征收用于教育的税费、收取非义务教育阶段学生学杂费、校办产业收入、社会捐资集资和设立教育基金等多种渠道筹措教育经费的体制。1995年的《中华人民共和国教育法》，以立法的形式进一步明确规定国家财政性教育经费支出占国民生产总值的比例应当随着国民经济的发展和财政收入的增长逐步提高，各级人民政府教育财政拨款的增长应当高于财政经常性收入的增长，并使按在校学生人数平均的教育费用逐步增长，保证教师工资和学生人均公用经费逐步增长。2006年的《中华人民共和国义务教育法》，明确将免费义务教育全面纳入财政保障范围，义务教育经费由国务院和地方各级人民政府分担。这是中国教育投入制度的一次重大改革，惠及每一个家庭每一个学龄儿童。

2010年的《国家中长期教育改革和发展规划纲要（2010—2020年）》，要求各级政府“要优化财政支出结构，统筹各项收入，把教育作为财政支出重点领域予以优先保障”，以确保“三个增长”的顺利实现。还提出要按增值税、营业税、消费税的3%足额征收教育费附加，专项用于教育事业；提高国家财政性教育经费支出占国内生产总值比例，限定在2012年达到4%。针对义务教育和非义务教育的投入，则明确指出：义务教育全面纳入财政保障范围，实行国务院和地方各级人民政府根据职责共同负担，省、自治区、直辖市人民政府负责统筹落实的投入体制；非义务教育实行以政府投入

① 袁贵仁. 中国教育 [M]. 北京：北京师范大学出版社，2013：225.

为主、受教育者合理分担培养成本的投入机制。为保障所提出的教育投入目标，2011年，国务院印发《关于进一步加大财政教育投入的意见》，要求各级政府严格落实教育经费法定增长要求，提高财政教育支出占公共财政支出的比重，提高预算内基建投资用于教育的比重，统一内外资企业和个人教育附加制度，全面开征地方教育附加，从土地出让收益中按比例计提教育资金等，使得教育投入有了充分的政策和法律保障。2018年，国务院办公厅印发《关于进一步调整优化结构，提高教育经费使用效益的意见》，提出要坚定不移把教育放在优先位置，妥善处理转变预算安排方式与优先发展教育的关系，改革完善教育经费投入使用管理体制机制，以调整优化结构为主线，突出抓重点、补短板、强弱项，着力解决教育发展不平衡不充分问题，切实提高教育资源配置效率和使用效益，促进公平而有质量的教育发展。《中共中央关于坚持和完善中国特色社会主义制度、推进国家治理体系和治理能力现代化若干重大问题的决定》提出，要坚持和完善统筹城乡的民生保障制度，满足人民日益增长的美好生活需要。坚持教育优先发展，健全优先发展教育事业体制机制，健全财政教育投入稳定增长长效机制，推动落实“一个不低于、两个只增不减”。落实和完善鼓励社会投入教育的政策，逐步提高社会教育投入占教育投入比例。进一步完善中小学教师工资财政保障机制，推动落实国家关于教师地位待遇的各项举措，切实减轻中小学教师负担，让教师潜心教书、静心育人。

二、教育人事

教育人事就是对学校所有在编人员的选拔、录用、培训、工资、福利、监督、退休与抚恤等各项具体制度、规程的总称，其直接影响着教师队伍的规模、结构、质量、待遇和活力，是中国教育治理的重要组成部分。

（一）提高教师待遇

1985年颁布的《中共中央关于教育体制改革的决定》，提出要随着国民经济的发展和国家财力的增强，着力改善教师的生活待遇，大力树立和发扬尊重各级各类教师的良好风尚，使教师工作成为最受人尊重的职业之一。1993年颁布的《中国教育改革和发展纲要》提出，要打破平均主义，充分运用正确的政策导向、思想教育和物质激励手段，积极推进以人事制度和分配制度改革为重点的学校内部管理体制改革，要在合理定编的基础上，对教职工实行岗位责任制和聘任制，在分配上按照工作实绩拉开差距。1995年颁布的《中华人民共和国教育法》从立法的角度，就国家保护教师的合法权益问题，进一步明确要改善教师的工作条件和生活条件，提高教师的社会地位，有关教师的工资报酬、福利待遇等要依照法律、法规的规定予以办理。2010年颁布的《国家中长期教育改革和发展规划纲要（2010—2020年）》再次强调，要提高教师的地位待遇，依法保证教师平均工资水平不低于或者高于国家公务员的平均工资水平，并逐步提高。为激发广大教师献身教育事业的积极性，开启了教师绩效工资制度、教师准入及退出制度、教师资格证书定期登记制度、义务教育学校教师和校长流动机制、中小学及职业院校设置正高级教师职称等一系列制度，由此构成中国教育人事治理的基本框架。

（二）完善师德考核指标体系

师德师风是评价教师队伍素质的第一标准。为深入贯彻习近平新时代中国特色社会主义思想和党的十九大精神，深入贯彻落实全国教育大会精神，进一步增强教师的责任感、使命感、荣誉感，引导广大教师努力成为有理想信念、有道德情操、有扎实学识、有仁爱之心的好老师，着力培养德智体美劳全面发展的社会主义建设者和接班人，2018年11月，教育部印发《新时代高校教师职业行为十项准则》《新时代中小学教师职业行为十项准则》《新时代幼儿园教师职业行为十项准则》。制定教师职业行为准则，明确新时代教师职业规范，针对主要问题、突出问题划定基本底线，是对广大教师的警示提醒和严管厚爱，是深化师德师风建设，造就政治素质过硬、业务能力精湛、育人水平高超的高素质教师队伍的关键之举。因此，要把准则要求落实到教师管理具体工作中。把好教师入口关，在教师招聘、引进时组织开展准则的宣讲，确保每位新入职教师知准则、守底线。将准则要求体现在教师聘用、聘任合同中，明确有关责任。强化考核，在教师年度考核、职称评聘、推优评先、表彰奖励等工作中必须进行师德考核，实行师德失范一票否决。改进师德考核方式方法，避免形式化、随意化。完善师德考核指标体系，提高科学性、实效性。

（三）重视教师的培养与培训

与此同时，我国政府非常重视教师的培养与培训，通过多种治理途径和方式来促进教师发展，其中所出台的与教师发展相关的法律及规章制度就多达一百余件，对教师队伍的稳定起到了根本性的作用。[①]1985年颁布的《中共中央关于教育体制改革的决定》，要求有关部门必须对现有的教师进行认真的培训和考核，把发展师范教育和培训在职教师作为发展教育事业的战略措施。1993年颁布的《中华人民共和国教师法》规定，各级人民政府和有关部门应当办好师范教育，鼓励优秀青年进入各级师范学校学习以及各级教师进修学校承担培训中小学教师的任务。1996年教育部颁布《关于师范教育改革和发展的若干意见》，要求健全和完善以独立设置的各级各类师范院校为主体、非师范院校共同参与、培养与培训相沟通的师范教育体系。1999年又颁发《关于师范院校布局结构调整的几点意见》，开始对各级师范院校进行布局结构的调整，主要是由三级师范向两级师范（高师本科、高师专科）过渡，中小学教师要基本达到本、专科学历，逐步形成了有中国特色的体现终身教育思想的教师发展新体系。2007年，国务院办公厅转发《关于教育部直属师范大学师范生免费教育实施办法（试行）》，决定在教育部直属师范大学实行师范生免费教育，这是推进教师教育的一大举措。2010年的《国家中长期教育改革和发展规划纲要（2010—2020年）》提出，要造就一支师德高尚、业务精湛、结构合理、充满活力的高素质专业化教师队伍，教育部、财政部从2010年起实施“中小学教师国家级培训计划”。2018年1月20日，中共中央、国务院颁布了《关于全面深化新时代教师队伍建设改革的意见》，对今后15年内教师发展工作进行总体部署，目标任务是：经过5年左右努力，教师培养培训体系基本健全，职业发展通道比较畅通，事权人权财权相统一的教师管理体制普遍建立，待遇提升保障机制更加完善，教师职业吸引力明显增强。教师队伍规模、结构、素质能力基本满足各级各类教育发展需要。到2035年，教师综合素质、专业化水平和创新能力大幅提升，

① 朱旭东，胡艳. 中国教育改革30年：教师教育卷［M］. 北京：北京师范大学出版社，2009：2.

培养造就数以百万计的骨干教师、数以十万计的卓越教师、数以万计的教育家型教师。教师管理体制机制科学高效，实现教师队伍治理体系和治理能力现代化。教师主动适应信息化、人工智能等新技术变革，积极有效开展教育教学。尊师重教蔚然成风，广大教师在岗位上有幸福感、事业上有成就感、社会上有荣誉感，教师成为让人羡慕的职业。与此同时，为采取切实措施建强做优教师教育，推动教师教育改革发展，全面提升教师素质能力，努力建设一支高素质专业化创新型教师队伍，2018年教育部等五部门又联合印发了《教师教育振兴行动计划（2018—2022年）》，提出要办好一批高水平、有特色的教师教育院校和师范类专业，教师培养培训体系基本健全，教师综合素质、专业化水平和创新能力显著提升，为我国教师教育的长期可持续发展奠定坚实基础。

三、考试招生

1995年颁布的《中华人民共和国教育法》规定，国家实行教育考试制度。考试招生制度是国家基本教育制度，具体指各级各类教育阶段升学考试的规则集合。

（一）招生考试制度的种类

国家教育考试由国务院教育行政部门确定种类，并由国家批准的实施教育考试的机构承办。为满足不同人群的不同需要，依照《中华人民共和国教育法》，中国业已建立多个项目的教育考试制度。

1. 高等教育入学考试制度

高等教育入学考试制度包括普通高等学校统一招生考试、研究生入学考试、高等教育自学考试、全国成人高校招生考试等。一年一度的普通高等学校统一招生考试是中国涉及面最广、考生人数最多、影响力最大的教育考试，由国家教育部统一管理和组织命题或由省级教育行政部门命题并由省级专门机构组织实施，考试大纲由国家统一颁布，考试时间为每年的6月7—8日，考试成绩是决定考生能否进入高等学校及进入哪一类高等学校深造的主要依据。研究生入学考试是国家教育主管部门或招生机构为选拔研究生而组织的相关考试的总称，分为硕士和博士两个层次，选拔要求因层次、地域、学科、专业的不同而有所区别。硕士生招生由国家考试主管部门组织的统一考试和招生单位组织的面试组成，考试科目一般包括外语、政治、专业课和专业综合，有部分高等学校的专业课和专业综合是自主命题。博士生考试均由招生的高等学校或研究单位，根据国家有关规定而自主命题和面试。一年两次的高等教育自学考试，主要是对以自学为主的学习者是否达到获得学历文凭的知识能力要求进行认证的国家考试，采取“宽进严出”的原则，公民无论其性别、年龄、民族和已有教育程度均可参加考试，每位学习者通过考试积累学分，达到相应学历层次和专业规定学分要求者可以取得学历或学位证书。而全国成人高校招生考试类似普通高校招生考试，有专科和本科两个层次，以及全脱产和在职学习等形式，凡是完成国家所规定的所有课程学习且达到毕业要求的，可以取得相应的学历或学位证书。

2. 学业水平考试

比较重要的学业水平考试是高中阶段的会考制度。会考是以省级单位组织的高中学生毕业水平考试，取代由各个学校组织的毕业考试。自1985年在上海市试点，1990年原国家教委发出《关于在普通高中实行毕业会考制度的意见》后，开始在全国推行对高中生的9门课（语文、数学、外语、物理、化学、生物、历史、地理与政治）的统一考试，在纠正偏科、全面提高普通高中教育教学质量、促进高考制度改革方面产生较大影响。

3. 各种能力考试

能力考试包括汉语水平考试、外语水平考试、大学英语考试等。汉语水平考试是为测试母语非汉语者的汉语水平而设立的国家级标准化考试，分为基础、初等、中等和高等汉语水平考试四个等次，每年定期在中国境内和境外举办，凡考试成绩达到规定标准者均可获相应等级的汉语水平证书，作为外国人进入中国高校学习及一些特定岗位录用人员时评价其汉语水平的重要依据。外语水平考试主要有全国英语等级考试（PETS）等，是由国家授权的教育考试机构组织实施的全国性英语专项能力水平考试，级别划分为1级至5级，达到规定要求者可得到相应级别的英语水平证书，作为衡量个人英语能力水平的重要依据。大学英语考试（CET），分为四级和六级两个等级，是在教育部高等教育司组织管理下，由全国大学英语四、六级考试委员会设计和开发，与教育部考试中心共同实施的一项大规模标准化考试，每年举行两次，考试对象为修完相应阶段英语课程的在校大学生。另外，还有诸如普通话、计算机、教师资格证、心理咨询师等各种资格证考试，均为学习者提供较多的历练、展示、就业的机会和资质证明。

（二）改革开放初期至十八大前招生考试制度的改革

以高考为核心的考试招生制度，自中华人民共和国成立以来不断进行改革，特别是改革开放以后更为频密。

1. 概述

据统计，自20世纪80年代至2010年，高考至少有14次改革，而若把各地的试验也算入，起码有26次（种）之多，具体可分成以下四类[①]：一是延续至今的，有9个：1984年开始的特殊专业（艺术类等）招生实行统考+单考；1985年开始的高考标准化改革；1994—1997年的招生并轨与收费上学；1999年开始的网上录取、高校扩招、“3+X”科目改革、英语加试听力；2001年的取消考生年龄与婚姻限制；2003年的高考时间由每年的7月提前到6月。二是已消逝成为历史的，有5个：1981年固定下来的文科考6门、理科考7门的“6+7模式”；1977年部分省市的高考预选改革；1991年的“三南”（湖南、云南和海南）科目改革；1985年开始实行的会考制度（现已基本转制）；1994年开始的会考基础上的高考“3+2”科目改革。三是曲折和反复从终点又绕回原点的，有4个：1984年开始实行的保送生制度（1999年后须参加综合能力测试）；2000年开始的春季高考（多数省份已放弃）；20世纪80年代中后期开始的标准分记分办法；2002年广西试行的本、专科分类高考。四是那些指向未来的还在尝试中的，有6个：2003年开始实行的自主招生；1985年始于上海，2004年大力推广的分省命题；2005年上海开始实行的高职高专单独招考；2006年复旦大学和上海交通大学实行的面试录取；2007年四省区实行的新课程高考方案；2005年始于北京的五校联考，2010

① 周珣，原春琳．30年风雨：我们见证的改革和试验［N］．中国青年报，2007-06-27（7）．

年出现的“四大联盟”[①]等。

经过不懈努力，高考制度已悄然实现了“由量变到质变”的转变，即由1952年建制时的“高度集中的单一化模式”走向了现今“相对分散的多元化模式”。当然，目前的多元化模式还不够成熟与完善，同时也面临众多的现实矛盾，如“统一考试与考查品行、统一考试与选拔专才、考试公平与区域公平、保持难度与减轻负担、公平客观与考测能力、灵活多样与简便易行、公平选才与扩大自主、考出特色与经济高效”[②]等两难问题。此外，也有《国家中长期教育改革和发展规划纲要（2010—2020年）》所提出的需要实质性突破的很多难关，如探索招生与考试相对分离、有的科目一年多次考试、高等学校分类入学考试、大学自主招生以及综合素质评价等。

2. 考试招生制度改革的基本方向

改革开放四十年来，我国考试招生制度不断改进完善，初步形成了相对完整的考试招生体系，为学生成长、国家选才、社会公平做出了历史性贡献，对提高教育质量、提升国民素质、促进社会纵向流动、服务国家现代化建设发挥了不可替代的重要作用。这一制度总体上符合国情，权威性、公平性社会认可，但也存在一些社会反映强烈的问题，主要是唯分数论影响学生全面发展，一考定终身使学生学习负担过重，区域、城乡入学机会存在差距，中小学择校现象较为突出，加分造假、违规招生现象时有发生。针对新阶段考试招生制度存在的现实问题，以及新时期国家人才选拔培养的战略需要，《国家中长期教育改革和发展规划纲要（2010—2020年）》指明了考试招生制度改革的基本方向，主要包括以下六个方面：[③]

---

① 2010年的“四大联盟”分别是：北京大学、北京航空航天大学、北京师范大学、南开大学、厦门大学、复旦大学、香港大学、中山大学、武汉大学、四川大学、山东大学、兰州大学、华中科技大学13校联考；清华大学、上海交通大学、中国科学技术大学、西安交通大学、南京大学、中国人民大学、浙江大学7校联考；北京理工大学、大连理工大学、东南大学、哈尔滨工业大学、华南理工大学、天津大学、同济大学、西北工业大学、重庆大学9校联考；北京化工大学、北京交通大学、北京科技大学、北京邮电大学、北京林业大学5校联考。

② 刘海峰. 高考改革中的两难问题［J］. 高等教育研究，2000（3）：36-38.

③ 国家中长期教育改革和发展规划纲要（2010—2020年）［M］. 北京：人民出版社，2010：40-41.

一是推进考试招生制度改革。以考试招生制度改革为突破口，克服一考定终身的弊端，推进素质教育实施和创新人才培养。按照有利于科学选拔人才、促进学生健康发展、维护社会公平的原则，探索招生与考试相对分离的办法，政府宏观管理，专业机构组织实施，学校依法自主招生，学生多次选择，逐步形成分类考试、综合评价、多元录取的考试招生制度。成立国家教育考试指导委员会，研究制定考试改革方案，指导考试改革试点。完善专业考试机构功能，提高服务能力和水平。

二是完善中等学校考试招生制度。完善初中就近免试入学的具体办法。完善学业水平考试和综合素质评价，为高中阶段学校招生录取提供更加科学的依据。改进高中阶段学校考试招生方式，发挥优质普通高中和优质中等职业学校招生名额合理分配的导向作用。规范优秀特长生录取程序与办法。中等职业学校实行自主招生或注册入学。

三是完善高等学校考试招生制度。深化考试内容和形式改革，着重考查综合素质和能力。以高等学校人才选拔要求和国家课程标准为依据，完善国家考试科目试题库，保证国家考试的科学性、导向性和规范性。探索有的科目一年多次考试的办法，探索实行社会化考试。

四是逐步实施高等学校分类入学考试。高等学校普通本科入学考试由全国统一组织；高等职业教育入学考试由各省（自治区、直辖市）组织。成人高等教育招生办法由各省（自治区、直辖市）确定。深入推进研究生入学考试制度改革，加强创新能力考查，发挥和规范导师在选拔录取中的作用。

五是完善高等学校招生名额分配方式和招生录取办法，建立健全有利于促进入学机会公平、有利于优秀人才选拔的多元录取机制。高等学校普通本科招生以统一入学考试为基本方式，结合学业水平考试和综合素质评价，择优录取。对特长显著、符合学校培养要求的，依据面试或者测试结果自主录取；高中阶段全面发展、表现优异的，推荐录取；符合条件、自愿到国家需要的行业、地区就业的，签订协议实行定向录取；对在实践岗位上做出突出贡献或具有特殊才能的人才，建立专门程序，破格录取。

六是加强信息公开和社会监督。完善考试招生信息发布制度，实现信息公开透明，保障考生权益，加强政府和社会监督。公开高等学校招生名额分配原则和办法，公开招生章程和政策、招生程序和结果，公开自主招生办法、程序和结果。加强考试招生法规建设，规范学校招生录取程序，清理并规范升学加分政策。强化考试安全责任，加强诚信制度建设，坚决防范和严肃查处考试招生舞弊行为。

（三）十八届三中全会以后考试招生制度改革的新探索

2013年11月，党的十八届三中全会对考试招生制度改革又作了全面部署，指出要“推进考试招生制度改革，探索招生和考试相对分离、学生考试多次选择、学校依法自主招生、专业机构组织实施、政府宏观管理、社会参与监督的运行机制，从根本上解决一考定终身的弊端。义务教育免试就近入学，试行学区制和九年一贯对口招生。推行初高中学业水平考试和综合素质评价。加快推进职业院校分类招考或注册入学。逐步推行普通高校基于统一高考和高中学业水平考试成绩的综合评价多元录取机制。探索全国统考减少科目、不分文理科、外语等科目社会化考试一年多考。试行普通高校、高职院校、成人高校之间学分转换，拓宽终身学习通道”。2014年9月，国务院印发了《关于深化考试招生制度改革的实施意见》，标志着新一轮考试招生制度改革全面启动。

新一轮高考制度改革，突出问题导向，以“坚持育人为本，遵循教育规律；着力完善规则，确保公平公正；体现科学高效，提高选拔水平；加强统筹谋划，积极稳妥推进”为基本原则，按进度自2014年启动试点改革，2017年全面推进，到2020年基本建立中国特色现代教育考试招生制度，形成分类考试、综合评价、多元录取的考试招生模式，健全促进公平、科学选才、监督有力的体制机制，构建衔接沟通各级各类教育、认可多种学习成果的终身学习“立交桥”。具体改革举措如下：

1. 改进招生计划分配方式

提高中西部地区和人口大省高考录取率。综合考虑生源数量及办学条件、毕业生就业状况等因素，完善国家招生计划编制办法，督促高校严格执行招生计划。继续实施支援中西部地区招生协作计划，在东部地区高校安排专门招生名额面向中西部地区招生。部属高校要公开招生名额分配原则和办法，合理确定分省招生计划，严格控制属地招生比例。

增加农村学生上重点高校人数。继续实施国家农村贫困地区定向招生专项计划，由重点高校面向贫困地区定向招生。部属高校、省属重点高校要安排一定比例的名额招收边远、贫困、民族地区优秀农村学生。2017年贫困地区农村学生进入重点高校人数明显增加，形成保障农村学生上重点高校的长效机制。

2. 改革考试形式和内容

完善高中学业水平考试。学业水平考试主要检验学生学习程度，是学生毕业和升学的重要依据。考试范围覆盖国家规定的所有学习科目，引导学生认真学习每门课程，避免严重偏科。学业水平考试由省级教育行政部门按国家课程标准和考试要求组织实施，确保考试安全有序、成绩真实可信。各地要合理安排课程进度和考试时间，创造条件为有需要的学生提供同一科目参加两次考试的机会。

规范高中学生综合素质评价。综合素质评价主要反映学生德智体美全面发展情况，是学生毕业和升学的重要参考。建立规范的学生综合素质档案，客观记录学生成长过程中的突出表现，注重社会责任感、创新精神和实践能力，主要包括学生思想品德、学业水平、身心健康、兴趣特长、社会实践等内容。严格程序，强化监督，确保公开透明，保证内容真实准确。各省（自治区、直辖市）制定综合素质评价基本要求，学校组织实施。

加快推进高职院校分类考试。高职院校考试招生与普通高校相对分开，实行“文化素质+职业技能”评价方式。中职学校毕业生报考高职院校，参加文化基础与职业技能相结合的测试。普通高中毕业生报考高职院校，参加职业适应性测试，文化素质成绩使用高中学业水平考试成绩，参考综合素质评价。学生也可参加统一高考进入高职院校。

深化高考考试内容改革。依据高校人才选拔要求和国家课程标准，科学设计命题内容，增强基础性、综合性，着重考查学生独立思考和运用所学知识分析问题、解决问题的能力。改进评分方式，加强评卷管理，完善成绩报告。加强国家教育考试机构、国家题库和外语能力测评体系建设。2015年起增加使用全国统一命题试卷的省份。

3. 改革招生录取机制

减少和规范考试加分。大幅减少、严格控制考试加分项目，2015年起取消体育、艺术等特长生加分项目。确有必要保留的加分项目，应合理设置加分分值。探索完善边疆民族特困地区加分政策。地方性高考加分项目由省级人民政府确定并报教育部备案，原则上只适用于本省（自治区、直辖市）所属高校在本省（自治区、直辖市）招生。加强考生加分资格审核，严格认定程序，做好公开公示，强化监督管理。

完善和规范自主招生。自主招生主要选拔具有学科特长和创新潜质的优秀学生。申请学生要参加全国统一高考，达到相应要求，接受报考高校的考核。试点高校要合理确定考核内容，不得采用联考方式或组织专门培训。规范并公开自主招生办法、考核程序和录取结果。严格控制自主招生规模。2015年起推行自主招生安排在全国统一高考后进行。

完善高校招生选拔机制。高校要将涉及考试招生的相关事项，包括标准、条件和程序等内容，在招生章程中详细列明并提前向社会公布。加强学校招生委员会建设，在制订学校招生计划、确定招生政策和规则、决定招生重大事项等方面充分发挥招生委员会作用。高校可通过聘请社会监督员巡视学校测试、录取现场等方式，对招生工作实施第三方监督。建立考试录取申诉机制，及时回应处理各种问题。建立招生问责制，2015年起由校长签发录取通知书，对录取结果负责。

改进录取方式。推行高考成绩公布后填报志愿方式。创造条件逐步取消高校招生录取批次。改进投档录取模式，推进并完善平行志愿投档方式，增加高校和学生的双向选择机会。

拓宽社会成员终身学习通道。扩大社会成员接受多样化教育机会，中等职业学校可实行注册入学，成人高等学历教育实行弹性学制，宽进严出。为残疾人等特殊群体参加考试提供服务。探索建立多种形式学习成果的认定转换制度，试行普通高校、高职院校、成人高校之间学分转换，实现多种学习渠道、学习方式、学习过程的相互衔接，构建人才成长“立交桥”。

4. 改革监督管理机制

加强信息公开。深入实施高校招生“阳光工程”，健全分级负责、规范有效的信息公开制度。进一步扩大信息公开的内容，及时公开招生政策、招生资格、招生章程、招生计划、考生资格、录取程序、录取结果、咨询及申诉渠道、重大事件违规处理结果、录取新生复查结果等信息。进一步扩大信息公开的范围，接受考生、学校和社会的监督。

加强制度保障。健全政府部门协作机制，强化教育考试安全管理制度建设，构建科学、规范、严密的教育考试安全体系。健全诚信制度，加强考生诚信教育和诚信档案管理。健全教育考试招生的法律法规，提高考试招生法治化水平。

加大违规查处力度。加强考试招生全程监督。严肃查处违法违规行为，严格追究当事人及相关人员责任，及时公布查处结果。构成犯罪的，由司法机关依法追究刑事责任。

5. 启动高考综合改革试点

改革考试科目设置。增强高考与高中学习的关联度，考生总成绩由统一高考的语文、数学、外语3个科目成绩和高中学业水平考试3个科目成绩组成。保持统一高考的语文、数学、外语科目不变，分值不变，不分文理科，外语科目提供两次考试机会。计入总成绩的高中学业水平考试科目，由考生根据报考高校要求和自身特长，在思想政治、历史、地理、物理、化学、生物等科目中自主选择。

改革招生录取机制。探索基于统一高考和高中学业水平考试成绩、参考综合素质评价的多元录取机制。高校要根据自身办学定位和专业培养目标，研究提出对考生高中学业水平考试科目报考要求和综合素质评价使用办法，提前向社会公布。

6. 开展改革试点

按照统筹规划、试点先行、分步实施、有序推进的原则，选择有条件的省（直辖市）开展高考综合改革试点。及时调整充实、总结完善试点经验，切实通过综合改革，更好地贯彻党的教育方针，全面实施素质教育，增加学生的选择性，分散学生的考试压力，促进学生全面而有个性的发展。

2014年，上海、浙江率先实行了新高考；2017年，北京、天津、山东、海南4个省市也启动了高考改革；2019年，作为全国第三批启动高考综合改革试点的8个省市，河北、辽宁、江苏、福建、湖北、湖南、广东、重庆发布本省市实施方案。目前已形成学生选考、高校选科和国家选才的模式。当然，新高考也出现了一些新问题、新情况，如选考科目的偏选问题、新的教育偏科问题以及综合素质评价的实施等问题。因此，未来一段时间的高考制度改革依然需要进行合理的动态调整。这里需要特别提出的是，2020年伊始，在深入总结高校自主招生十六年试点经验，充分借鉴上海等地高考综合改革试点成果的基础上，教育部出台了《关于在部分高校开展基础学科招生改革试点工作的意见》，决定从2020年起实施“强基计划”。这是继国务院《关于深化考试招生制度改革的实施意见》发布以来，高校人才选拔培养迎来的又一重大变革。作为新高考在新时代的新突破，集中体现了新高考的改革方向。“强基计划”开宗明义：聚焦国家重大战略需求，在确保公平公正的前提下，探索建立多维度考核学生的评价模式，逐步形成基础学科拔尖创新人才选拔培养的有效机制，重点破解基础学科领军人才短缺和长远发展的瓶颈问题。

与之前试点的自主招生不同，“强基计划”从选拔定位、试点学校范围、招生专业、报考条件到入围高校考核方式、录取方式及培养模式等，进行了系统性重塑。“强基计划”明确，起步阶段，遴选一部分“一流大学”建设高校开展试点，突出基础学科的支撑引领作用，结合高校办学特色，重点在数学、物理、化学、生物及历史、哲学、古文字学等基础学科专业安排招生。在制度设计上，“强基计划”将选拔两类群体，主体是高考成绩优异的学生和少数在某个领域具有突出才能的“偏才怪才”。就考核而言，取消论文、专利等作为入围高校考核条件的做法，将以往自主招生的“降分录取”改为“基于统一高考的多维度考核评价”，按综合成绩重新排序、择优录取，高校考核安排在高考成绩发布后。同时，教育部指导高校积极探索建立基于能力考查的笔试、面试，增强选才的科学性。

四、学历学位

1995年颁布的《中华人民共和国教育法》明确规定，中国实施“学业证书制度”和“学位制度”，凡经国家批准设立或者认可的学校及其他教育机构，按照国家有关规定，颁发学历证书或其他学业证书；学位授予单位依法对达到一定学术水平或者专业技术水平的人员授予相应的学位，颁发学位证书。

学业证书由学历证书和其他学业证书构成，授予类型有完成义务教育的小学、初中毕业证书，有非义务教育的高中、中等专业学校、高等专科学校、大学本科、研究生毕业证书以及成人高等、中等专业学校毕业证书等，表明受教人员所受教育程度和年限。学历证书包括毕业证书、结业证书和肄业证书。毕业证书是指学校对具有学籍的学生学完课程计划规定的全部课程，且各门课程考试及格，准予毕业而颁发的证书。而结业证书，则是指学校对具有学籍的学生学完课程计划规定的全部课程，但有一门以上主要课程不及格者颁发的证书。肄业证书是指学校对具有学籍、未完成教学计划规定的课程而中途退学者（诸如因病、家庭困难或其他原因自动退学的，但不包括被开除学籍的）颁发的证书或学历证明。

学位制度表明被授予人的学术水平及专业人才知识能力等级。1980年2月12日，第五届全国人民代表大会常务委员会第十三次会议审议通过了《中华人民共和国学位条例》，自1981年1月1日起施行，这是新中国第一部教育法律，标志着中国学位制度正式建立。1981年5月20日，国务院批准了《中华人民共和国学位条例暂行实施办法》。这两份文件明确了学位工作的宗旨、三级学位体系、学位授予条件等重要内容，是学位管理工作的基本遵循。2004年8月28日，第十届全国人民代表大会常务委员会第十一次会议对《中华人民共和国学位条例》进行了修正，重新公布实施。依据《中华人民共和国学位条例》和《中华人民共和国学位条例暂行实施办法》，由国家制定统一的学位授予标准，国务院授权有关高等学校和科学研究机构行使学位授予权。国务院设立学位委员会，负责领导管理全国学位授予工作，实行国家集中统一的评审制度，统一部署学位授权审核。授予学位的高等学校和科学研究机构及其可以授予学位的学科名单，由国务院学位委员会提出，经国务院批准公布。据此，国家制定了研究生培养和学位授予系列规章制度。根据中国学位授予的类型，分为学士、硕士、博士三级。2011年国务院学位委员会通过的《学位授予和人才培养学科目录（2011年）》，按照13个学科门类授予，即哲学、经济学、法学、教育学、文学、历史学、理学、工学、农学、医学、军事学、管理学、艺术学，共设有110个一级学科，二级学科原则上由学位授予单位在一级学科学位授权权限内自主设置与调整。1983年5月27日，中华人民共和国首批博士学位授予仪式在人民大会堂隆重举行，共授予马中骐等18人博士学位。截至2018年，全国累计授予86万人博士学位、806万人硕士学位、5185万人学士学位。在研究生教育方面，国家布局了739家学位授权单位，约1.7万个学位授权点，在学研究生273万人，建成了规模仅次于美国、世界排名第二的世界研究生教育大国。

在坚持依法开展学位管理工作的同时，国家根据形势发展和实践需要，不断完善制度。1985年，启动了在职人员申请硕士、博士学位试点工作，开辟了在职人员申请学位的通道，丰富了终身学习制度。自1991年设立“工商管理硕士”以来，积极稳妥地发展专业学位教育，丰富了研究生教育的类型结构。专业学位是针对社会特定职业领域的需要，培养具有较强的专业能力和职业素养、能够创造性地从事实际工作的高层次应用型专门人才而设置的一种学位类型。专业学位与相应的学术型学位处于同一层次，培养规格各有侧重。目前，我国已基本形成了以硕士学位为主，博士、硕士、学士三个层次并存的专业学位教育体系。博士层次专业学位有口腔医学等5种，硕士层次专业学位有金融硕士等39种，学士层次专业学位有建筑学1种。为深入贯彻落实习近平总书记关于教育的重要论述和全国教育大会精神，全面落实立德树人根本任务，进一步加强学士学位工作，提升本科教育质量，2019年7月9日，国务院学位委员会第三十五次会议审议通过《学士学位授权与授予管理办法》，在规范学士学位授予工作的同时，强化创新型、复合型、应用型人才培养。此外，还在实践中不断完善学科目录设置，强化省级统筹职责，建立了国家主导、省级统筹、培养单位自主办学的三级学位工作体系。

五、督导评价

教育督导是县级以上各级人民政府为保证国家有关教育的法律、法规、方针政策的贯彻执行和教育目的的顺利实现，对所辖地区的教育工作所进行的监督、检查、指导及评估。可以说，教育督导是各级人民政府的行政监督行为，监督的对象是下级人民政府、教育行政部门和其他有关职能部门以及学校及其他教育机构等。

具有中国特色的教育督导制度可以追溯到1977年9月邓小平与教育部负责人的一次谈话，在谈话中邓小平提出了重建教育督导机构和教育督导制度的设想。1978年，在教育部中学司设视导室，聘请王季青、苏灵扬、姚文、杨滨四位老同志任巡视员。1995年颁布的《中华人民共和国教育法》中，明确提出“国家实行教育督导制度”。2006年颁布的《中华人民共和国义务教育法》第八条，对教育督导的工作范围进一步规范，人民政府教育督导机构对义务教育工作执行法律法规情况、教育教学质量以及义务教育均衡发展状况等进行督导，督导报告向社会公布。2012年，国务院颁布《教育督导条例》，明确规定对政府履行教育工作相关职责的督导与对学校教育教学工作的督导并重，监督与指导并重。目前，国家、省、市、县四级教育督导机构已经逐步建立，其最高机构是国家教育督导团，主要职责是研究制定教育督导的方针、政策、规章制度和指标体系，对地方人民政府贯彻执行国家有关方针政策的情况进行指导、监督、检查、评估，在中国教育治理中发挥着不可替代的督导作用。2020年，中共中央办公厅、国务院办公厅印发《关于深化新时代教育督导体制机制改革的意见》，对进一步深化教育督导管理体制改革、进一步深化教育督导运行机制改革、进一步深化教育督导问责机制改革、进一步深化督学聘用和管理改革、进一步深化教育督导保障机制改革等提出了明确要求。提出的主要目标是，到2022年，基本建成全面覆盖、运转高效、结果权威、问责有力的中国特色社会主义教育督导体制机制。在督政方面，构建对地方各级政府的分级教育督导机制，督促省、市、县三级政府履行教育职责。在督学方面，建立国家统筹制定标准、地方为主组织实施，对学校进行督导的工作机制，指导学校不断提高教育质量。

教育质量评价是对教育水平高低和效果优劣的评价，它“不仅是检验当前教育目标是否得到实现的手段，更是激励学生进步、帮助学校提高教育质量的重要手段，同时还体现着整个社会的价值判断，因而在很大程度上影响着教学的内容和方式，甚至影响学生的人生观、价值观等”[①]。因而，教育

① 谈松华，黄晓婷. 我国教育评价现状与改进建议［J］. 中国教育学刊，2012（1）.

质量评价对教育治理具有重要的导向作用，是实现教育目标、促进学生健康成长的最直接而有效的手段。

1993年的《中国教育改革和发展纲要》，要求建立各级各类教育的质量标准和评估指标体系，各地教育部门要加强对中小学学校工作和教育质量的检查和指导，要采取领导、专家和社会用人部门相结合的办法，通过多种形式进行质量评估和检查。2010年的《国家中长期教育改革和发展规划纲要（2010—2020年）》进一步提出，要开展由政府、学校、社会各方面共同参与的教育质量评价活动，并成立国家教育质量监测、评估机构，定期发布监测评估报告。2012年，教育部发布《关于全面提高高等教育质量的若干意见》，提出要加强分类评估、分类指导，坚持“管办评”分离的原则，建立以高校自我评估为基础，以教学基本状态数据常态监测、院校评估、专业认证及评估、国际评估为主要内容，政府、学校、专门机构和社会多元评价相结合的教学评估制度。同时，还要加强高校自我评估，健全校内质量保障体系，完善本科教学基本状态数据库，建立本科教学质量年度报告发布制度。2013年，教育部又发布《关于推进中小学教育质量综合评价改革的意见》，提出要建立以学生发展为核心、科学多元的中小学教育质量评价制度，实行“三结合”，即定量评价与定性评价相结合、形成性评价与终结性评价相结合、内部评价与外部评价相结合，并建立政府主导、社会组织和专业机构等共同参与的外部评价机制。《关于深化新时代教育督导体制机制改革的意见》提出，要加强和改进教育评估监测。建立健全各级各类教育监测制度，引导督促学校遵循教育规律，聚焦教育教学质量。完善评估监测指标体系，加强对学校教师队伍建设、办学条件和教育教学质量的评估监测。开展幼儿园办园行为、义务教育各学科学习质量、中等职业学校办学能力、高等职业院校适应社会需求能力评估。继续实施高等教育评估，开展博士、硕士学位论文抽检，严肃处理学位论文造假等学术不端行为。积极探索建立各级教育督导机构通过政府购买服务方式、委托第三方评估监测机构和社会组织开展教育评估监测的工作机制。目前，我国已基本上建立了一套适合国情的教育质量评价制度。

第四章　中国教育治理的基本特征

教育治理的特征是以政府为核心的多元治理主体在参与并解决教育公共事务与公共问题过程中所具有的特性或体现出来的表征。基于教育治理的政治方向、价值取向、目标导向和结果指向，中国教育治理呈现出以下七个方面的基本特征：坚持党的领导是中国教育治理之核，保障优先发展是中国教育治理之基，吸引社会参与是中国教育治理之需，追求教育公平是中国教育治理之要，注重提高质量是中国教育治理之本，弘扬优秀传统是中国教育治理之根，实行对外开放是中国教育治理之源。

第一节　坚持党的领导

中国共产党是中国特色社会主义各项事业的领导核心，代表了最广大人民群众的根本利益。党对教育的领导，是社会主义性质决定的，也是教育本质的内在要求。“中国共产党领导是中国特色社会主义最本质的特征，是中国特色社会主义制度最大的优势。”[①]历史和现实告诉我们，办好中国的教育，关键在党，根本在于党对教育的全面领导。坚持党对教育的领导，为教育发展确立了坚强领导核心，是中国教育治理最根本的特征。

一、党对教育工作领导的历史必然

从历史来看，中国共产党的核心领导地位是在长期革命斗争中形成的，是中国历史发展和中国人民长期选择的必然结果。中国由共产党领导，中国的社会主义现代化建设事业由共产党领导，这个原则是不能动摇的。“从根

---

① 中国共产党第十九届中央委员会第二次全体会议公报［M］. 北京：人民出版社，2018：9.

本上说，没有党的领导，就没有现代中国的一切。”[①]改革开放以来，党和政府非常重视对教育工作的领导。随着科教兴国战略的实施，教育在经济社会发展中的地位日趋凸显，加强党和政府对教育工作的领导，始终是我国教育改革和发展的首要任务。1985年《中共中央关于教育体制改革的决定》明确提出“加强党和政府对教育工作的领导”的要求。1993年《中国教育改革和发展纲要》指出，坚持党对学校的领导，加强学校党的建设，是全面贯彻教育方针，加快教育改革和发展，全面提高教育质量的根本保证。1999年《中共中央国务院关于深化教育改革，全面推进素质教育的决定》指出，全面推进素质教育，必须切实加强党和政府的领导……各级党委和人民政府要切实落实教育优先发展的战略地位，全面推进素质教育是党和政府的重要职责。2010年《国家中长期教育改革和发展规划纲要（2010—2020年）》明确提出，各级党委和政府要以邓小平理论和“三个代表”重要思想为指导，深入贯彻落实科学发展观，把推动教育事业优先发展、科学发展作为重要职责，健全领导体制和决策机制，及时研究解决教育改革发展的重大问题和群众关心的热点问题。要把推进教育事业科学发展作为各级党委和政府绩效考核的重要内容，完善考核机制和问责制度。这是教育事业在新的发展形势下，加强党和政府对教育工作领导的总的指导思想。党的十八大以来，习近平总书记在不同场合多次强调，加强党对教育工作的全面领导，是办好教育的根本保证。

总结四十多年来我国教育事业改革发展的基本经验，分析教育事业取得举世瞩目成就的根本原因，归结起来，是坚持党对教育事业的领导，坚持中国特色社会主义理论指导，坚持中国特色社会主义道路，坚定不移地走中国特色社会主义教育发展道路，其中最重要的就是坚持党在教育事业中的领导地位。党对教育事业的领导，主要体现在教育方针、政策法规和规划意见的制定，体现在统筹指导各级党委、政府和各级各类学校，按照党和国家对教育事业改革发展提出的具有全局性的指导思想和教育方针办教育，使教育事业始终沿着社会主义方向前进。一个社会、一个国家的教育制度最核心的体

① 邓小平. 邓小平文选（第二卷）[M]. 北京：人民出版社，1994：266-267.

现就是教育指导思想、教育指导方针。党的教育方针凝聚了党和人民对教育事业的总体要求，明确了中国特色社会主义教育道路的基本原则。坚持教育为社会主义现代化建设服务、为人民服务是新中国成立以来特别是改革开放以来，党和国家对教育提出的基本要求，是教育事业发展的基本遵循和行动指南。党的十八大强调要全面贯彻党的教育方针，坚持教育为社会主义现代化建设服务、为人民服务，把立德树人作为教育的根本任务，培育德智体美全面发展的社会主义事业建设者和接班人。这指明了我国教育的基本性质与方向，深刻阐释了努力办好人民满意的教育的丰富内涵，体现了新时期我国教育发展的基本精神，既满足了人民群众对优质教育的需求、促进了个体的全面发展，又积极回应了经济社会和国家发展的现实需求、引领了经济社会的发展。党的十九大明确指出，要全面贯彻党的教育方针，落实立德树人根本任务，发展素质教育，推进教育公平，培养德智体美全面发展的社会主义建设者和接班人。

党的教育领导制度，代表着当代中国教育的国家意志和人民意志，是中国特色社会主义教育制度最根本的标志，为教育发展确立了坚强领导核心。在我国，教育是当前社会关注的热点民生问题，同时，由于教育是占用大量财政支出、事关国家和人民发展的基础公共部门，教育行政部门的绩效备受社会关注。强化党对教育工作的责任意识，是教育事业得以顺利发展的坚实基础。特别是当前我国教育改革和发展进入“深水区”，面临着更加多元、更加复杂的利益格局的调整，关涉利益的“存量”改革与“增量”调整问题，尤其涉及深层次的制度改革及其体制机制调整问题。应该说，我国当前面临众多教育改革难题，是党和国家如何决策、何时决策、何以执行的问题，需要科学的顶层设计。这是对各级党委和政府如何在新时期贯彻好教育方针，是对各级党委和政府教育领导力、执行力的重大考验。中国特色社会主义进入新时代，我国社会主要矛盾已经转化为人民日益增长的美好生活需要和不平衡不充分的发展之间的矛盾。为此，当前和今后一段时间，教育治理需要重点解决人民对优质教育的需求与教育发展不平衡不充分之间的矛盾，让改革发展成果更多惠及全体人民。总之，无论是历史发展的逻辑，还是时代进步的现实，发展教育事业，需要首先加强党的领导。推进我国教育事业改革，关键在于加强党对教育的领导，切实提高党和政府对教育的领导力。

二、党对教育工作领导的主要内容

加强党对教育工作的领导，是中国教育事业科学稳定可持续发展的根本保证。习近平总书记强调，做好教育工作，加强党的领导是根本保证。具体来讲，教育部门和各级各类学校的党组织要增强“四个意识”、坚定“四个自信”，坚定不移维护党中央权威和集中统一领导，自觉在政治立场、政治方向、政治原则、政治道路上同党中央保持高度一致。要坚持党管办学方向、管改革发展、管干部、管人才，牢牢掌握党对教育工作的领导权，使教育系统成为坚持党的领导的坚强阵地。习近平总书记这些重要论述，明确了党是领导教育事业发展的核心力量，是办好中国教育的最大政治优势，强调了办好新时代中国特色社会主义教育要牢牢掌握党对教育工作的领导权这一根本要求。党对教育工作的领导主要包括以下几个方面：

（一）确立教育指导思想，保证教育事业沿着正确的方向前进

《中国共产党章程》指出：“大力发展教育、科学、文化事业，推动中华优秀传统文化创造性转化、创新性发展，继承革命文化，发展社会主义先进文化，提高国家文化软实力。牢牢掌握意识形态工作领导权，不断巩固马克思主义在意识形态领域的指导地位，巩固全党全国人民团结奋斗的共同思想基础。”[①]教育方面，就是全面贯彻党的教育方针，坚持社会主义办学方向，加强思想政治教育，坚持用发展的马克思主义武装师生头脑，把培养社会主义建设者和接班人贯穿学校党组织活动始终，牢牢把握党对学校意识形态工作的主导权。只有走中国特色社会主义教育道路，才能实现教育现代化；只有加强和改善党的领导，才能保证现代化教育沿着社会主义方向前进，才能确保中国教育现代化走向成功。

（二）加强学校党的建设，推进学校领导班子和干部队伍建设

明确高校实行党委领导下的校长负责制，要求中小学党组织充分发挥政

① 中国共产党章程［M］. 北京：人民出版社，2017：13.

治核心作用，规定民办学校必须加强党组织建设。各级政府要定期向同级人民代表大会或其常务委员会报告教育工作情况，建立各级党政领导班子成员定点联系学校制度。着力扩大党组织的覆盖面，推进工作创新，增强生机活力，不断提高学校领导班子和干部队伍的思想政治素质和办学治校能力，坚持德才兼备、以德为先用人标准，选拔任用学校领导干部。发挥学校基层党组织战斗堡垒作用和党员先锋模范作用，加大学校领导干部培养培训和交流任职力度，在优秀青年教师、优秀学生中发展党员，重视学校共青团、少先队工作。

（三）建立健全领导体制，制定符合实际的教育发展规划政策

加强党和政府对教育工作的领导，就是要根据中国的实际，而不是照搬外国的经验和模式，制定正确的路线、方针和政策，并坚决地贯彻执行。在中国这样一个人口大国进行社会主义现代化建设，首先要研究解决教育改革发展的重大问题和群众关心的热点问题，在不同的教育发展阶段，明确基层群众不同的教育诉求，因时因地制定各级党委和政府推进教育事业科学发展的规划和政策，完善考核机制和问责制度，组织动员全社会共同推动教育事业科学发展。

（四）强化思想政治建设，严格执行教育党风廉政建设责任制

营造中国特色社会主义教育事业顺利发展的政治局面和社会环境，是教育现代化建设顺利进行不可缺少的前提条件。把教育系统党组织建设成为学习型党组织，深入推动中国特色社会主义理论体系进教材、进课堂、进头脑，深入开展社会主义核心价值体系学习教育。各级党委和政府要以马克思主义为指导，高瞻远瞩，加强自身廉政建设，带领各部门切实履行职责，支持教育改革和发展，扩大人民群众对教育事业的知情权、参与度。坚持标本兼治、综合治理、惩防并举、注重预防的方针，完善体现教育系统特点的惩治和预防腐败体系。严格执行党风廉政建设责任制，加大教育、监督、改革、制度创新力度，坚决惩治腐败。凝聚全国人民力量，真正把握和处理好各种复杂社会矛盾和问题，协调好各方面的利益关系，维护教育系统和谐稳定，有效地组织和领导教育现代化建设事业的顺利进行，从而保证社会安定团结，保证国家长治久安。

第二节　保障优先发展

当今世界，科技进步日新月异，国际竞争日益激烈，人力资源成为推动经济社会发展的战略性资源，人才成为国家核心竞争力的关键。只有坚持教育优先发展的治理策略，才能实现人力资源的先行开发，为推进经济社会发展提供强大的人才保证和智力支撑。

一、强国必先强教

《中华人民共和国教育法》明确提出，“教育是社会主义现代化建设的基础，国家保障教育事业优先发展”，第一次在法律上确立了教育优先发展的地位。在探索中国特色社会主义发展道路时，邓小平深刻指出：“教育是一个民族最根本的事业。”[①]“不抓科学、教育，四个现代化就没有希望，就成为一句空话。”[②]他要求：“国家计委、教育部和各部门，要共同努力，使教育事业的计划成为国民经济计划的一个重要组成部分。”[③]在邓小平的一贯倡导下，改革开放后历年国民经济和社会发展的五年计划规划和中长期规划当中，教育事业发展都占有重要的位置。

江泽民在党的十四大报告中，提出我们必须把教育摆在优先发展的战略地位，努力提高全民族的思想道德和科学文化水平，这是实现我国现代化的根本大计。在1994年第二次全国教育工作会议开幕式上，江泽民强调在整个社会主义现代化建设的过程中，教育优先发展的战略地位必须始终坚持，不能动摇。在1995年全国科技大会上，他又提出要实施科教兴国战略，全面确立了科技和教育在我国经济社会发展中的战略地位，把优先发展教育由党的文件上升为国家级战略。1999年，党中央和国务院召开改革开放以来第三次全国教育工作会议，江泽民在会上指出，各级党委和政府，要将教育纳入战略发展重点和现代化建设的整体布局之中，切实把教育作为先导性、全局

① 中共中央文献研究室. 邓小平建设有中国特色社会主义论述专题摘编（新编本）[M]. 北京：中央文献出版社，1995：140.
② 邓小平. 邓小平文选（第二卷）[M]. 北京：人民出版社，1994：68.
③ 邓小平. 邓小平文选（第二卷）[M]. 北京：人民出版社，1994：108.

性、基础性工作，摆在优先发展的战略重点地位。

面对21世纪知识经济带来的机遇与挑战，胡锦涛站在推动改革开放和社会主义现代化的全局高度，始终把教育摆在优先发展的战略地位，做出了人才资源是第一资源的科学判断，提出了人才强国战略，实施了优先发展教育、建设人力资源强国和建设创新型国家等重大决策部署。党的十七大报告中提出，优先发展教育，建设人力资源强国。这是党中央高瞻远瞩、审时度势，对教育优先发展思想和行动的新的战略提升。2010年，党中央、国务院召开新世纪第一次全国教育工作会议，颁布了《国家中长期教育改革和发展规划纲要（2010—2020年）》，强调在党和国家工作全局中，必须始终坚持把教育摆在优先发展的位置。按照面向现代化、面向世界、面向未来的要求，适应全面建设小康社会、建设创新型国家的需要，坚持育人为本，以改革创新为动力，以促进公平为重点，以提高质量为核心，全面实施素质教育，推动教育事业在新的历史起点上科学发展，加快从教育大国向教育强国、从人力资源大国向人力资源强国迈进。

党的十八大报告中再次明确提出："教育是中华民族振兴和社会进步的基石。要坚持教育优先发展，全面贯彻党的教育方针，坚持教育为社会主义现代化建设服务、为人民服务，把立德树人作为教育的根本任务，培养德智体美全面发展的社会主义事业建设者和接班人。"[①]党的十八大以来，以习近平同志为核心的党中央坚持"教育第一"，不断加大教育优先发展力度。2013年9月，习近平主席在联合国"教育第一"全球倡议行动一周年纪念活动上发表贺词，指出教育是人类传承文明和知识、培养年轻一代、创造美好生活的根本途径，强调中国将坚定实施科教兴国战略，始终把教育摆在优先发展的战略位置。在十八届一中全会后中央政治局常委与中外记者见面会上，习近平强调，要把优先发展作为教育现代化的保障。2015年3月16日，习近平在人民大会堂会见哈佛大学校长福斯特时，又强调指出，中国一直把

① 胡锦涛. 坚定不移沿着中国特色社会主义道路前进 为全面建成小康社会而奋斗——在中国共产党第十八次全国代表大会上的报告（2012年11月8日）[M]. 北京：人民出版社，2012：35.

教育放在优先发展的战略地位。党的十九大特别强调，优先发展教育事业。建设教育强国是中华民族伟大复兴的基础工程，必须把教育事业放在优先位置，深化教育改革，加快教育现代化，办好人民满意的教育。这充分体现了我们党对时代发展新态势和经济社会发展新形势的精准把握。在2018年全国教育大会上，习近平总书记深刻指出，坚持把优先发展教育事业作为推动党和国家各项事业发展的重要先手棋，不断使教育同党和国家事业发展要求相适应、同人民群众期待相契合、同我国综合国力和国际地位相匹配。将建设教育强国、人才强国、创新型国家和人力资源强国的整体战略提升到一个新的高度，充分体现了党和国家坚持教育优先发展战略的决心和意志。

十多年来，优先发展教育已经成为全党全社会的共识，全国上下形成了共同推进教育事业发展的合力，即落实教育优先发展的战略地位，经济社会发展规划优先安排教育发展，财政资金优先保障教育投入　公共资源优先满足教育和人力资源开发需要。作为一个发展中的人口大国，要把经济搞上去，成为社会主义现代化强国，必须依靠科技进步，提高劳动者素质。因此，必须优先发展教育，实施科教兴国战略和人才强国战略，把沉重的人口负担转变为人力资源优势。只有坚持教育优先发展，实现人力资源的先行开发，才能为推进经济社会科学发展提供强大的人才保证和智力支撑。事实上，许多地方实施推动教育优先发展“一把手工程”，将教育发展指标纳入各级政府和领导干部的考核体系，实行教育优先发展目标责任制和问责制，为教育改革发展奠定了坚实基础。教育优先发展作为国家层面的战略，是国家意志的重大选择，为教育治理提供了强有力的支撑。

二、强教必先兴业

在建设有中国特色社会主义的总体发展战略中，党中央始终把教育作为关系社会主义现代化建设全局的一个根本问题，提出整个教育事业必须同国民经济发展的要求相适应，既要推动社会主义教育制度的自我完善和发展，又要实现国家教育现代化和中华民族的伟大复兴。为完成这样的历史使命，我们党始终坚持科学的全面的总体布局，不断探索和把握中国特色社会主义教育规律。

党的十八大提出经济建设、政治建设、文化建设、社会建设、生态建设“五位一体”的总体布局，按照这个总体布局更加全面推进中国特色社会主义建设，并把教育视为民族振兴和社会进步的基石，鲜明地体现了党对中国特色社会主义教育规律在认识上的不断深化。“教育制度是保证人的发展和社会的发展得以实现的关系范畴”，“教育制度通过整合各种教育关系实现社会的发展、教育的发展以及人的发展，社会为教育制度体现其存在提供了场所”。[①]作为一种关系存在物，教育制度在协调人与社会、人与人的关系过程中，本身也得到了完善与发展。教育作为经济、政治、文化建设的基础工程，不仅要为现代化建设提供人才和智力储备，而且要直接参与各方面的建设事业，为推动各项建设事业做出贡献。教育同经济、科技、社会越来越紧密的结合，正在成为推动科技进步和经济、社会发展的重要力量。因此，要重视教育对经济社会建设和科技创新体系的支撑，重视教育先行对深度开发人力资源的作用，重视把教育发展作为可持续发展进程的基础环节，全面形成与社会主义市场经济体制和全面建成小康社会目标相适应的体制机制，最终形成具有中国特色、体现世界水平的现代教育治理体系。

第三节　吸引社会参与

教育是社会公益性事业，政府理应承担教育改革发展的重任，主导公共教育资源配置。但政府主导并不意味着政府是教育改革发展和资源配置的唯一主体，力量和根基还在民间、在地方、在学校。我国教育的治理经历了由政府主导到社会力量共同参与这样一个变迁的过程。

一、坚持以人为本

教育发展主要由社会需求所决定，社会需求是推动我国教育改革的根本

① 李江源. 论教育制度的若干本质特征［J］. 河北师范大学学报（教育科学版），2011（11）.

动力。教育治理本质上是通过制度安排重新配置教育利益的过程。在一定意义上说，教育治理的原动力，集中体现为利益主体新的利益需求与原有制度供给不足之间的矛盾。改革开放以来，我国经济体制发生了新的变化，实行公有制为主体、多种所有制经济共同发展的基本经济制度，个体经济、私营经济等非公有制经济不断发展壮大；与此同时，随着经济的发展，人民群众的生活水平不断提高，人们对教育的需求更加迫切。单一的公办教育已经远远不能满足人民群众对教育的需求，此时，民办教育有了恢复和发展的社会、文化和经济基础。特别是2004年《中华人民共和国民办教育促进法》及《中华人民共和国民办教育促进法实施条例》的颁布实施，标志着我国民办教育的法律体系基本建立。这一时期，围绕各级民办教育办学过程中的产权性质、合理回报、分类管理、权益保障、政府角色定位等事关民办教育可持续发展的重要问题，社会各界一直在进行探讨，现实中民办学校也在积极寻求自身发展壮大的路子。总体来看，不少民办高校在各级政府的扶持下，通过办学者的努力，民办教育已经从数量扩张转向质量发展上，内涵发展逐渐成为学校提升自身社会地位的关键，社会效益日益彰显。民办教育的生机和活力，改变了传统观念上认为政府是教育举办的唯一主体这一传统思维模式，人们认识到，民间办学有利于拓展体制外的教育空间，实现教育的多元化和多样化，为社会提供差异化的教育服务，从而使教育成为全社会共同参与的事业。

经过改革开放四十年的发展，我国教育目前正面临一个历史性转折，即人民群众从满足基本需求到追求好的、理想的教育，教育从供给导向逐渐转向需求导向。教育参与主体、需求主体及其利益诉求的日益多元化和复杂化，对建立健全我国公共教育管理和服务体制、建设服务性政府提出了新的要求。教育治理需要从各地实际需要出发，因地制宜地解决本地教育的实际问题，解决当前我国经济社会发展和人民群众教育需求日益多样化的矛盾，努力满足人民群众多样化高质量的新期盼。

二、强调上下互动

从新中国成立以来，特别是改革开放四十年我国教育治理的演化进程来看，教育治理发展的总体特征表现为，由政府领导实施的自上而下的供给主导型变迁，转变为强调上下两个过程的互动，强调社会参与，整体推动制度变革和体制革新。教育治理要取得理想的效果，最有效的途径就是由政府主导，民间积极参与，形成上下互动的格局。

进入新时期以来，“党的十八大，十八届三中全会、四中全会在谋划全面建设小康社会、全面深化改革、全面推进依法治国和全面从严治党的总体部署中，进一步确定从政府职能转变入手深入推进行政管理体制改革”①。党的十八大明确提出，推动政府职能向创造良好发展环境、提供优质公共服务、维护社会公平正义转变。十八届三中全会通过的《中共中央关于全面深化改革若干重大问题的决定》把政府职能转变列为改革的重要内容，明确要求必须切实转变政府职能，深化行政体制改革，创新行政管理方式，增强政府公信力和执行力，建设法治政府和服务型政府。十八届四中全会通过的《中共中央关于全面推进依法治国若干重大问题的决定》，把依法全面履行政府职能确定为深入推进依法行政和加快建设法治政府的首要任务，明确指出加快建设职能科学、权责法定、执法严明、公开公正、廉洁高效、守法诚信的法治政府。行政体制改革视域中的政府职能的转变，直接影响到当前我国教育治理中政府职能的角色定位。习近平总书记十分关心人民群众的教育获得感，多次强调教育公平是社会公平的重要基础，必须不断促进教育事业发展成果更多更公平惠及全体人民，努力让每个孩子都享有公平而有质量的教育。党的十九大报告指出，坚持以人民为中心，坚持把党的群众路线贯彻到治国理政全部活动之中；增强群众工作本领，创新群众工作体制机制和方式方法。中国教育治理的优势，尤其表现为决策机制的优越性。决策机制的基础是群众路线，即从群众中来，到群众中去；从实践中来，到实践中去，决策要不断地接受群众和实践的检验。

当今中国已经形成了一个在中央与社会基层力量之间运行的高效灵活的决策机制，这种机制对社会力量发起的教育治理给予了充分支持，调动了地

① 王浦劬. 论转变政府职能的若干理论问题［J］. 国家行政学院学报，2015（1）.

方和民间在教育治理中的积极性、主动性和创造性。在现实的教育治理实践中，需要进一步总结各地的成功经验，依照社会需求创新与群众沟通互动的方式方法，确定牵一发而动全身的突破口，根据治理主体的实际利益结构来调整有效的供给系统，在教育治理过程中使需求与供给达成一种动态均衡，进而使教育治理的供给适应教育需求。

坚持教育治理中政府主导和社会力量参与相结合，需要综合考虑新时期我国教育治理的动力机制和变迁路径所表现出来的特点和优势，转变政府教育管理职能，改进政府提供公共教育服务的方式，充分发挥各级政府、社会各方面和人民群众的办学积极性。从教育资源配置的视角来看，教育治理首先要强化公共教育资源有效配置，同时也要引导社会上非公共教育资源的开发，建立健全科学配置公共教育资源和多渠道筹措其他资源的机制。因此，要处理好中央与地方的关系，处理好顶层设计与群众首创的关系，根据统一性和多样性相结合的原则，从我国国情出发，充分发挥各级政府、社会各方面和人民群众的办学积极性，健全政府主导、社会参与、办学主体多元、办学形式多样、充满生机活力的办学体制，灵活培养社会所需的各类人才，探索符合我国实际的教育发展之路。

第四节　追求教育公平

教育事业是国家、民族的共同事业，发展教育符合全社会的整体利益而不是某一阶层的局部利益。教育涉及千家万户，关乎每一个人，需要满足公民最基本的需要而不是少数人的特殊需要。而这，依赖于教育的公平发展。教育公平作为国家的基本教育政策，是实现社会公平的“最伟大的工具”。确立和实施教育治理中的公平原则，才能实现人的全面发展，保障人人享有受教育的机会；才能缩小不同群体发展差距，消除家庭贫困的代际传递，真正实现社会公平。

一、教育公平的应有之义

（一）教育公平是社会公平的重要基础

“‘公平’作为一种价值范畴反映了人们从某种特定的标准出发在主观上对‘应得’与‘实得’是否相符的一种评价及体验。”[①]“社会主义最大的优越性就是共同富裕”[②]，公平正义是中国特色社会主义的内在要求。社会主义制度作为一种崭新的社会制度，代表多数人的利益，以实现共同富裕为目标，最大限度地体现了社会公平。因此，坚持这一制度，就必须始终把促进公平作为国家基本教育政策，加紧建设对保障社会公平正义具有重大作用的制度，逐步建立以权利公平、机会公平、规则公平为主要内容的社会公平保障体系，努力营造公平的社会环境，保证人民平等参与、平等发展权利，为社会公平奠定重要基础。

教育公平是社会公平的重要基础，是最基本、最重要的公平。“教育公平是指每个社会成员在享受公共教育资源时受到公正和平等的对待。教育公平包括教育机会公平、教育过程公平和教育质量公平。”[③]《国家中长期教育改革和发展规划纲要（2010—2020年）》提出，要“形成惠及全民的公平教育”。建设惠及全民的公平教育，已经成为广大人民群众的强烈呼声和我国教育改革发展的基本政策。该纲要还特别指出，“教育公平的关键是机会公平”，明确提出了我国现阶段经济、社会、文化和教育发展水平基础上教育公平的基本目标。“保障公民都享有平等的接受义务教育的机会和平等参与非义务教育选拔的机会，保障公民在受教育过程中具有平等的发展机会和条件，是现阶段我国教育公平首先需要实现的基本目标。”[④]推进教育公平，保障人人有受教育的机会，是中国教育治理的重要任务。

（二）教育公平是政府履职的重要方面

坚持教育公平，突出教育的公益性和普惠性，是社会主义教育本质的体

---

① 石中英. 教育机会均等的内涵及其政策意义［J］. 北京大学教育评论，2007（4）.

② 邓小平. 邓小平文选（第三卷）［M］. 北京：人民出版社，1993：364.

③ 周洪宇. 怎样实现教育公平［J］. 教育·校长参考，2015（4）.

④ 顾明远，刘复兴. 建设惠及全民的公平教育［J］. 求是，2011（19）.

现，这为中国教育治理确立了价值目标。党中央始终坚持把促进公平作为国家基本教育政策，切实保障公民依法享有受教育的权利。党的十八大报告把教育放在改善民生和加强社会建设之首，提出了“教育是民族振兴和社会进步的基石”和“努力办好人民满意的教育”的要求，并在大力促进教育公平方面做出明确的制度安排，强调合理配置教育资源，重点向农村、边远、贫困、民族地区倾斜，支持特殊教育，提高家庭经济困难学生资助水平，积极推动农民工子女平等接受教育，让每个孩子都能成为有用之才。党的十九大报告进一步强调要推进教育公平，着力解决好发展不平衡不充分问题，推动城乡义务教育一体化发展，高度重视农村义务教育，办好学前教育、特殊教育和网络教育，普及高中阶段教育，努力让每个孩子都能享有公平而有质量的教育。

习近平总书记多次对教育公平问题作出重要论述，他在2013年9月25日联合国“教育第一”全球倡议行动一周年纪念活动中表示：“努力让每个孩子享有受教育的机会，努力让13亿人民享有更好更公平的教育。”[①]习近平总书记多次强调指出，要随时随刻倾听人民呼声、回应人民期待，保证人民平等参与、平等发展权利，维护社会公平正义。要坚持从维护广大人民根本利益的高度，多谋民生之利，多解民生之忧，在学有所教、劳有所得、病有所医、老有所养、住有所居上持续取得新进展。强调治贫先治愚，要把下一代的教育工作做好，特别是要注重山区贫困地区下一代的成长。要不断扩大投入，努力发展全民教育、终身教育，建设学习型社会，努力让每个孩子享有受教育的机会，努力让13亿人民享有更好更公平的教育。《中国教育现代化2035》提出：要实现基本公共教育服务均等化。提升义务教育均等化水平，建立学校标准化建设长效机制，推进城乡义务教育均衡发展。在实现县域内义务教育基本均衡基础上，进一步推进优质均衡。推进随迁子女入学待遇同城化，有序扩大城镇学位供给。完善流动人口子女异地升学考试制度。实现困难群体帮扶精准化，健全家庭经济困难学生资助体系　推进教育精准

① 习近平主席在联合国“教育第一”全球倡议行动一周年纪念活动上发表视频短词［N］. 人民日报，2013-09-27.

脱贫。办好特殊教育，推进适龄残疾儿童少年教育全覆盖，全面推进融合教育，促进医教结合。

目前，我国已全面实现城乡免费义务教育，公共教育资源向农村、边远、贫困地区和民族地区大力倾斜，西部和民族地区主要教育发展指标与全国平均水平差距逐渐缩小。此外，建立了从学前教育到研究生教育完整的家庭经济困难学生资助体系，保证学生不因家庭经济困难而失学。农村初中小学受益的营养改善计划实施，进城务工人员子女在当地接受义务教育并参加升学考试的问题得以解决，残疾人受教育权利得到保障。

（三）教育公平是政府、社会的共同责任

教育直接关系到民族的素质和国家的命运，关系到和谐社会的建设。因此，政府是提供教育这个公共产品、实现教育公平的“第一责任人”。在我国，经济社会发展与教育发展水平同时存在巨大差异，仅靠各个地区的自然发展来解决教育公平问题，会导致愈演愈烈的两极分化。因此，必须通过强有力的国家干预，对落后地区和弱势群体进行补偿。正如约翰·罗尔斯所言：“补偿原则认为，为了平等地对待所有人，提供真正的同等的机会，社会必须更多地注意那些天赋较低和出生于较不利的社会地位的人们，这个观念就是要按平等的方向补偿由偶然因素造成的倾斜。遵循这一原则，较大的资源可能要花费在智力较差而非较高的人们身上，至少在某一阶段，比方说早期学校教育期间是这样。”[①]《中华人民共和国教育法》规定，国家重点帮助、扶持针对特殊地区和特殊人群的教育事业。《国家中长期教育改革和发展规划纲要（2010—2020年）》也指出：“教育公平的主要责任在政府。”我国政府高度重视公民受教育权利及其法律保障，把更加注重公平摆在政策价值选择非常重要的位置，一贯反对各种形式的教育歧视行为，特别保护儿童、妇女和特殊群体的教育权益，保障弱势群体受教育权利的实现，积极促进教育公平。当前，我国要强化政府责任，加快基本公共教育服务均等化步伐，建立全面覆盖困难群体的资助政策体系和帮扶制度，完善资源配置制

---

① 约翰·罗尔斯. 正义论［M］. 何怀宏，何包钢，廖申白，译. 北京：中国社会科学出版社，1988：96.

度，健全法制保障，促进教育资源向重点领域、关键环节、困难地区和薄弱学校倾斜，着力保障农民工子女、残疾儿童少年、家庭经济困难学生的受教育权利，逐步缩小教育发展中的区域差距、城乡差距和义务教育学校之间的校际差距，为所有学生开辟不同的成长成才之路。

二、教育公平的实现路径

（一）加大教育投入

教育投入是实现教育公平的基础，没有较大的教育投入，教育公平将无法实现。我国的教育投入一直严重不足，国家财政性教育支出占GDP的比重偏低。因此，各级政府要明确自己的职责，继续加大财政投入，确保国家财政性教育经费支出维持甚至是超过GDP的4%，为促进教育公平、提高教育质量提供基本的经费保障。同时，各级地方政府也应严格按照《中华人民共和国教育法》的规定要求，保证教育投入的“三个增长”，即各级政府教育财政拨款的增长要高于同级财政经常性收入的增长，在校学生人均教育经费逐步增长，教师工资和学生人均公用经费逐步增长。各级人大要加强对同级政府落实教育经费“三个增长”的法律监督，以确保教育公平的实现。要优化教育投入结构，改变以往教育资源过于集中投向少数重点中小学和大学的局面，确保在重点学校与非重点学校，义务教育与非义务教育，基础教育、职业教育与高等教育，基础教育内部小学、初中与高中，高等教育内部专科、本科与研究生之间，都应有个合理的比例，不宜畸轻畸重。

（二）完善资助体系

教育公平的关键是机会公平，基本要求是保障公民依法享有受教育的权利。在现代社会，政府是促进教育公平的主要力量和主导力量，供给“公平”教育的政策是政府的基本教育责任。[1]教育公平的主要责任在政府，要确立保障教育公平的重要举措，以发展促公平，以改革促公平，以政策促公平，不断满足广大群众日益增长的多层次、多样化教育需求。推进均衡发展，根本措施是合理配置教育资源，向农村地区、边远贫困地区和民族地区

① 顾明远，刘复兴. 建设惠及全民的公平教育［J］. 求是，2011（19）.

倾斜，加快缩小教育差距。因此，要着力促进公共教育资源配置公平，建立完善的教育补偿制度，对薄弱学校、农村地区实施倾斜政策，加快缩小校际、城乡和区域教育发展差距。要重点发展农村学前教育、职业教育，依法实施免费九年义务教育、普及高中阶段教育。要完善教育编制管理，给予西部边远地区、农村和少数民族地区的教师编制适当政策倾斜，保障合理的教师队伍建设。要着力完善教育资助政策体系，保障进城务工人员子女、残疾儿童少年、家庭经济困难学生等弱势群体受教育机会，保障人民群众享有接受良好教育的机会。当前，要以基本公共教育服务均等化为重点，扩大和保障公平受教育的机会，按照基本公共服务普及普惠的要求，提出巩固城乡免费九年义务教育，基本普及高中阶段教育，重点加强中等职业教育，基本建立学前教育体系，努力让广大人民群众共同享有更加均等化的基本公共教育服务。

（三）创新公平制度

历史经验表明，在整个社会向市场经济转型过程中，教育公平是不能完全通过市场机制实现的。政府应该发挥自己应有的作用，制定和完善相关政策和制度，采取有力措施，确保教育均衡发展，提供数量更多的优质教育资源。要将完善教育公平制度作为一项国家教育制度明确提出，以制度促公平。通过健全法制保障，完善资源配置制度，促进教育资源向重点领域、关键环节、困难地区、薄弱学校和弱势群体倾斜。同时，健全保障教育公平的规则程序，用规范管理维护教育公平。要坚持用制度创新教育公平，进一步加强和完善教育立法，推动教育法治建设，着力促进教育制度规则公平，全面推进依法治教和依法治校，以法律来保障教育公平的实现。目前高考招生录取制度的改革已成为社会各界关注的焦点，教育行政部门和高校应加快改革的进程。与此同时，还应大力推进高校管理制度、收费制度、贷款和还贷制度、评估制度、就业与劳动用人制度的创新，等等。同时，要尽快修订、完善《中华人民共和国教育法》《中华人民共和国高等教育法》《中华人民共和国职业教育法》《中华人民共和国教师法》《中华人民共和国民办教育促进法》《中华人民共和国学位法》等，考虑制定学校法、学前教育法、家庭教育法、特殊教育法、终身学习法等，建立健全教育法规体系，对于教育领域中各类违法犯罪行为予以坚决打击，对于教育收费不规范和乱收费的现象花大力气纠正，以法律作为实现教育公平的坚实保障，保障公民依法享有平等受教育的权利。在办学主体多元化和办学形式多样化、社会成员经济背景差异加大的今天，教育制度建设应充分体现公民受教育权利平等的原则，以防止对部分社会成员或弱势群体、不同类别教育的教育歧视，清除既有的歧视性制度规定，保证公平的发展环境，防止社会成员在接受教育机会和受教育条件上的两极分化。

第五节　注重提高质量

实现我国从教育大国向教育强国转变、从人力资源大国向人力资源强国转变，规模是基础，质量是关键。《国家中长期教育改革和发展规划纲要（2010—2020年）》明确提出，要“把提高质量作为教育改革发展的核心任务”。提高教育质量，是教育规模扩张基础上教育发展的必然选择，是办好人民满意的教育的根本要求，是建设人力资源强国的重要保障。全面提高教育质量已经成为当代中国教育治理的战略任务和政策取向。

一、提高教育质量是教育改革发展的主线

（一）教育质量的核心是提高人才培养质量

教育质量是教育工作的生命线。“教育质量在理论上是一个很复杂的概念，提高教育质量也是一个很复杂的政策与实践问题，其核心是培养什么人和怎样培养人的重大问题。”①

教育目标是理解教育质量的首要出发点，其核心是解决培养什么人的重大问题。在教育实践过程中，教育方针、教育目的往往具体化为各级各类教育的培养目标，具体化为各个层级的教育实践活动的目标，从而构成指导整个教育活动的一个目标体系。这个目标体系代表着党和国家关于教育质量的

① 刘复兴. 提高质量：教育改革发展的核心任务［J］. 求是，2013（12）.

根本标准。《国家中长期教育改革和发展规划纲要（2010—2020年）》提出，要“全面贯彻党的教育方针，坚持教育为社会主义现代化建设服务，为人民服务，与生产劳动和社会实践相结合，培养德智体美全面发展的社会主义建设者和接班人”。这是理解教育质量问题的一个根本性标准，各级各类教育和各个层级的教育活动的质量标准都必须以这个根本标准为准绳。教育教学是保障教育质量的主要环节，其核心是解决怎样培养人的重大问题。人才培养是教育的本质要求和根本使命，是提高教育质量的重中之重。提高教育质量必须深化教育教学改革，把怎样培养人作为各级各类教育的核心任务，大力提升人才培养的水平。提高教育质量，就是要牢固树立人才培养的中心地位，把学校工作的重点集中到强化教学环节、提高教育质量上来，以改革人才培养模式为核心，在教师、教材和教法三大重点上下功夫，在建设有利于人才培养的良好环境上下功夫。教育结果特别是人的发展水平是教育质量最主要的内容，是教育质量最本质的表现，也是教育赖以满足国家与社会需求的基础。教育的质量，直接地体现学生的能力和学业成就。提高教育质量必须坚持以人为本，坚持以学习者为中心，不断提高人才培养质量。

（二）树立以提高质量为核心的教育发展观

全面提高教育质量，必须把握教育的阶段性特征，顺应世界教育发展趋势，牢固树立以提高质量为核心的教育发展观。邓小平早就说过：“提高教育质量，提高科学文化的教学水平，更好地为社会主义建设服务。”①胡锦涛在2010年全国教育工作会议上指出：“全面提高教育质量，对建设教育强国、人力资源强国意义重大。要把提高质量作为教育改革和发展的核心任务，摆在各级各类教育更加突出的位置，树立以提高质量为核心的教育发展观，坚持规模和质量的统一，注重教育内涵发展。”②

习近平总书记指出：“要提高教育质量，培养更多、更高素质的人才。要教育引导青年学生既扎实打牢基础知识又及时更新知识，既刻苦钻研理论

---

① 邓小平．在全国教育工作会议上的讲话［N］．人民日报，1978-04-22．
② 胡锦涛．在全国教育工作会议上的讲话［N］．人民日报，2010-07-13．

又积极掌握技能，不断提高与时代发展和事业要求相适应的素质和能力。”①这些重要论述，强调了教育在建设人力资源强国中的重要作用，对提高教育质量，培养更多、更好的人才提出了明确要求。2019年6月23日，中共中央、国务院印发《关于深化教育教学改革全面提高义务教育质量的意见》，要求树立科学的教育质量观，深化改革，构建德智体美劳全面培养的教育体系，健全立德树人落实机制，着力在坚定理想信念、厚植爱国主义情怀、加强品德修养、增长知识见识、培养奋斗精神、增强综合素质上下功夫。同年，国务院办公厅印发的《关于新时代推进普通高中育人方式改革的指导意见》，提出要深化育人关键环节和重点领域改革，坚决扭转片面应试教育倾向，全面提高普通高中教育质量。教育部方面，2019年印发《关于深化本科教育教学改革全面提高人才培养质量的意见》，提出要把提升人才培养质量作为工作主旋律，通过深化教育教学制度改革、引导教师潜心育人、严格教育教学管理、加强组织保障，构建德智体美劳全面培养的教育体系，形成更高水平的人才培养体系；印发《关于做好扩招后高职教育教学管理工作的指导意见》，提出要主动适应高职扩招后生源多元化、发展需求多样化对教育教学的新要求，保障质量型扩招，全面提高人才培养质量；发出《关于进一步规范和加强研究生培养管理的通知》，提出要严格按照《关于加强学位与研究生教育质量保证和监督体系建设的意见》精神，全面梳理和健全内部质量保证体系，完善与本单位办学定位相一致的人才培养和学位授予质量标准，严格落实各环节管理职责，把抓督查、抓执行贯穿管理全过程。

我国素有重视教育质量的传统。然而，“长期以来GDP思维影响下对于教育规模发展、数量增长、外形扩张的迷恋，实用主义、功利主义价值观所引发的各种短视行为和对于教育品质的破坏，非一日之寒。当前，人民群众对高质量、多样化教育和教育公平的诉求更加强烈，不仅希望‘有学上’，更希望‘上好学’”②。所有这些表明，促进教育质量的提升仍然任重而道

① 袁贵仁. 推进教育事业改革发展的强大思想武器——学习习近平总书记关于教育工作的重要论述［J］. 云南教育，2014（5）.

② 柯春晖. 当前教育的核心任务：公平发展质量提升［J］. 中国农村教育，2015（1-2）.

远。近年来，党中央提出要树立科学的质量观，把提高质量作为教育改革发展的核心任务，走内涵式发展道路。如，颁布教育督导条例，建立国家教育质量标准和质量监测评估制度，构建督政、督学、教育质量监测相结合的中国特色教育督导体系。发布3—6岁儿童学习与发展指南，推动义务教育学校标准化建设、高中多样化发展和高等教育特色化发展，促进各级各类学校更新教育教学理念、创新人才培养模式、改进评价方式方法。教育质量和教育公平是一对有密切关系的概念。公平和公正是教育质量的保证。有学者指出："公平的教育机会和教育过程是质量评价改革的基本条件，也是保障教育质量成果公平地转化为人的社会发展机会，例如就业、升学等。更大的社会公正环境既是追求教育质量的起点，也是教育质量追求的目标。"① 人的全面发展，是现代教育质量的核心。现代教育通过培养全面发展的个人，实现政治、经济、文化、社会、生态多方面发展的质量观。

二、提高教育质量是一项系统复杂的工作

相对于教育规模的扩张，提高教育质量是一个更为复杂、更为艰巨、更为长期的任务，必须制定系统化的教育政策措施。②

（一）建立教育质量标准，完善质量评估制度

建立符合我国国情的教育质量标准和质量评估制度，是当前提高教育质量迫切需要解决的一个关键问题。提高质量首先要有标准，没有标准就无法衡量教育质量的高低优劣。教育质量国家标准是国家教育制度的组成部分和根本规范。要根据教育方针、教育目的和培养创新型、实用型、复合型人才的新要求，积极开展基础教育各学科学业质量标准制定工作，推动建立普通本科和高职高专的教学质量国家标准，制定博士、硕士学位基本要求，形成一套科学规范、符合实际、涵盖各级各类教育的质量标准体系。有了标准，还要加强评估。要根据基础教育、高等教育等阶段的实际情况，建立有关教育阶段的质量监测与评估制度。

---

① 郑新蓉. 现代教育制度的危机和出路 [J]. 人民论坛，2010（6）.

② 刘复兴. 提高质量：教育改革发展的核心任务 [J]. 求是，2013（12）.

（二）创新人才培养模式，提高教师队伍素质

改变单一的人才培养模式和陈旧的教育教学方法，是提高教育质量迫切需要解决的另一个关键问题。促进人的全面发展、适应社会需要是衡量教育质量的根本标准，要把促进学生健康成长作为学校一切工作的出发点和落脚点，坚持能力为重，优化知识结构，强化能力培养。提高教育质量，必须注重学思结合，不断创新教育教学方法；注重知行统一，增强教育教学的实践性；注重因材施教，促进学生的个性发展。要把创新思维、创新能力的培养融入各种教学内容和活动中，重视培养拔尖创新人才，推进大中小幼各级教育衔接，实现学校与有关部门、科研院所和行业企业联合培养人才。提高教师队伍整体素质是提高教育质量迫切需要解决的又一个关键问题。没有一支高质量、创造性的教师队伍，就不可能有高质量的教育。要把教师队伍建设作为教育事业发展最重要的基础性工作来抓，培养一流的教师，办好一流的教育。要加强师德师风建设，强化师德教育特别是职业理想和职业道德教育。要加强教学能力建设，提高教师业务水平，以农村教师为重点，提高中小学教师队伍整体素质；以“双师型”教师为重点，加强职业院校教师队伍建设；以中青年教师和创新团队为重点，建设高素质的高校教师队伍。

（三）推进学校特色发展，扩大国际交流合作

提高教育质量是转变经济发展方式在教育领域的具体体现，必须把握我国教育阶段性特征，顺应世界教育发展趋势，牢固树立以提高质量为核心的教育发展观，坚持规模和质量的统一，注重教育内涵发展，鼓励学校办出特色、办出水平，出名师，育英才。提高教育质量，必须根据各级各类教育的实际情况，推动学校的多样化、特色化发展。“千校一面”“千人一面”的教育不可能是高质量的教育。要落实和完善学校办学自主权，鼓励各级各类学校自主发展，增强学校办学活力。要建立以提高教育质量为导向的管理制度和工作机制，加强质量保障，把教育资源配置和学校工作重点集中到强化教学环节、提高教育质量上来。要推行义务教育的小班教学，推动普通高中的多样化发展，鼓励高校办出特色。在经济全球化时代，不可能关起门来办教育，封闭式的教育绝不是高质量的教育。开放了，才有视野的开阔、观念的更新以及资源和人才的引进。提高教育质量必须大胆借鉴国际先进理念和

成功做法，不断学习和更新教育质量观，充分利用优质的国际教育资源培养拔尖创新人才。

第六节　弘扬优秀传统

“任何创新都具有历史性，尊重传统，就是尊重适应特定历史阶段需要的先人们的文化创造。”[①]一部中国教育发展史，就是一部不断进行教育治理创新的历史。教育治理创新的实质，是通过教育思想、教育制度和教育实践的突破，为教育发展提供新的可能性，以便在更高程度上满足社会和人自身发展的需要。教育治理创新是以优秀教育传统为基础，继承弘扬其精华，并对之进行超越。教育传统与教育发展的历史经验是教育治理创新的一个重要组成部分，是教育治理创新的“根基”。[②]中国教育治理是我们党在不同历史时期带领人民不断探索实践的智慧体现，既一脉相承，又充满了创造活力。

一、中国教育治理在一以贯之、接力探索中得到发展

新中国成立后，以毛泽东同志为核心的第一代党中央领导集体，带领全国人民在完成新民主主义教育过渡的基础上，确立了社会主义教育制度，保障了工农大众受教育权利。改革开放后，邓小平同志提出“教育要面向现代化、面向世界、面向未来”的指导方针，开辟了中国教育发展的新局面。以江泽民同志为核心的第三代领导集体，带领全党全国各族人民继续坚持教育在现代化建设中优先发展的战略地位，推动立法进程，确定现代教育治理的框架内容，使得教育事业在世纪之交实现了跨越式发展，为我国从人口大国初步转变为人力资源大国创造了有利条件。以胡锦涛同志为核心的党中央，抓

① 于述胜．中国的教育传统与教育创新［J］．华东师范大学学报（教育科学版），2003（3）．

② 李江源．教育传统与教育制度创新［J］．教育理论与实践，2003（6）．

住重要战略机遇期，提出并贯彻科学发展观等重大治理策略。

党的十八大坚持“在全面建设小康社会进程中推进实践创新、理论创新、制度创新”，为进一步发展中国教育治理打下牢固基础。习近平总书记多次强调，我国有独特的历史、独特的文化、独特的国情，教育必须坚定不移走自己的路。2014年9月24日，在纪念孔子诞辰2565年国际学术研讨会暨国际儒学联合会第五届会员大会开幕式上的讲话中，习近平总书记特别提到文以载道、文以化人的教化思想，要求我们准确把握中华文化教化之道，让当代教育植根于中华文化沃土，要求我们继承、发展和弘扬中国优秀传统文化，要与治国理政结合起来。党的十九大报告中特别强调，要深入挖掘中华优秀传统文化蕴含的思想观念、人文精神、道德规范，结合时代要求继承创新，让中华文化展现出永久魅力和时代风采。可见，中国教育治理是建立在我们全部历史特别是改革开放四十年基础上的，体现了一以贯之的接力精神，凝结着几代共产党人带领人民不懈探索教育治理实践的集体智慧。

二、中国教育治理坚持继承性和创新性的有机结合

自十一届三中全会以来，我们党在伟大的教育实践中形成和创立了一套立足国情、与时俱进的教育治理体系，创立了基本的教育治理模式。中国教育治理正是在这种继承性和创新性有机结合中不断健全和发展起来的。所谓教育治理创新，一方面是为了摆脱教育传统的制约，更重要的是为了“改造教育传统，发展教育传统，实现教育传统的创造性转换，使其适应今天教育变革、教育制度创新的需要，帮助解决今天教育发展所面临的问题”[①]。中国特色社会主义教育制度的形成和发展一方面要以优秀教育传统为根基，另一方面要立足现时代的中国国情。

（一）以优秀教育传统为基础

“教育传统”不同于“传统教育”，这是两个相互联系但又内涵不同的概念。传统教育属于过去，有着比较具体的客观指向，特指人类长期形成的已经定型的凝固的教育历史文化遗产。换言之，“传统教育是社会历史实践

---

① 李江源. 教育传统与教育制度创新［J］. 教育理论与实践，2003（6）.

中形成并流传下来的教育思想、教育制度、教育方法融汇而成的具有一定特性的教育体系”①。而教育传统不仅属于过去，还属于现在，更属于未来，虽然具有一定确定性，但却存在无限发展的空间和丰富充实的内容，特指人类文明进化过程中形成的至今仍然流动变化着的那些精神特质。如中国教育在五千年的发展历程中，形成并遗存下来的“重教尊师”、培养“成人”、重视“德教”、“以学论教”、教师模范等优秀教育传统。②换言之，“教育传统是教育在历史发展过程中逐渐形成并积淀下来的教育观念、制度、内容和方法，它是一个社会的文化传统的组成部分”③。优秀的教育传统应是动态的、发展的，应结合时代发展的需要，赋予传统文化新的意蕴，在继承中不断创新。教育传统是在教育的长期发展过程中形成、发展、积淀起来的，经过了历史和实践的检验，在一定程度上反映了教育的规律，是传统教育的精华，必将对教育的未来发展产生强大而深远的影响。习近平总书记特别强调继承和弘扬中华传统文化，用优秀传统文化教书育人。2012年11月，他强调，我们的人民是伟大的人民。在漫长的历史进程中，中国人民依靠自己的勤劳、勇敢、智慧，开创了民族和睦共处的美好家园，培育了历久弥新的优秀文化。④

（二）立足现时代的中国国情

世界各国教育发展的历史充分说明，教育治理创新只有获得教育传统的认同和支撑，才能得到人们的遵从、认可。如果教育治理所确定的目标或模式不能从本民族或本国的历史沿革、教育传统等一系列特征出发，就很难在公共生活中实施并取得预期的效果。坚持教育治理的继承和创新必须立足中国国情。党的十八大指出：“在任何情况下都要牢牢把握社会主义初级阶段这个最大国情，推进任何方面的改革发展都要牢牢立足社会主义初级阶段

---

① 孙培青. 教育改革与优秀教育传统的继承［J］. 沈阳师范大学学报（社会科学版），2005（6）.

② 张传燧，周卓莹. 论教育传统与教育创新［J］. 大学教育科学，2007（3）.

③ 褚宏启. 教育现代化进程中的教育传统与教育现代性［J］. 北京师范大学学报（人文社会科学版），2000（3）.

④ 习近平在十八届中共中央政治局常委同中外记者见面时强调：人民对美好生活的向往就是我们的奋斗目标［N］. 人民日报，2012-11-16（4）.

这个最大实际。”[①]推进中国特色社会主义教育事业，确立并完善中国教育治理体系，必须从社会主义初级阶段的国情实际出发，不能脱离这个实际。坚持中国特色社会主义教育治理，必须把坚持根本政治制度、基本政治制度同基本经济制度以及各方面体制机制等具体制度有机结合起来，坚持把国家层面民主制度同基层民主制度有机结合起来，坚持把党的领导、人民当家作主、依法治国有机结合起来，以有利于满足广大人民群众的教育需求、有利于社会主义经济建设和社会全面进步为标准，逐步建立和完善。

第七节　实行对外开放

全球化时代，教育治理已经突破国家和区域界限，更紧密地与世界各国联系起来。教育对外开放不仅成为一个国家提升教育质量、满足教育多样化需求和赢得国际声誉的必不可少的手段，也是学习借鉴其他国家先进教育理念和教育经验的重要途径。

一、教育发展从封闭走向开放

1978年，邓小平在全国科学技术大会上又一次深入阐述了教育对外开放的重要性："科学技术是人类共同创造的财富。任何一个民族、一个国家，都需要学习别的民族、别的国家的长处，学习人家的先进科学技术……我们要积极开展国际学术交流活动，加强同世界各国科学界的友好往来和合作关系。"[②]这为教育对外交流活动奠定了舆论和思想基础。1983年，邓小平给北京景山学校题词，"教育要面向现代化、面向世界、面向未来"，明确提出了"三个面向"的指导方针。"三个面向"的指导方针是最具有时代特征的前瞻性思想，为我国教育领域的改革开放提供了重要的指导方针。1985年《中共中央关于教育体制改革的决定》指出：教育体制改革要总结

---

① 本书编写组. 十八大报告辅导读本［M］. 北京：人民出版社，2012.

② 邓小平. 邓小平文选（第二卷）［M］. 北京：人民出版社，1994：91.

我们自己历史的和现实的经验，同时也要注意借鉴国外发展教育事业的正反两方面的经验，特别是在新技术革命条件下，一系列新的科学技术成果的产生，新的科学技术领域的开辟，以及新的信息传递手段和认识工具的出现，对教育产生了重大影响。发达国家在这方面的经验尤其值得注意。要通过各种各样的途径，加强对外交流，使我们的教育事业建立在当代世界文明成果的基础之上。高校有权利用自筹资金，开展国际的教育和学术交流。1988年，国家教委成立了“中国留学服务中心”，负责对外教育交流与合作服务。1985年，国家教委颁布了《外国留学生管理办法》。1989年，出台了《关于招收自费外国来华学生的相关规定》。从20世纪80年代初开始，国家划拨专门经费支持我国学者出国参加国际学术会议，支持我国高校在国内举办国际学术会议，大大推动了国际学术交流和发展。1993年，《中国教育改革和发展纲要》明确提出：进一步扩大教育对外开放，加强国际教育交流与合作，大胆吸收和借鉴世界各国发展和管理教育的成功经验。对于制定和实施20世纪90年代我国教育改革和发展的战略目标，促进改革开放和现代化建设，产生了重大的历史影响。2003年，国务院颁布《中外合作办学条例》，对办学准入、经营范围、教育教学、管理体制、运行机制、文凭颁发等事项做出了限制性规定。该规定把合作办学定位为我国教育对外交流合作的重要形式，将我国的教育国际合作与交流向前推进了一大步，深化到组织和机构层面，而不是仅仅局限于人员之间的交流。2004年发布的《2003—2007年教育振兴行动计划》进一步提出：把扩大教育对外开放、加强国际合作与交流作为国家教育战略的关键环节。实行“政府与民间并举、双边与多边并行、兼顾战略平衡、保证重点、注重实效”的方针，推进教育国际合作与交流向全方位、多领域、高层次发展。这一时期，国家公派留学工作确立了“扩大规模，提高层次，保证质量，增强效益”的重要思路和重点。《国家中长期教育改革和发展规划纲要（2010—2020年）》明确提出要扩大教育开放，加强国际交流与合作。坚持以开放促改革、促发展。开展多层次、宽领域的教育交流与合作，提高我国教育国际化水平。借鉴国际上先进的教育理念和教育经验，促进我国教育改革发展，提升我国教育的国际地位、影响力和竞争力。在引进优质教育资源、提高交流合作水平、创新和完善公派出国留学机制、进一步扩大外国留学生规模、加强与联合国教科文组织等国际组织的合作、加强内地与港澳台地区的教育交流与合作等方面作了具体规定。

“人类命运共同体”是我国近年来反复强调的关于人类社会发展的新理念。习近平总书记指出，中国将加强同世界各国的教育交流，扩大教育对外开放，积极支持发展中国家教育事业发展，同各国人民一道努力，推动人类迈向更加美好的明天。各级党委和政府要认真贯彻党和国家关于留学人员的方针政策，更大规模、更有成效地培养我国改革开放和社会主义现代化建设急需的各级各类人才。广大留学人员要找准专业优势和社会发展的结合点，找准先进知识和我国实际的结合点，真正使创新创造落地生根、开花结果，同时充分发挥自身优势，加强内引外联、牵线搭桥，当好促进中外友好交流的民间大使。这些重要论述，阐明了教育对外开放对推动我国教育事业改革发展、促进人类文明进步的重要意义，为进一步扩大教育对外开放指明了前进方向。2014年，“一带一路”倡议成为我国未来构建开放型经济新体制的重要支撑，为新时期打造我国教育全方位对外开放的新格局提供了难得的发展契机。中国作为发展中国家，要想赶超发达国家的教育水平，适当吸收和借鉴发达国家的教育理念和教育经验是必要的。当然，吸收和借鉴国外教育发展的经验，并不是照抄照搬，全盘吸收，而应该立足中国国情，取其精华，去其糟粕，做到吸收与创新有机统一。《中国教育现代化2035》提出，要开创教育对外开放新格局。全面提升国际交流合作水平，推动我国同其他国家学历学位互认、标准互通、经验互鉴。扎实推进“一带一路”教育行动。加强与联合国教科文组织等国际组织和多边组织的合作。提升中外合作办学质量。优化出国留学服务。实施留学中国计划，建立并完善来华留学教育质量保障机制，全面提升来华留学质量。推进中外高级别人文交流机制建设，拓展人文交流领域，促进中外民心相通和文明交流互鉴。促进孔子学院和孔子课堂特色发展。加快建设中国特色海外国际学校。鼓励有条件的职业院校在海外建设“鲁班工坊”。积极参与全球教育治理，深度参与国际教育规则、标准、评价体系的研究制定。推进与国际组织及专业机构的教育交流合作。健全对外教育援助机制。

二、教育对外开放的具体内容

“当前，我国教育界的一个重要任务，就是实施深度开放，在范围、内容、层次等方面进一步推进教育国际化。在教育开放的倒逼作用下，促进教育变革，推动教育发展和人才培养，实现国家富强和民族振兴。”[①]中国教育正在有秩序地融入世界，走向了全方位、多层次、宽领域的开放。

（一）更新教育开放观念

在教育国际化的大背景下，我们必须重新审视教育的理念、功能、质量标准和运行规则，将国际化的思想和要求融入到学校的各项工作中去；不能仅仅把教育看成是一种“传道、授业、解惑”的活动，而更应看作是一种参与国际竞争的实体；不能仅仅用地域的标准来衡量教育的质量，而要按国际质量标准来衡量教育质量，向国际标准看齐。首先，从人才强国的国家战略高度谋划教育开放。其次，在教育国际化进程中要做到趋利避害，坚决抵制有损我国国家利益的行为，切实维护我国高校在国际化进程中的合法权益。[②]坚持教育的改革开放，在观念指导下努力改革教育体制和结构、教学内容和方法，大胆吸收和借鉴人类社会的一切文明成果，是促进我国教育改革发展，提升教育国际地位、影响力和竞争力的重要举措。坚持这一制度，必须始终不渝地坚持“教育要面向现代化，面向世界，面向未来”，积极主动融入新时期“一带一路”倡议，推动新一轮高水平教育对外开放。坚持双赢、互惠的原则，在人才培养、科学研究和社会服务方面兼收并容、协同创新，推动我国教育可持续发展和教育质量的提升。

（二）加大引才引智力度

目前，中国已成为全球最大的吸引外商投资国家，成为全球资本瞩目的焦点，越来越多的国外优秀人才开始关注中国的发展机会。同时，留学生教育及其规模已成为衡量高等教育国际化程度的重要指标。“据《2014年度来华留学调查报告》统计，2014年共有来自203个国家和地区的约37.7万名各类外国留学人员在我国31个省区市的775所高等学校、科研院所和其他教学

①② 周洪宇. 深度开放推进教育国际化［N］. 人民政协报，2011-02-16.

机构中学习。就来华留学生规模而言，已占全球留学生份额的8%，成为世界第三大留学生输入国。”①发展留学生教育不仅仅可以带来可观的经济效益，而且还是促进高等教育国际化发展的重要手段。教育应牢抓这一发展机遇，加大对高端人才的吸引力度，为教育应对全球化挑战准备最充分的人力资源和智力支持。借鉴国际先进教育理念和教育经验、引进海外高端人才和学术团队、创新和完善公派出国留学机制，促进我国教育改革发展，提升国际地位、影响力和竞争力。

（三）参与国际教育组织

国际教育组织在各国教育政策的制定和评估过程中扮演着重要的角色，在运用全球指标来支持教育方面的全球合作，推动跨国教育政策的制定等方面也具有重要影响力。中国作为快速上升的国际经济和政治力量，在国际事务中所发挥的作用将越来越大。这为我国高校广泛参与各类国际教育组织提供了良好的契机。我国高校应积极加入国际性高等院校联合会，如联合国教科文组织、国际大学联合会等重要的国际性教育组织。在与国际教育组织合作的战略规划中，应积极参与各种类型的活动，履行相应的义务，并承担相应的国际责任。在推行教育合作战略中，从战略的高度，找到中国与国际组织及其成员之间的利益汇合点，把我们自己的利益和其他成员方的利益有机结合，同时兼顾眼前利益和长远利益，实现“双赢”。在加强与联合国教科文组织等国际组织教育交流与合作中，促进教育事业共同发展。

（四）重视中外合作办学

教育对外开放秉持以开放促改革、促发展的工作原则，重视和加强中外合作办学，进一步加强国际交流与合作，广泛开展国际合作和教育服务，引进优质教育资源，同时推动我国高水平教育机构海外办学，提高教育国际化水平。实施好新时期“一带一路”倡议，谋划我国高等教育在“一带一路”建设中的战略布局和行动策略，为沿线国家共建“一带一路”提供人才支撑和智力支持。扩大政府间学历学位互认，加大教育国际援助力度，支持中外大学间的教师互派、学生互换、学分互认和学位互授联授，办好网络孔子学

① 瞿振元.“一带一路”建设与国家教育新使命［N］. 光明日报，2015-08-13.

院，支持孔子学院全面提高办学质量，进一步扩大外国留学生规模，不断提高来华留学教育质量。适应国家经济社会对外开放的要求，加强国际理解教育，培养具有国际视野、国际交往能力和国际竞争力的国际化人才。

（五）健全政策法规体系

教育国际化既需要政策引导，更需要法律、法规保障与规范，使之有法可依，有法可循，使之具有长期性、稳定性。西方发达国家在促进教育国际化进程的实践中，形成了一套体系相对完善、内容相对全面的法律法规。而我国与此相关的法律法规则很薄弱，制定相关的政策法规显得尤其迫切。我们应虚心地向西方发达国家学习，借鉴它们的成功经验，在深入调查研究的基础上，针对我国当前教育政策法规中存在的与教育国际化不适应的突出问题，制定、修订、废止和完善一系列相关教育政策法规，最终形成一套相对完备的、既能符合中国高等教育发展实际的、又能适应教育国际化要求的政策法规体系。

第五章　中国教育治理现状

促进中国教育治理完善和进一步发展，必须认清中国教育治理的现状。本章从教育治理理念、教育治理制度和教育治理策略等方面对中国治理的现状进行分析，总结当前中国教育治理的成效，探究教育治理存在的不足及其原因。

第一节　教育治理理念及制度

理念是行动的先导，制度是践行理念的载体。教育治理理念和教育治理制度反映了教育治理的目标和方向，反映了政府和社会各方面对教育治理的期望和要求。

一、教育治理理念

教育治理理念是教育治理的灵魂和方向，是教育治理的自觉遵循和精神要旨。认识中国教育治理现状从其思想源头——教育治理理念开始，才能真正把握中国教育治理的脉搏，认清中国教育治理的内在依据和真实状况。2019年，《中国教育现代化2035》提出了推进教育现代化的八大基本理念：更加注重以德为先，更加注重全面发展，更加注重面向人人，更加注重终身学习，更加注重因材施教，更加注重知行合一，更加注重融合发展，更加注重共建共享。这必将融入中国教育治理理念，带来中国教育治理理念和中国教育事业的新发展。

（一）基础教育治理理念

中国教育治理理念是中外教育治理思想有机结合的体现。在改革开放四十年的历史进程中，我国基础教育治理形成了科学决策、简政放权，德育为先、德智并举，以人为本、公平施教等理念，指引着我国教育行政和教育教学走上健康发展之路。具体而言，我国基础教育治理理念体现为教育公平与教育效率、工具理性与价值理性、全面发展与个性发展三个方面的兼顾及融合理念。

1. 教育公平与教育效率趋于融合的理念

教育公平与教育效率兼顾是社会公平与效率相统一在教育领域的反映。纵观世界社会发展历史，接受公平而有质量的教育不仅是社会个体的需求，也是各国政府维护社会秩序、建设人力资源强国的政策取向。教育公平与教育效率融合的理念对于个人发展、社会进步、经济增长甚至国家繁荣有非常重要的价值。教育公平与教育效率融合是教育治理的出发点和落脚点，教育公平与教育效率融合的程度左右着教育发展的方向并最终决定着教育治理的成效。当前，教育公平与教育效率融合的理念已经成为世界各国教育治理的主流价值追求，也是我国基础教育治理的主要价值理念。我国在改革开放四十年历程中逐渐认识到，教育公平与教育效率并非相互矛盾、绝对对立，而是相互依存、相辅相成的；促进教育公平应以提高效率为保证，提升教育效率则要以教育公平为依归。教育实践中，我国基础教育坚持教育公平与教育效率融合的理念，在教育规模不断扩大的进程中，将推进教育公平与提高教育资源配置效率有机结合，有效促进了义务教育均衡发展和基础教育质量提升。展望未来，教育公平与教育效率融合的理念仍是我国推进基础教育改革、完善基础教育治理的价值追求和实践取向。

2. 工具理性与价值理性趋于融合的理念

现代教育具有工具理性和价值理性，是介于理想与现实之间的社会实践活动。工具理性是对教育社会价值的追求，把教育外在价值作为追求目标；价值理性是对教育促进个体发展价值的追求，把教育内在价值作为追求目标。工具理性为价值理性提供存在基础，价值理性为工具理性提供精神动力和发展方向。我国在改革开放四十年历程中逐渐认识到，离开工具理性的教育很可能会远离社会而缺乏生机和活力，而离开价值理性的教育也很容易会因失去精神和灵魂而难以发挥引领作用。任何工具理性与价值理性的失衡都会导致非理性，而价值理性和工具理性融合则是教育治理所追求的理想状态。于是，我国基础教育不断扭转工具理性凸显、价值理性式微的价值取向状态，协调教育对国家和个人的双重价值。由于教育需要精神支撑，新时代基础教育正在改变过于追求工具理性的状况，突出价值理性的重建，努力实现工具理性与价值理性的融合。

3. 全面发展与个性发展趋于融合的理念

人的全面发展是高质量教育的本质内涵，是教育发展和教育治理的重要目的。国务院2010年发布的《国家中长期教育改革和发展规划纲要（2010—2020年）》把促进人的全面发展、适应社会需要作为评价教育质量的根本标准。我国在改革开放40余年历程中逐渐认识到，接受高质量教育是每个儿童的权利，而影响教育质量的所有因素都应以学生全面发展为核心。由于学生的个性差异始终存在，教育需要尊重每个学生的个性差异，才能提升学生的生命质量，为社会培养全面发展的人。于是，近年来，我国基础教育克服长期应试教育中以考试分数来衡量教育质量的弊端，坚持全面发展与个性发展相统一，教育治理则从注重功利走向注重人本、从注重选拔走向注重成长，引导学校把培养具有丰富个性、全面自由发展的人放在核心位置，把学生的生命质量放在第一位，教育活动围绕提升学生的生命质量展开。教育治理正在摒弃功利性诉求，唤醒学生创造生命价值的意识、鼓励学生发现自己的生命价值、引导学生实现自己的生命价值。

然而，受计划经济体制和应试教育思想影响，中国中小学教育管理在长期教育实践中存在诸多理念和方式方法的误区。当前，中国基础教育管理体制仍以传统计划管理模式为主，主要依靠行政手段进行管控。学校校长对学校工作拥有最高的决策权与指挥权，体现不出师生的主体地位；教学评价主要依据学生的考试成绩，对学生分数及短暂社会效益的追求多于对学生主动性、兴趣及发展潜力的关注。中国推行的中小学素质教育未获得突破性进展。中小学教学主要仍是围绕传统的“三中心”（教师、教材、课堂）开展，教师教学手段比较单调；学生以死记硬背为主，被老师牵着鼻子走，个性发展无从谈起。教学实践中，学校和教师过于强调学生的接受式学习、机械式训练，未能规划学生及学校的长远发展。总之，当前中小学教育从管理者到教师还没有完全跳出传统管理的桎梏。树立民主治理的理念，充分发挥师生的主体地位，以共同有效的治理改善教育教学风貌成为教育界共同的期待。

（二）高等教育治理理念

中国高等教育治理在以人为本的理念下逐渐构建新模式。一方面，高等学校的管理者转变自身传统的教育理念与思维，逐步树立以人为本的教育教学观念，指导教师开展教育教学。另一方面，高校在治理过程中与思政教育工作有机结合，将教师引向正确的教育理念、教育思维，促使教师将之运用到教学活动中；以人为本地对师生员工进行激励与鼓舞，调动他们工作和学习的主动性与积极性，不断提高教育教学效率和质量。

在治理理念下，我国高校正在探索适合中国高等教育的理念与思想。我国高校借鉴发达国家先进经验，与中国实际情况相结合，形成了有中国特色的教育治理理念，在以人为本思想指导下，正在摸索有利于发挥师生主体地位作用的治理之路。

目前，我国高等教育正进行大刀阔斧改革，高等教育治理正在实行一系列简政放权举措。中央政府和国家教育部门通过宏观指导地方实行，建立健全了权力清单制度，这是我国目前高等教育治理的主要方式。在教育治理理念上，建立权力清单这一理念是我国新的创举。权力清单就是把政府和教育行政部门的具体执行权力进行细致的分类与归纳，分条目地把它整理出。这一清单是要向全社会发布的清单，严格参照了国家宪法和相关法规，全方位地列出了行政部门的权力有哪些，权力有多少，权力有多大，等等。权力清单限制和规范了国家机关的权力，这一方式有效地对国家机关的权力进行了治理，使国家机关权力变得更加透明。这有效监督和制约了国家机关的权力，避免了越权和缺位现象发生，使我们的政府政务更加公开和透明。我们国家通过什么方式去落实这一制度呢？2013年8月国务院颁布《关于地方政府职能转变和机构改革的意见》，提出各级政府部门要对自己的行政职权进行详细梳理，使得每项权力都有了清晰的责任主体和运作流程，并依照梳理结果向社会公布其权力清单。2014年3月，经过9个月的权力梳理后，国务院60多个部门共同向社会公布其权力清单，清单一共涉及行政权力1235项。值得注意的是，作为教育领域最高管理机构的中华人民共和国教育部也向全社会发布了权力清单。从权力清单发布的第一天开始，负责教育治理的有关单位就按照权力清单的要求进行治理，不再使权力超越其范围之外，也不再用其他方式对之前被取消的或者已经是下一级的权力进行非法侵占。国家机关与相关部门依照权力清单接受社会监督，对违反权力清单的相关单位和人员追究其责任。

因此，在高等教育中，我们将不断地在新一轮体制机制改革中进行创新与发展，以更加符合经济发展新业态与新形势。教育行政部门要想真正地发挥职能作用，则必须最大限度地把自主权让与学校或教育机构。教育行政部门近年来从什么都管的管理者转为对教育事业进行整体布局的宏观调控者。当前社会上的用人单位更加重视学生综合素质，对学业成绩的看重度有所下降。这一变化使得大学在培养学生时更加注重学生的创新和创造能力、实践与操作能力及综合思维运用的能力，重视学生的品德与品行。教育全球化时代背景下，我国大学逐渐树立全球化的教育理念，不断地提高国际化教学水平，创造国际化教学环境，进一步提高我国大学教育及其治理的国际化水平。

由于中国基础教育阶段处在应试教育文化氛围中，学校和教育教学部门长期被应试教育思维所束缚，这种影响一时很难彻底消除。大学教育教学跟中小学不一样，大学专业涉及的知识内容博大而复杂，若依然采用基础教育中的教育教学方式很难完成理想目标，实现创新愿景。高等教育要想卓有成效地提升教育教学效果，必须转变以管控为主的传统管理理念，树立师生协作参与的治理理念，引导大学师生为建设高等教育强国共同努力。

二、教育治理制度

教育治理制度既是教育治理的重要依据，也是教育治理的主要内容，是教育治理不可或缺的组成部分。分析中国教育治理制度不仅有助于我们认识中国教育治理的规则状况，而且能够帮助我们认清中国教育治理的科学程度和发展潜力。

（一）基础教育治理制度

21世纪的中国社会是一个信息技术高速发展的社会，是一个人才激烈竞争的社会，更是一个参与全球共同治理的社会，这是历史车轮滚滚向前的趋势。近年来，随着我国经济不断地高质量发展，教育已经逐步走向了社会舞台的中央，作为国民教育基础的中小学教育更是如此。中小学教育承担着基础而重大的历史责任，社会对其为未来中国培养创新型人才提出了更高要求。这将迫使中小学教育不断进行改革，基础教育的治理工作无疑任重道远。1985年我国颁布的《中共中央关于教育体制改革的决定》指出，学校逐步实行校长负责制，建立和健全教职工代表大会制度，加强民主管理和民主监督，有条件的学校须设立校务委员会。学校全体教职工和学生在党组织的带领下，鼎力支持校长履行职权，保证和监督党的各项方针政策和国家教育计划的实现。

1. 校长负责制

中华人民共和国成立初期，基础教育治理很不完善，没有监督机构监督学校管理运行，也没有实行民主的教职工参与治理制度。20世纪60年代，我国学校的校长负责制不太重视教师参与，不注重民主性。近20年来，中小学学校在“校长负责制”的基础上，推行了党委领导、教职工参与的民主管理制度。实践证明，实行党委领导下民主管理的校长负责制是中小学教育的最佳选择。它初步明确了学校内部管理的权力制衡关系，既保证了校长充分有效地行使办学管理权，又确定了教职工参与民主管理的权利和党组织的监督权，保证了学校工作高效运转。

中国的校长负责制可以用简洁的四句话概括，即：第一是上级机关领导，第二是教职工民主治理，第三是校长全面负责，第四是党支部监督保证。萧宗六先生大力支持拥护校长负责制。他曾经对这几句话做出精辟的解释，认为上级机关领导是指学校上级教育行政部门的领导管理；教职工民主治理是指教师发挥积极性和主动性，参与学校民主治理；校长全面负责即校长是学校的法人代表，在学校对下属施行总的领导，拥有较高权力，如保证处理好工作的指挥权、人事任免权、重大事务决策拍板权和财政权等；党支部监督保证指的是学校党组织监督学校管理运行；教工民主管理的基本组织形式是教职工代表大会。这个解释后来得到了广泛的支持和引用。1988年12月，萧宗六先生又对校长负责制作了进一步的说明：校长负责制是学校内部的一种领导体制；实行校长负责制的学校，校长是学校的最高负责人，是学校的法定代表人，处于学校的中心地位，对外代表学校，对内全面领导并负责学校的教育、教学和行政管理工作。[①]他同时指出："实行校长负责制的学校，党支部和教代会在学校中的地位和作用也必须明确。党支部不再是决策机构，教代会不是权力机构。校长、党支部、教代会三者之间不是'三驾马车'并驾齐驱，不分主次，而是以校长为中心。"[②]当前中国基础教育的校长负责制就是参照这个理论进行的，其中最显著的特征是校长拥有很大的绝对权力。基础教育的校长负责制目前存在一些问题，如校长责任划分不清、职责规定不明、监督校长权力缺位等，这触发了人们对校长负责制的质疑。

2. 中小学教职工代表大会制度

我国是人民民主专政的社会主义国家，宪法与法律集中体现了人民的意志。《中华人民共和国宪法》总纲第二条规定，中华人民共和国的一切权力属于人民；人民依照法律规定，通过各种途径和形式，管理国家事务，管理经济和文化事业，管理社会事务。《中华人民共和国教育法》和《中华人民共和国工会法》都对中小学教职工代表大会制度给予了非常明确的规定。另外，《中华人民共和国教师法》明确规定教师享有对学校教管工作和学校行政工作提出意见和建议的权利，并且可以通过中小学教职工代表大会或其他渠道来参与学校的民主建设工作。因此，这一制度有明确的法律依据。

我国中小学教职工代表大会最早在上海、北京等国内一线特大城市试点实施，上海市教育工会于1998年组织编写的《学校教代会基础知识问答》是中国国内最早一本系统阐述教职工代表大会功能、专门说明大会召开方法的手册。此后，中小学教职工代表大会如雨后春笋般地在全国建立起来。从1979年上海市试点实行教职工代表大会制度以来，全国的教职工代表大会不断发展壮大，教职工代表大会的工作也不断地向着专业化和制度化发展，取得了一系列成绩。据上海科教工会组织的中国教育工会上海市第八次代表大会新闻报道信息，截至2009年，上海市已在基础教育阶段基本确立和完善了工会组织，作为校长负责制关键环节的中小学教职工代表大会制度也在市内所有

① 常凤亮，李厚祐. 我国中小学管理制度的现状和弊端［J］. 教学研究，2007（1）.
② 萧宗六. 校长负责制的提出及内涵［J］. 中小学管理，2000（11）.

基础教育学校建立起来。自此，中小学教职工代表大会作为基础教育的民主制度在全国得到充分贯彻和执行。

现阶段教职工代表大会制度仍然存在很多棘手问题亟须处理，其中最显著的就是教职工代表大会在学校内部特别是中小学内部很大程度上流于形式，并未把当初制度创建的目标结果呈现出来，其作用微乎其微。在某些地区，中小学教职工代表大会只是形式，成为应付上级领导检查的幌子；有些学校虽开展此项会议但实际并未发挥其法定的职能；有些方案和制度根本未曾获得教职工代表大会同意，就直接向全校公布。

（二）高等教育治理制度

近年来，我国高校治理与高教体制改革取得了明显成效，但高教制度建设依然存在许多不足，大学和政府的权力配置、大学适应社会主义市场经济发展的法制法规，大学内部的治理方式与管理制度等还不完善。在大学独立自主方面，1993年出台的《中国教育改革和发展纲要》明确地指出，大学管理改革要构建国家宏观调控、大学自主办学的形式，高校要按照法律法规要求落实和扩大办学自主权。然而现实中大学很难有较多自主权利，究其原因，一方面我国政府虽然意识到放权的重要性，将决策权力更多地下放，但受传统体制机制影响，大学自主决策做事仍然较少；另一方面独立自主意味着大学相应地要承担更多责任，而我国大学一直受上级部门财政供给，对上级依赖较强，丧失了许多独立能力。

我国教育现代化首先是教育治理现代化，实现教育治理现代化必须依法治理。1993年《中国教育改革和发展纲要》明确指出，我国要加快教育法治建设，完善法律法规实施监督，运用法规治理学校。当前，中国很多关于大学治理方面的法律条文已经不适应社会经济发展。现行高教法律强调行政管理部门权限较多，明确划分责任较少，师生权利保障方面更少。马丁·特罗指出，高等教育进入到大众化阶段以后，高等教育理念、教学内容与方式、学术标准、办学模式、招生和教师招聘的政策与方法等都要进行根本的变化。随着社会主义市场经济不断发展，大学也应调整内部运行机制，逐步健全教育法律、法规体系。

从内部管理体制上看，高校因人设岗与人浮于事的现象较为普遍，岗位聘任大多缺乏竞争激励机制。高校行政化管理使得学校把大量资源用在行政化指标上，杠杆就是各项指标数据。这逼迫教师忙于跑关系、拉项目，疲于达到形式化指标。高等教育治理中，高校各职能部门忙于认真参透上级文件精神，努力按照上级要求按时完成任务。高校治理缺乏创新精神，只强调口号而不愿去实施，长此以往很难激发广大教师积极主动地参与学校治理，创造性地教书育人、科学研究和服务社会。

第二节　教育治理策略及成效

好政策需有配套的实施机制方能完美落地，真正达到预期的效果。研究教育治理的策略和成效，对推动教育治理的当代实践具有十分重要的价值。

一、教育治理策略

教育治理策略是教育治理的手段，反映着教育治理的实施内容，体现着教育治理的现实状况。当前中国教育治理策略是中国教育治理理念和中国教育治理制度的实践表现，代表着中国教育治理的水平，隐含着中国教育治理的动态。

（一）基础教育治理策略

近年来，中国中央政府和地方政府及各级教育行政组织部门采取了一系列行之有效的举措，出台了一系列的教育方针政策，颁布了一系列关于中小学校基础教育治理的法律和制度，其目的是维护学生与教职工的切身权益，为学生与广大教职员工构建一个和谐稳定的学习、生活与工作的环境，促进学生全面发展。

1. 不断提升学校自主管理的权力

（1）从重视有形资产管理转为重视无形资产管理

基础教育的管理者和教育者逐步提升对校园无形资产的认识，办学逐渐从“姓钱”转向“姓教”。基础教育的管理者和教育者实行一系列举措开发学校无形资产，如开设特色课程、培育名师、搞好公关、树立学校良好社会声誉等；不断增强依法办学理念，对属于学校专利权之类的教改成果、科研成果等依法加以保护。

（2）从强调分工管理转向注重团队合作

传统教育学认为，教职工具有很强的个体性，协作意识对于一所中小学校的治理工作影响巨大，意义十分突出。在新时代背景之下，基础教育的管理者和教育者逐步加强工作队伍建设，重视团体合作精神，向管理要质量，向管理要效益。学校注重校本培训，为教师提供开眼界、长见识的机会和条件，培养团队精神；学校管理部门把管理人员的培训摆在重要议事日程，制订计划，落地落实，在培训中增长合作技能。

（3）从强调感情管理转向注重依法管理

如果要使治理有活力、有效果、有效率，更加公平公正，那么教育治理必须规范化，这有赖于教育教学管理制度。抓住人性、以情动人是教育治理的关键，是人们与外界事物、内在品质相结合的意志理念，是人际和谐交往、和谐相处的催化剂，但是教育治理更应该尊重法律，依据法律制定一系列的管理制度，这是构建教育治理新方式的重要基础和保障。当前，中小学基础教育不断加强领导，进行相关周密部署，完善相应有用的管理制度和机制，使基础教育治理工作迈入科学规范的轨道。学校通过建立健全一系列制度，建设学习型组织，请进来、走出去，认真学习我国一线发达城市基础教育的先进管理理念，促使学校体制由集权走向分权，教育结构由封闭转向开放，师生关系由权威转向平等，教育方式由灌输转向启发，教育评价由重结果转向重过程，教育管理由管理控制转向民主参与。

2. 不断优化教师队伍以提高治理水平

教师是学校治理的重要主体，只有教师不断追求卓越，才能不断地提升学校的治理水平。很多中小学校为教师培训与进修创造优越条件，学校或定期开展优秀教师技能大赛，或定期进行骨干教师培训，或每学年进行教育强手评选等。所有这些相关活动都表明，目前中小学校鼓励和支持老师们争当先进。有些地区还经常开展科研讲座与理论学习，对教师的专业发展与个人成长进行科学分析，对教师职业生涯规划进行合理引导。有了追求卓越的强烈愿望和美好愿景，教师就会把终身学习当成一种生存理念，自觉充实知识，提高技能；就会直面挫折，藐视困难；就会把反思作为成长起点，不断反省自己的教学行为，在实践中检验和发展教育理论，享受教学研究的成功和乐趣，在创造中体验教师的职业尊严。当前，中小学校在提高教师综合素质的同时，不断加强团队建设和协作精神培育，促使教师成为学校治理的中流砥柱，充分发挥联结管理者与学生的桥梁作用，保障学校健康、持续、快速发展。

（二）高等教育治理策略

当前，我国高等教育治理策略主要依赖三条路径，围绕三个层次展开。一是政府主导下的治理模式；二是高校统筹下的治理结构；三是多元主体参与下的评估机制。各利益相关方积极参与，共同构成了“管办评”相分离的高等教育治理策略。

1. 政府转变高等教育管理模式

“治理”在于利益相关方的合作共治，在于治理主体们在平等协商原则指引下，达成大家认可的公共目标，形成具有信度的行动方案。政府在教育治理中更多的是服务，是“掌舵”。对于高等教育的管理，当前政府主要致力于三个方面实现“转变”：一是在理念上从“以管理为中心”转变为“以服务为中心”；二是工作方式上实现单纯行政性管理向运用法规、政策、信息服务、财政等综合手段来支持、鼓励和引导高校发展；三是调整行政控制的空间，政府根据实际状况简政放权给高校，以有效激发高校活力。

2. 高校健全内部教育治理结构

提升高校治理能力是建设中国特色高等教育治理体系的重要内容，要求政府权力下放，但高校因此而经常出现一些问题，这与高校不会合理用权有关，与高校不健全的权力监督体制有关。目前，政府放权的同时，要求高校完善相关监督机制，接受公众、社会监督，以制止某些个人、机构在权力幌子下为所欲为。完善高校内部治理结构，是提高内部治理能力的重要内容。当前高校从实际出发，基本创建了一套量身定制、适合社会需要并具有本校特色的内部治理结构。当然，高校内部治理能力的提升需要完善组织结构，进行制度化建设，仍然任重而道远。

3. 高校治理贯彻“五位一体”评估机制

高等教育评价过程是一个多样化的过程，表现为多元主体参与其中。在高校评估中，高等教育的各利益相关方都有话语表达权和参与评价权。我国高校在治理进程中，逐渐探索出了“五位一体”的评估机制。“五位一体”，包括高校自我评估、常态监测、分类评估、专业认证评估和国际评估。“五位一体”是多元主体通过多样形式参与评估的过程，具有鲜明的中国色彩，正在与国际先进水平接轨。

二、教育治理成效

教育治理是对传统教育管理方式的超越，是教育管理的高级形态。教育治理发生和表现在不同的教育层面与学校内部层面，突出特征是多主体参与、合作管理、共同治理。在学校内部管理层面，从政校关系看，学校治理旨在走向“自治”；从学校与师生关系看，学校治理旨在管理者与师生等多主体“共治”。①教育治理的成效可以从多个方面分析，这里主要从基础教育和高等教育两个层面分析教育治理的成效。

（一）基础教育治理成效

基础教育是我国教育治理的主要教育层面，也是社会关注度最高的领域。近年来，我国基础教育治理以人为本，教育公平与教育质量方面及教育体制改革方面取得了显著成效。

1. 以人为本达成普遍共识

目前，我国基础教育的价值取向从单一的“社会本位”转向“以人为本”和“人的全面发展”。②中小学校教师从学生发展的角度出发，不仅从学生的问题中去觉察学生成长的需求，而且超出问题的视野去预设、策划能促进学生发展的实践活动，构建促使学生潜能充分施展的校园文化生态系统，促进学生积极主动发展。③基础教育阶段的学校大多关注教师专业发展，通过广大教师提高教学质量更好地促进学生发展；致力解决“课业负

① 褚宏启. 自治与共治：教育治理背景下的中小学管理改革［J］. 中小学管理，2014（11）.

② 陈延军. 我国基础教育价值取向的转向、反思与重构［J］. 现代教育管理，2014（7）.

③ 纪雪聪，邵光华. 我国基础教育研究热点透视与展望——基于人大复印报刊资料《中小学教育》所载论文的内容分析［J］. 教育理论与实践，2014（1）.

担”“国学素质”“道德问题”“心理健康问题”“流动人口子女教育问题”等，促进学生高素质、可持续发展。

2. 教育公平取得明显进步

作为社会大系统中的子系统，教育在经济社会发展中起着基础性与决定性作用。实现社会公平，最关键的是实现教育公平。教育公平是社会公平的起点与关键，没有教育机会均等，就谈不上社会公平与社会和谐。过去，由于城乡之间、地区之间发展不平衡问题突出，教育不公平现象比较严重，因教育资源配置不合理导致教育不公平时有发生。在农村，教育问题集中于义务教育阶段，“普九”宣布达标后，适龄儿童的失学、辍学大量减少。近年来，面对城乡之间、地区之间在教育领域形成的巨大差距，国家采取了一系列政策支持落后地区和农村教育发展，推出并实行了各种积极的财政举措，明显地缩小了教育差距。目前我国虽然还存在困扰教育公平的若干问题，如省内县际以及省际的基础教育均衡发展问题、发达城市学校实现基本均衡以后仍然存在着择校问题、教育均衡理念下如何让学有余力的学生得到应有发展的问题等，但这毕竟是个别的、小众的问题，总的来说我国教育公平取得了显著进步。

3. 教育质量不断提高

我国基础教育质量的提高主要表现在六个方面：教育评价进一步科学有效，学校自主权逐渐扩大，问责制逐步推广实行，教师发展备受管理层关注，儿童早期智力得到开发，校园文化建设日益加强。[①]21世纪，信息技术为实施素质教育和培养创新人才提供了重要的支持，学生信息素养成为学生综合素质评价的核心要素。基于此，我国中小学校在加强信息化硬件设备的建设方面、教师和学生信息技术能力培养方面、信息技术在教育教学中的应用方面以及基础教育信息化带动教育现代化进而提高基础教育质量飞跃方面做出了巨大努力，取得了明显进步和成就。目前，旨在提高基础教育质量的我国素质教育政策已形成较完整的体系并开始全面实施，不断加强教育改革

① 哈里·安东尼·帕特里诺斯，魏爱德，王燕. 以质量为目标的教育改革和规划框架[J]. 北京大学教育评论，2013（3）.

理论对教育改革实践的指导，提高了教育政策实施的有效性。[1]

4. 教育体制改革不断完善

当前，中国基础教育管理体制为中央统筹，中央至地方分级管理，这基本符合我国的国情和社会发展现状。尽管如此，近年来在教育治理理念下，我国基础教育通过教育体制改革，逐步地将权力进行下放，让地方教育行政部门从当地实际情况出发制定出适合当地的方针政策，促使各地教育质量和办学效率稳步提升。在基础教育治理体制改革中，我国政府紧紧抓住科学合理划分各教育行政组织机构的职责权限这一核心环节，坚持和完善体制的社会化和地方化，努力促进新体制可持续发展。[2]在加强内部管理体制建设方面，我国中小学校坚持内外结合的原则，为教师教学创造优良条件和环境，促进教育质量不断提升。

（二）高等教育治理成效

人类社会历史和文化教育的基因与传统被教育所承载，教育现代化的重要目标、过程与成果就是思想观念、体系制度、组织形态、教学内容和技术方法上的发展与进步。在当前中国社会，作为教育现代化的重要组成部分，高等教育治理现代化已明确进入国家现代化议程，成为支撑、推动和引领国家现代化发展的重要基础和引擎。[3]

1. 创新能力不断提升，管理水平显著增强[4]

国家基础研究的突破靠创新，重大颠覆性技术的出现同样靠创新，创新对于服务国家和区域经济发展、提升社会文明具有举足轻重的地位。高校科技创新必须面向国家战略需求，这是中国教育及其治理现代化的必然要求。中国教育主管部门和高校正在努力以治理促进师生面向国际科技前沿提高科技成果质量，面向国民经济主战场提高科技服务能力，在创新驱动转型发展战略中做出重大贡献。

---

① 马宇. 我国素质教育政策的回顾与反思［J］. 教学与管理，2011（10）.

② 张彩娟，赵敏. 我国民办中小学发展的现状与可持续发展——基于《国家中长期教育改革与发展规划纲要（2010—2020年）》的思考［J］. 学周刊，2011（12）.

③④ 中国高等教育学会专题研究组. 走向2030：中国高等教育现代化建设之路［J］. 中国高教研究，2017（5）.

（1）鼓励自由探索，提升高校科学研究的原始创新能力

近年来，中国不断加大对高校基础研究的投入和比重，支持引导大学面向国际学术前沿领域开展研究，基础研究和应用基础研究的原始创新能力不断地增强，科研成果的学术水平和国际影响力不断提升。中国高校充分调动师生的主体性和主动性，以经济社会发展中的重大理论和现实问题为抓手，研究团队建设得到加强；文理交叉集成不断发展，哲学社会科学研究创新平台广泛建立；具有世界水平、享有国际声誉的学术高地和具有前瞻性、现实指导意义及重要参考价值的咨询智库不断建立起来。

（2）强化优势集成，提升高校对国家战略的科研支撑能力

近年来，高校通过治理调动师生面向未来开展研究，关注国家重大战略和人类发展问题，以学科交叉融合为基础的知识、技术集成与创新持续加快，高校科技对接国家重大战略需求的集团攻关能力得到加强。高校更加主动与自觉地服务区域经济建设和社会发展，鼓励师生与企业、科研院所等通过多种形式开展产学研用协同研发，大学服务方式得到转变，教育、科技、经济、文化互动，实现了人才培养质量和科学研究能力同步提升。

（3）促进成果转化，提升高校对创新驱动的科研服务能力

近年来，我国高校以多元治理思路促进师生构建成果转化与辐射的多元方式，逐步形成了政产学研用融合发展的技术转移模式，促使其在区域创新中发挥骨干作用，区域产业结构得到调整，新兴产业快速发展。高校持续推进政产学研用融合的技术转移模式，为国家及地方产业结构进一步调整、行业技术不断进步提供了动力支持。高校建立健全科技成果转化的奖励、激励政策，明确发明创造权利归属，打通科技成果绩效奖励、收益分成、投资入股和增值权激励等通道，大大提高了师生科技创新的积极性，有效提升了大学的创新能力。

2. 高校人事管理制度不断创新，教师专业化水平大幅提升①

高校教师是高等教育现代化建设的核心力量，其现代化水平直接影响高

---

① 中国高等教育学会专题研究组. 走向2030：中国高等教育现代化建设之路［J］. 中国高教研究，2017（5）.

等教育现代化的实现程度。推进以人为本的现代高等教育，高校必须通过治理全面提升教师的专业素养及育人能力。

（1）采取有效措施，大力提升高校教师队伍的整体水平

近年来，我国高校在发现、引进、培养和使用优秀人才方面做了大量工作，汇聚了一批具有国际先进水平的优秀教师，造就了一批学术领军人物，培养了一批中青年学术带头人，建设了一批勇于创新、追求卓越的教学科研团队，在整合优化各种人才项目、完善遴选标准与程序、资助具有学术能力与潜质的人才方面取得成效。目前，高校教师队伍的整体素质和创新能力显著提升，既有世界一流水平的科学家、学术大师、学科领军人才和教育家，也有活跃在国际学术前沿、具有学术创新能力和发展潜力的中青年学术带头人和学术骨干，还有能够承担国家重大科研任务、具有较强国际竞争力的创新团队和学术群体。高校新进教师基本具有博士学位，高水平大学新进教师基本具有海外留学或工作经历，教师队伍的国际化水平明显提高，外籍教师比例大幅度提升。技术型大学和高等职业院校建立了一支具有较高教育教学水平和专业技能的教师队伍，来自业界的实践型、技能型教师数量大大增加。

（2）强化系统培养，全面提升教师队伍专业素质及能力

近年来，我国高等教育将教师发展纳入学校发展总体规划，努力造就一支师德高尚、业务精湛、充满活力的高素质专业化教师队伍，建立“专业化、制度化、常态化”的教师发展体系。加强教师社会实践，引导教师认识国情、社情和世情，结合专业参与实际工作，积累工作和工程技术等实践经验方面不断得到加强；政府和社会各界认识、理解和遵从教育规律，营造了有利于促进教师发展、有利于人尽其才和优秀人才脱颖而出的良好社会环境；加强高校“教学促进中心”“教师发展中心”建设，努力促进教师专业发展、提升学生学习品质、形成优良教学文化。教师发展机制逐步得到完善；教师培训模式多样化；教师培训、教学咨询、质量评价等工作常态化、制度化。通过研修培训、学术交流、教育教学研究、奖励激励等方式，切实提高了教师专业水平和教学能力，造就了一批教学名师和学科领军人才。

（3）强化制度建设，切实提高高校教师待遇及职业荣誉

为切实提高教师地位待遇，当前高校人事管理和薪酬分配方式不断创

新。近年来，高校逐步建立了开放、多元的教师选聘机制，探索出了国际通行的“准聘—长聘”制度，建立了教师联聘机制，使教职工终身学习和全面发展的需要得到满足，教师业务进修的制度不断完善，教师的培养培训经常性地开展，维护和保障了教师切身利益，充分调动了广大教师的积极性，建立了合理有序的教师流动机制，制止了无序流动和恶性竞争。与教师准入制度和聘任制度相结合，高校建立了教职员工分类管理与分类评价制度，按照专业化、职业化标准，深化职员聘用、考核、评价、激励机制改革，不断提高职员队伍建设水平。高校改变与政府行政级别对应的干部管理模式，弱化职员职级与行政级别的一一对应关系，探索建立符合高校特点的专业化职员队伍。院校层面按照教学科研岗、教学岗和科研岗等岗位设置，制定不同的评价标准，实行不同的评价模式，重视质量评价和发展性评价，完善教职人员综合考核评价机制，强化岗位服务质量和工作水平在考核评价中的应用。同时，合理配置学校部门和院系的职员队伍，逐步扩大了学院职员队伍比重；完善了收入分配制度，统筹规划薪酬体系，探索规范化的收入分配模式和待遇合理增长机制，从而建立科学而富有竞争力的薪资收入标准和福利体系。

3. 以学生为中心，健全促进学生学习与发展的教学制度

建设中国特色的社会主义现代化强国，核心任务是全面提高人口素质。教育现代化最终目的实现人的现代化，也是实现人的全面发展。高等教育现代化的使命就是努力促进大学生全面发展。高校要通过民主治理、价值塑造、文化熏陶、知识传授和能力培养，让大学生真正成为聚技能与创新于一身的高素质人才。[①]

（1）推进观念更新，树立以学习者为中心的现代教育观

现代教育观是现代社会反映现代人发展需要的教育观念和理想。近年来，我国高等教育领域确立了范围涵盖全体、内容指向全面的全人教育理念，注重个体差异，满足个性发展需求。在现代教育观念指导下，高校将大

① 中国高等教育学会专题研究组. 走向2030：中国高等教育现代化建设之路［J］. 中国高教研究，2017（5）.

学生视为独立自主的学习者，以学生为中心开展教育教学。实现高等教育现代化，我国必须在高等教育中继续践行和创新这一现代教育教学观念，促使中国教育模式形成中国文化特色，满足中国社会发展的需要。

（2）创新教育方法，促进学生终身学习与可持续发展

从中外教育改革的历史看，方式方法的改变与思想理念形影相随，我国的高等教育改革也不例外。近年来，在以人为本的现代教育观指导下，我国高等教育借助现代信息技术和远程教育设施，大力推进基于信息手段条件的个性化、多样化学习方式及方法，使学生基本能够在任何地方和时间点都可以按照自己的学习计划进行学习，促进大学生个体和学生整体学习效果不断提升。

（3）优化教育环境，推动学生积极自主地合作学习

我国高等教育走向大众化过程中，国家、社会及个人投入巨大物质资源保证大学正常运转，大学文化实力明显增强，和谐校园文化环境初步形成。高校大力构建和谐、文明、轻松的人文环境和学生成长空间，校园精神文化等软实力建设富有成效，风清气正校园氛围促进大学生自主学习、合作学习、创新学习，大学生的学习行为表现得到学校教育管理者鼓励和引导。高校管理者及教师以身作则，发挥自我示范和榜样作用，在鼓励和引导大学生积极自主地合作学习中培育其荣誉感和责任心，潜移默化地熏陶其性格，提升其思想境界。

第三节　教育治理存在的问题及其原因

我国教育治理虽然取得了令人瞩目的成绩，但也仍然存在诸多问题。客观分析现存问题，揭示现存问题背后的深层次原因，有助于我国教育治理更加科学的发展。

一、教育治理存在的问题

教育治理对于深化教育管理体制改革的意义重大，对于促进优质教育供给的

价值更是显而易见。但我国学校办学自主权不充分、教育法制不完善、社会力量参与较小、治理结构孱弱、制度设计残缺、传统观念固化，这些都对教育治理体系现代化的实现形成阻碍，并引发诸多矛盾或问题。①

（一）政府超强控制与学校办学自主权不足

当前，中国的教育体制属于中央集权管理下的中央与地方共同治理模式。教育行政部门在中国基础教育与高等教育的教育教学日常活动中管控严密，集“管办评”权力于一身，同时拥有决策、监督与执行的权力，相当于既是“办学运动会”的管理者，又是“办学运动会”参赛选手，还是“办学运动会”的裁判员。政府部门集教育改革的设计者、指导者、管理者、监督者、调控者及评价者等多种角色于一身，学校难以真正成为教育改革的主体，不受限制的权力使得政府部门对学校超强控制。②这一现象导致学校自主办学权被严重削弱，严重制约着中国教育治理的发展。③

从1985年至今，党中央、国务院先后召开多次全国教育工作会议，一直试图突破教育的计划经济色彩，还原教育的本来面目，但教育系统管得过死、学校活力不足、社会参与程度不高，创新型人才培养机制基本没有形成。2010年教育主管部门提出促进“管办评”分离，迄今仍然没有取得实质性进展。市场的主体是企业，教育的主体是学校，办学是学校的事情，但长期以来，学校或学院需要的教师由人事部门招聘，教师工资由财政部门发放，教师职称评聘也由主管部门来管，学校或学院成了局外人。更有甚者，一些地区连学校的学习进度也要按照主管部门统一要求来进行。大一统的管理体制让校长和教师不便施展抱负，学校千校一面，学生没有选择余地，个性化培养流于形式，这是长期以来各级教育备受指责的根本症结所在。④

（二）政府机构利益部门化与教育治理取向偏颇

由于利益部门化严重，政府机构臃肿问题长期得不到解决，甚至愈演愈

① 张建. 教育治理体系的现代化：标准、困境及路径［J］. 教育发展研究，2014（9）.

② 吴康宁. 政府部门超强控制：制约教育改革深入推进的一个要害性问题［J］. 南京师范大学学报（社会科学版），2012（5）.

③④ 俞水，易鑫. 如何推进教育治理体系和治理能力现代化［N］. 中国教育报，2013-12-05.

烈。学校受到的行政干预过多，各种检查如洪水般涌至学校，学校一项重要的工作便是迎检，自主发展空间少之又少。校长的权限不大，在诸多限制中发挥课程领导力需要夹缝中生存的能力，行政干预过多消磨了校长改革的魄力。①政府主导的自上而下改革，因各级机关利益部门化而面临重重阻力，甚至出现在一些利益攸关的方面进一步收拢权力的趋势，致使国家“顶层设计”难以被有效贯彻实施。近年来，政策强调扩大学校办学自主权，但事实上学校办学的自主空间越来越小，涉及办学自主权的如人、财、物等关键权力，被日益集中到政府手中。随着财务审计制度加强，尽管近年来教育经费日益增多，但学校对经费的自主控制权日渐减少，需要经过一级级政府审批。即便是一些涉及教育教学的专业事务，学校所受到的各种限制与制约并未真正减少，行政权力对学校事务的干预有增无减，学校仍是各相关权力部门争相延伸其现实影响力的一个场所。很多情况下，只有借助一些强有力学校领导者的个人影响力，一些政策才得到有效推进，但这不能从根本上解决问题。

（三）政府全能运作与社会力量参与缺乏

中国既往的治理体制架构凸显了全能型政府的运作逻辑，政府几乎包揽一切社会事务，社会力量的作用空间受到限制，或者被纳入到政府的运行架构之中，或者处于一种边缘化的状态。随着市场经济发育与完善，社会结构发生了深刻变化，经济体制改革释放出越来越大的社会自主空间，社会力量成为政府、市场之外能发挥重要影响力的“第三种力量”。在此情况下，“大政府、小社会”的全能型政府体制架构很难适应时代的要求，主要依靠政府力量在社会公共事业发展方面面临的问题日益显露。在全球化进程日渐加快的今天，“小政府、大社会”已经成为世界多数国家政治改革的主流趋势。

在中国，国家既是社会转型的主导者，也是社会转型期国家、市场与社会关系强有力的塑造者。中国社会能转型成什么样，自始至终首先取决于国家的表现，这与西方国家在实现现代化的转型过程中市场为主导力量不

① 王有升. 中国教育治理体制的历史演变、现实问题与改革动力探析［J］. 华中师范大学学报（人文社会科学版），2016（6）.

同。[①]作为学校教育最为密切的利益相关者，家长群体是影响教育改革和发展的潜在重要社会力量。在现有体制架构之下，我国家长对学校教育的参与往往受到很大制约，为子女择校受到严格限制，家长参与学校治理尚缺乏有效的制度支撑。当前，我国相对独立的教育专业服务机构及行业协会尚待充分发育与转型，绝大多数教育专业服务机构附属或依附于政府教育行政机构，真正作为第三方的教育专业服务机构的生存与发展尚受到重重制约。作为教育行业协会的教师工会只是行政附属组织，难以发挥独立专业协会的作用。[②]

二、教育治理问题形成的原因

作为新型的教育管理模式，教育治理虽然得到了众多认可，但很多方面都有待进一步发展和完善，亟须透视现实问题背后的深刻原因，破除种种限制，寻求改革参照。[③]

（一）治理理念滞后

意识是行动的前提和基础，只有当我们确立科学合理的现代化治理理念后，才能够在理念指导下开展行动。受传统政治体制影响，集中制、官本位制使得我国注重层级分明的管理模式，政府拥有较大的权力、权威，管理着社会中的方方面面，教育也属被管理之列。教育部、教育局对学校的发展方向、人才培养质量、课程标准、教学大纲、办学质量等都有明确规定且实施监督。但治理作为一种民主的“管理方式”，不能靠管制来实现，而是让更多主体乃至民众参与教育决策、教育发展。现实中，很多人尚未确立这样的理念，甚至很多人并不理解何为治理，这样的思维方式直接限制了教育治理现代化的发展。

---

① 何珊云．社会转型与民间教育公益团体的兴起［J］．北京大学教育评论，2012（4）．

② 王有升．中国教育治理体制的历史演变、现实问题与改革动力探析［J］．华中师范大学学报（人文社会科学版），2016（6）．

③ 侯天宝，杨军．基础教育治理现代化的逻辑、困境及路径［J］．教学与管理，2018（10）．

（二）制度不够健全

制度是指一系列相对稳固的行为规范或者行动准则，而教育治理现代化的制度是在多个治理主体的相互协商之下形成的一系列共识，并将这些共识以相对规范形式固定下来的集体行动准则。我国教育治理现代化问题很多都体现在制度方面，可以简要归纳为两方面。第一，在学校内部治理制度方面，学校行政权力较大，校长身兼数职，在日常管理决策、学校教育教学等很多方面都有决定权。制度缺失使得校长的较大权威甚至是绝对权威影响了学校治理现代化的进程，校长一言堂使得学校的教工会、学生会、家委会形同虚设，很难真正有效参与学校治理。第二，在学校外部治理制度方面，地方教育局、教育行政部门对学校尤其是中小学管控十分严重，学校很多方面缺乏自主决定权力，教育行政机关对学校的日常监管、工作验收等并没有很好地倾听学校的诉求，一定程度上影响了学校日常工作的开展。

（三）治理主体失衡

治理主体多元化是教育治理现代化的重要方面和核心要义[①]，但目前我国多元治理主体之间力量严重不平衡，政府享有绝对权威，家长享有的参与治理的权利和机会则很少。首先，政府力量过大，对学校诸多事物都有决定权、干预权，很多时候将一系列决策以任务方式下派给学校，学校除了执行、汇报、接受考核之外别无他法。[②]比如学校教师招聘，很多都是由教育局统一招聘，再分配下去，其实很多教师并不是学校想要的，与学校所需并不匹配。其次，学校长期依附政府部门，人财物依靠政府部门配给，很难脱离政府自主决策。这种依附心理和现实，导致学校在治理中缺位。[③]再次，各社会主体鱼龙混杂、良莠不齐，谁来参与、如何参与等问题自己没有厘清，基本上较少参与或不参与学校治理。总而言之，现有的学校治理主体

---

① 刘雅静. 全民共建共享社会治理格局：概念厘清、内生动力与实践进路［J］. 理论月刊，2016（11）.

② 褚宏启. 政府与学校的关系重构［J］. 教育科学研究，2005（1）.

③ 褚宏启，贾继娥. 教育治理中的多元主体及其作用互补［J］. 教育发展研究，2014（19）.

中，政府依然处于主导地位，多主体共同参与学校治理尚未形成。①

（四）法治体系欠缺

在人类文明发达的法治社会，依法进行教育治理是我国的不二选择。但目前我国缺乏法理依据，法律制度不规范。虽然我国曾在教育法中指出多主体可以适当参与学校管理，但在现实中哪些主体可以参与、怎么参与、参与哪些方面、怎样参与才算适度，这些都没有明确说明，这也使得多主体参与学校治理变得无法可依、十分困难。我国教育治理的法律缺乏主要表现在以下方面：一是相关法律体系中规定的条文、内容不健全。比如1993年《中华人民共和国教师法》指出，对于学校拖欠教师工资或者侵犯教师合法权益的行为“应当责令其限期改正”，但并未指出谁来“责令”，“限期”多长。二是法律运行机制不健全。比如没有法律明确规定如何开展学校监管，很多情况下实施监管的主体往往与学校人员属于上下级关系，很难做到监管客观。②

---

① 黄志兵. 现代学校制度建设的“治理”取向与路径——基于宁波教育议事会的思考［J］. 教育探索，2016（2）.

② 侯天宝，杨军. 基础教育治理现代化的逻辑、困境及路径［J］. 教学与管理，2018（10）.

第六章　中国教育治理现代化

国家治理现代化是教育治理现代化的环境与保障，教育治理现代化是国家治理现代化的反映和表现。①中国共产党十八届三中全会提出要构建我国教育治理体系，不断提升治理能力。在中国共产党第十九次全国代表大会上，习近平总书记明确指出，“全面深化改革总目标是完善和发展中国特色社会主义制度，推进国家治理体系和治理能力现代化”②。教育治理现代化是国家治理体系和治理能力现代化的重要组成部分，“要按照新时代、新思想、新矛盾对教育的新要求，瞄准社会主义现代化强国‘两步走’目标，加强顶层设计，谋划各级各类教育发展战略，加快推进教育现代化”③。探索教育治理现代化的理论内涵，理解教育治理现代化的内在本质，追寻教育治理现代化的现实路径，具有重大价值和意义。

第一节　教育治理现代化的内涵及特征

教育治理现代化是教育治理的方向，是我国教育治理的应然趋势。推进我国教育治理现代化必须明确其内涵与特征，认清我国教育治理现代化的现状和问题以及发展趋向。

一、教育治理现代化的科学内涵

目前学术界对教育治理现代化的内涵理解不一。尹达认为，教育治理现

① 李万钧. 关于创新基层社会治理的实践与思考［J］. 理论视野，2017（9）：54-60.

② 习近平. 决胜全面建成小康社会夺取新时代中国特色社会主义伟大胜利［N］. 人民日报，2017-10-28.

③ 奋力谱写建设教育强国时代新篇章［N］. 人民日报，2018-01-26.

代化的本质应涵盖教育治理的科学化、民主化、教育化与法治化等四个方面，同时这也是教育治理现代化的根本特征。[①]刘冬冬等则从教育治理体系和治理能力现代化两方面着手，通过对教育治理体系、教育治理能力及其两者相关现代化的科学内涵进行分析和把握，认为两者是推进教育治理现代化的前提。[②]孙绵涛从谁治理、治理什么和如何治理这三个方面来谈对教育治理现代化的理解，以期为教育治理现代化提供一个整体的分析框架。[③]综上所述，教育治理现代化是指参与教育治理的各方，通过协调政府、学校、社会、市场、社会组织和公民个人等的关系，协调各级各类教育的关系，协调教育活动、教育体制、教育机制和教育观念的关系以及这四个范畴子要素之间的关系，辅以科学化、民主化、法治化的治理手段，实现教育治理体系和治理能力现代化的过程。教育治理现代化主要体现在三个方面：教育治理思想与观念的现代化、教育治理体制与机制的现代化、教育治理结构与质量的现代化。

（一）教育治理思想与理念的现代化

教育治理现代化必须要有先进的教育思想和教育理念为支撑，实现教育治理现代化首先要改变管理者教育治理的思想和理念。

1. 以学生为中心的理念

以学生为中心的理念源于人本主义思想，是教育根本任务“立德树人”的内在要求。2018年9月，习近平总书记在全国教育大会上指出，培养什么人是教育的首要问题。这一首要问题既是教育治理的基本宗旨，也是贯彻党的教育方针的时代要求。我国是中国共产党领导的社会主义国家，这一基本国情决定了我国教育必须把培养社会主义建设者和接班人作为教育事业的根本任务，这就要求教育治理必须回归到以学生健康成长和民族素质提升为一切工作出发点和落脚点，努力构建德智体美劳全面发展的教育治理理念，把对学生的培养作为工作重心，把立德树人融入思想道德教育、文化知识教

---

① 尹达.教育治理现代化:理论依据、内涵特点及体系建构[J].重庆高教研究，2015（1）：5-9.

② 刘冬冬，张新平.教育治理现代化：科学内涵、价值维度、实践路径[J].现代教育管理，2017（7）：1-6.

③ 孙绵涛.现代教育治理的基本要素探析[J].中国教育学刊，2015（10）　50-53.

育、社会实践教育等各种培育环节，实施以学生为导向的教育，培养为中国特色社会主义奋斗终生的有用人才。

2. 终身学习的理念

终身教育是世界教育发展趋势之一，也是中国《国家中长期教育改革和发展规划纲要（2010—2020年）》提出的教育发展战略目标之一。现阶段，“学习型社会”的要求和网络技术的发展已使终身教育不再是一种难以企及的梦想，人们接受教育的时间段不会仅限于学生时代，教育将突出表现为时间与空间的开放性，教育终身化将成为人们日常生活的现实实践。[①]现代化的教育治理将使学历教育和非学历教育协调发展、职业教育和普通教育有效衔接，从而形成让全体人民学有所成、学有所用的全新格局。

3. 市场化的理念

教育治理市场化是指教育运行机制要从以政府主导为主转向以市场调节为主，同时将市场经济中行之有效的理念转化到教育治理中来，促进教育治理有效推进。未来教育治理应逐步改变政府对教育资源配置占主导地位的格局，而在遵循教育自身发展规律和人才培养规律的基础上，适当借助市场力量来对教育治理进行调节。同时，各高校、教育部门可以根据自身发展特色，推陈出新，朝着更加符合教育治理的方向发展，从而避免全国各高校、各地教育发展模式千篇一律的状况。此外，教育治理市场化还可借鉴市场经济中的竞争规则，对高校发展提出更高要求，以激发高校活力和综合竞争力。

（二）教育治理体制与机制的现代化

实现教育治理现代化，必须构建现代化的教育治理体制机制，形成自上而下的教育治理法律法规保障、政府宏观调控、高校自主办学、社会广泛参与的良好格局。

1. 健全依法治教体系

法治对教育事业平稳有序发展起到持久保障作用，科学合理的教育治理

---

① 吴启迪，章仁彪. 全球化时代的现代大学理念和制度创新［J］. 教育发展研究，2001（7）：18-22.

体系使得未来依法治教、现代化教育治理成为办学的基本准则。目前，我国已初步建立教育法律法规体系，《中华人民共和国义务教育法》《中华人民共和国教师法》等法律法规为教育治理现代化奠定了坚实基础。根据教育治理的本质追求，我国进一步健全法律法规，将为教育治理现代化提供充分保障。

2. 转变职能简政放权

推进高校治理能力和治理体系现代化，教育部门要切实落实习近平总书记在全国教育大会上的要求，深化教育领域“放管服”改革，尊重教育发展规律，充分发挥学校办学主体作用，大幅减少各类检查、评估、评价，加强对办学方向、标准、质量的规范引导，推动高等教育“由管理转向治理、由微观管理转向宏观管理、由直接管理转向间接管理”。[①]同时，教育部门在工作理念上要逐步实现从以管理为中心到以服务为中心的转变，在工作方式上实现由纯粹行政管理转向运用法律、政策、信息等方式进行综合管理，积极推动教育治理体系和治理能力迈向现代化。

（三）教育治理结构与质量的现代化

结构与质量是教育治理现代化发展的要义，提高教育治理质量是教育治理发展的基准。结构与质量的现代化意味着应切实按照国家的科学部署，优化教育治理的地区结构，加快世界一流大学和一流学科建设，强化学生创新意识和实践能力，培养更多创新型高素质人才。

1. 布局结构现代化

教育治理布局大致可分为地域间的空间布局和校际间的类型布局。从地域空间布局来看，现代化教育治理体系需要在全国范围内进行整体规划，使教育治理的布局结构合理，区域间协调发展。从校际间的类型布局来看，现代化教育治理体系中各高校应有较为明确的发展方向，教学型、研究型、应用技术型等各类高校应既相互区分又相互补充，形成各自鲜明的特色并能达到长远发展。

① 瞿振元. 建设中国特色高等教育治理体系推进治理能力现代化［J］. 中国高教研究，2014（1）：2.

2. 学科专业设置现代化

现代化教育治理要求学校科学、理性化设置学科专业，根据自身发展目标和特色加快推进“双一流”建设，形成一批特色学科专业，努力朝世界知名大学方向迈进。因此，在学科专业方面的教育治理上，高校和教育行政部门应做到以下几点：一是各学科专业符合学校整体发展规划，符合多学科交叉融合发展前景；二是专业设置和学科发展应符合国家在发展过程中对各类人才的需要，满足市场对人才的要求；三是教育行政部门应进行宏观调控，制定相应的方针政策促进各类专业发展，并对国家发展起重要作用的专业设置保护性政策。

3. 教育治理策略国际化

在全球化趋势不断加强的背景下，现代化教育治理体系应对标国际教育治理发展水平和发展趋势，不断提高国际化水平。教育治理现代化要求国际化的策略，要海纳百川，借鉴发达国家优秀教育治理经验，不断推动我国教育治理水平迈向新台阶。

二、教育治理现代化的基本特征

深刻理解和把握教育治理的作用极其重要。教育治理体系和治理能力是国家治理体系和治理能力现代化的重要的一环，全方位、多角度地理解教育治理现代化的基本特征十分必要。

（一）体现民主、参与、共享、责任、法治等理念

现代教育治理理念体现在民主、参与、共享、责任、法治等方面，主要有以下原因：①现代教育治理要讲民主，因为教育决策过程需要多方协商，建言献策；②现代教育治理要讲参与，因为教育治理多方主体的诉求要得到充分表达；③现代教育治理要讲共享，因为现代化的教育成果要普惠大众；④现代教育治理要讲责任，因为权责利划分清晰才能使教育治理道路更加通畅；⑤现代教育治理要讲法治，因为完善的教育法律法规和相关制度是教育治理顺利推进的重要保障。现代教育治理应深化以上理念，才能使教育治理现代化得以完善。

（二）政府、学校、社会等主体共治

政府机构、学校、社会是现代社会组织化的表现主体，现代教育治理要充分发挥多元主体的作用。①作为教育治理的不同主体，政府、学校、社会等都在为教育治理质量提升和现代化推进发挥各自作用。政府为适应现代化的教育观念，不断调整机构设置，转变相应职能，为教育治理现代化顺利进行做好顶层设计。学校通过发挥育人方面的独特功能，不断完善自身的育人体系和制度，增强其在教育治理方面的活力和吸引力。社会主动参与到教育治理中来，并日益发挥着举足轻重的作用。

（三）资源分配、规范体系建设、能力建设等同步协调

统筹协调是现代教育治理的基调。它包括资源分配、体系规范、能力建设等方面。教育治理能否达到现代化水平，关键是看教育资源分配是否公平。公平问题永远是衡量教育领域的一个关键指标。现代教育治理体系建设往往自上而下，从顶层设计到规范落实，每个层级都要求体现现代化的水平和能力。这不但要求教育治理的政策制定者有前瞻性眼光，还要求教育治理的执行者有踏实作风。只有双管齐下，教育治理体系才能真正规范，朝现代化方向迈进。

上述基本特征正在随着社会发展而处于不断变化之中。这种变化又必然引起教育治理现代化概念的内涵和外延变化。因此，构建具有中国特色的社会主义教育治理现代化理论体系必须体现中国特色，符合我国国情，遵循教育规律，使政府、学校、社会等教育治理主体有机结合，实现教育治理科学化、民主化，努力培养具有国际视野和竞争力的创新型人才。②

三、教育治理现代化的现实困境

教育治理现代化是教育现代化的起点，对于促进教育体制改革作用巨大。但就目前我国的教育环境而言，教育法制不健全、治理结构不合理、制

① 何金辉. 现代教育治理的核心内涵［N］. 中国教育报，2017-07-30.

② 尹达. 教育治理现代化：理论依据、内涵特点及体系建构. 重庆高教研究，2015（1）：5-9.

度设计不完善都对教育治理现代化的实现形成阻碍，亟须解决。[①]

（一）自上而下变革引发教育治理困境

当前教育领域的重点工作之一是要着力推进教育治理体系和治理能力现代化。教育部原部长袁贵仁在2013年全国教育工作会议上的讲话中明确指出：推进教育治理体系和治理能力现代化就是要适应国家治理体系和治理能力建设，根据教育发展的自身规律和教育现代化的基本要求，以构建政府、学校、社会新型关系为核心，以推进“管办评”分离为基本要求，以转变政府职能为突破口，建立系统完备、科学规范、运行有效的制度体系，形成政府宏观管理、学校自主办学、社会广泛参与的格局，更好地调动中央和地方两方积极性，更好地激发每个学校的活力，更好地发挥全社会的作用。这次讲话内容，为教育治理的发展指明了道路。我国教育治理改革自上而下进行，这种改革方式尽管在政府主导下具有强大推动力，但推动过程中受到种种桎梏。近年来，教育治理体系改革一直未能实现真正突破，我国制定并实施教育政策的能力显现出很大滞后性，教育方针及政策在制定后未能充分贯彻和落实，在实施程度上大打折扣，没有达到预期标准，这是我国教育行政领域长期存在的问题。

（二）来自地方的变革动力受到现实制约

我国地区的差异化特点影响教育治理相关政策的制定与实施，需要进行“因地而异”地探索与改革。如果我们回顾一下历史，不难发现，在中国的政治环境中，无论是改革的发动还是改革的持续发展，地方的动力都非常重要。从中央—地方关系寻找改革动力，早已成为中国改革的定律。改革开放以来，中国经济社会的快速发展更是高度依赖于地方层面的制度创新。[②]地方政府能准确地掌握各种有助于教育治理的社会力量，了解本地区复杂的矛盾与问题，并能适时地解决这些问题。在中国，地方层面的教育治理程度在很大程度上是由中央政府把控的，如果能够得到上级支持，则该地区的教

① 张建. 教育治理体系的现代化：标准、困境及路径［J］. 教育发展研究，2014（9）：27-33.

② 吴康宁. 政府部门超强控制：制约教育改革深入推进的一个要害性问题［J］. 南京师范大学学报（社会科学版），2012（5）：6-11.

育治理更容易实现突破。因为地方的权力、资源和政策等都受上级调配和控制，一定程度上牵制了地方对教育治理问题的突破。

（三）政府由管制者向治理者角色转换存在差位

人的现代化是教育治理体系现代化的前提和基础。从目前教育治理主体的表现来看，无论是处于教育治理核心的政府，还是介于中间的社会组织，角色定位都尚未达到教育治理的应有状态。在教育治理现代化进程中，教育行政部门应扮演教育事务的协调者和服务者，但事实上，不少政府机关和公务员在角色定位上仅注重其作为权力者的身份，而忽视其权力来源和权力行使的根本宗旨，背离了政府存在的基本价值，依然是管制型而非服务型的政府治理风格。[①] 由于现阶段教育治理依然深受传统教育治理范式和思想的禁锢，现代教育治理下的政府“治理者”角色及行为没有实质性转变，导致各治理主体之间未真正形成相互协作的现代化治理模式。实现教育行政部门真正从传统“管制者”到现代“治理者”转变，是实现教育治理体系和治理能力现代化面临的一个难题。

第二节　教育治理现代化的保障

与世界其他国家不同，我国的教育治理是在中国共产党领导下开展的治理，具有鲜明的中国特色，是中国治理体系现代化的重要组成部分。

一、加强党对教育工作的全面领导

习近平总书记指出，坚持中国特色社会主义发展道路关键在于坚持党的领导。十九大报告中强调“坚持党对一切工作的领导”，坚持党的领导是面向2035教育治理现代化不可动摇的根本方向保障。潘懋元指出，教育必须受一定社会的政治、经济、文化科学所制约，并为一定社会的政治、经济、

① 上海市浦东新区社会发展局. 中国教育改革前沿报告：浦东新区教育公共治理结构与服务体系研究［M］. 上海：上海教育出版社，2009：4-38，41，206-208，41，42.

文化科学所服务。[①]离开中国共产党的领导和中国特色社会主义思想的指引，我国教育便会迷失方向，这是中国共产党建党近百年、中华人民共和国建国七十余年的经验总结。因此，面向2035教育现代化必须坚持中国特色社会主义方向，打造一支坚定的领导团队，为教育发展提供正确的政治信仰和政治追求导向。全球化是现代化发展的新趋势之一，这一趋势在给教育发展带来机遇的同时，也带来复杂性挑战。在全球化这一时代背景下，中国教育一方面需以开放的态度和心态与世界各国教育交流，以海纳百川的胸怀去吸收、借鉴西方经验；另一方面也应清醒地认识到这一过程中我国教育容易受到各种良莠不齐观念的冲击，要坚定不移地坚持党的领导，在复杂多变局势下坚定社会主义方向。[②]

二、完善教育治理的制度建设

教育治理的制度化是保障教育治理有序进行的基础，政府、社会组织、市场、利益群体等教育治理主体对教育治理运作的制度化起着积极的推动作用。各教育治理主体在教育治理过程中只有遵守相应的制度与规范，才能促进教育治理体系的完整性、运行过程的规范性，提高运行结果的满意度。建立完善、规范的教育治理制度和机制则是规范教育治理主体行为的有效措施，可以促使不同类型的教育治理主体明确各自职能，并加以妥善运用。

制度现代化是治理现代化的重要保障，而通过加快制度创新实现制度现代化，现已成为决定中国现代化进程和社会可持续发展的关键所在。[③]深化教育改革，健全相应的法律法规，探寻教育治理的体制机制创新是解决教育治理现实困境的现实路径。但是，目前我国有关教育治理的改革尚处于起步阶段，有关法律法规尚未建立起来，缺少对教育治理主体权力进行规范，使得当前我国教育治理主体的权力监管无序，责任意识淡薄，难以达到真正理解和践行教育治理现代化。教育治理体系和治理能力现代化的实现需要教

---

① 潘懋元. 高等教育学讲座 [M]. 北京：人民教育出版社，1985：43.

② 喻聪舟. 面向2035的高等教育治理现代化——新时代我国高等教育治理现代化的审思 [J]. 当代教育论坛，2018（5）：1-10.

③ 俞宪忠. 制度现代化解构 [J]. 天津社会科学，2002（5）：78-83.

育治理主体通力合作，协同参与，只有健全教育治理法律法规，完善教育治理的制度建设，才能真正实现教育治理体系的现代化。

三、深化“放管服”改革

教育治理的目的是为了优化教育服务，促进教育事业稳定、有序发展，但追求效率最大化是实施教育治理的内在要求。在社会政治生活中，治理是偏重于工具性的政治行为。[①]教育治理体系是一个以法治为基础，以科学化、规范化、效率化为导向的运行系统，科学化和规范化是为了保障教育治理的有序性，而效率化则是为了保障治理活动的速度和效果。教育治理体系现代化水平的一个重要标志是教育治理实践能否在较短时间内取得最大化的治理效果。效率与质量是评定教育治理体系是否合理的两大指标，两者不可缺少，在同样资源条件（包括物力资源、人力资源等）下能够以较短时间实现较优治理效果。

从我国教育治理的实践看，教育治理的目的大多是为了促进教育资源优化配置。教育作为政府主导的一项公益性事业，本身具有权威性和强制性等特性。政府主导教育活动会对学校和社会等教育主体产生聚集作用，但如果政府长期居于主导地位，则会使教育治理多方参与原则在实施过程中名存实亡，很多预期目标远达不到要求。因此，政府在参与教育治理时，应认识到国家法律法规的重要性，并能通过相应具体制度建立起政府与其他教育治理主体之间的稳定联系，从而促进国家法律法规向具体规范性制度方向发展。相反，如果政府不能较好地处理其与教育主体之间的关系，形成大包大揽局面，那么教育治理现代化的愿景则会停留在对教育管理的层面上。因此，必须深化“放管服”改革。

“放管服”改革的目的在于简政放权、厘清权责、创新监管，减少过多干预，促进市场主体活力和创新。但是，教育领域“放管服”改革有别于其他公共服务或市场领域。如果将教育公共服务的生产者即学校的特性定位于教育教学专业活动，那么教育领域“放管服”的意义在于政府减少不必要的

---

① 俞可平. 推进国家治理体系和治理能力现代化［J］. 前线，2014（1）.

干预，充分发挥学校办学自主性、积极性，保护或释放学校办学活力，进而促进学校发展、教师专业优秀和学生健康成长。教育治理现代化是一个“以共治求善治”的过程，是多元主体发挥基于现代教育价值能动性以共同促进教育教学能动作用的过程，但这并非意味着只需要政府简单“简政放权”就够了，而是需要政府着重发挥其在教育治理中的引领作用，为“以共治求善治”扫清障碍。这要求政府转变政府职能，有所为有所不为，担当教育治理中的整合者和构建者。

在简政放权的同时，教育也需要在“放”的基础上，对“管”进行变革和创新。深入推进教育领域“放管服”改革，着力破解体制机制弊端，提高公共教育服务水平，满足人民群众对优质教育的需求，已成为当前政府和民众的普遍共识。“放”是政府部门角色定位问题，重点是如何补缺位、纠错位、控越位，考验的是政府定力和推动改革的动力。“管”的核心是政府监管转型问题，监管变革要适应经济社会新常态、科技新进展和全面深化教育改革的新形势，涉及管理体制、政府层级、部门职责、运行机制、法制保障等方方面面，目的是激发学校的活力和社会创造力。“服”的核心是政府通过树立教育治理理念，构建有效教育治理机制和体制，全面提升教育治理能力，不断优化教育服务水平。[①]

四、推进“管办评”分离

“管办评”分离是指教育的管理部门、办学部门、评估部门三者分别成长为地位平等的独立机构，一方内部的具体事务其他两方都无权直接干预的一种教育状态。这种状态对我国教育治理体系和治理能力现代化建设具有重要意义。

对于整个教育事业而言，“管办评”部门作为其正常发展的三大必不可少的支撑机构，其分离能在分别促进三者独立成长的基础上形成合力，共同带动整个教育事业可持续发展。

---

① 周洪宇. 深化教育领域“放管服”改革，加快推进教育治理现代化［J］. 教育研究，2019（3）：15-19.

对于教育管理部门而言，“管办评”分离有利于其进行独立深入思考，在遇到管理困难时多向具备大量实践经验的办学者与具有比较科学评估机制的评估部门虚心取经，避免管理中的“单边主义”，降低管理行为“不接地气”的频率，从而改变教育管理人员落伍的管理思想和模式，提高教育事业管理的效率和效能。

对于办学部门而言，“管办评”分离可以减少教育管理部门对各学校的不当干预。在管理部门提供的宏观调控政策与资源扶持下，办学主体的积极性和创造性将被大大激发。学校能够结合自身实际，真正遵循教育规律来制订全面科学合理的培养方案和教学管理方案，促进师生共同发展。同时，评估组织合理的评价指标也可为办学主体指明方向，对学校的自我诊断与完善提供重要指导意义，最终促进办学质量不断提升。

对于教育评估组织而言，“管办评”分离一方面可以使评估组织以客观立场严格遵循教育规律和质量评价指标，对管办双方业务水平进行科学评价，为两者工作改进提供诊断信息；另一方面，可以促使评估组织以旁观者和第三方的身份深入到管办部门日常工作中，获取第一手学情、校情、管情等有用信息，不断完善与更新评价指标与模式，保障评估结果对“管办评”三者的发展都有积极影响。①

西方公共治理理念强调积极引入第三方力量，从而形成政府、市场和社会的三元治理结构。实现教育治理现代化，一是成熟的多元管理主体的存在及它们之间的伙伴关系；二是有民主、协作和妥协的精神。②教育治理体系的结构一定程度上决定着教育治理的现代化水平，其最佳形式应当呈现多元治理主体互相协作、整体推进、相互耦合的状态。我国教育治理的结构是“政府—市场—社会”三位一体模式，政府、市场、社会三者之间能否协同推进是彰显教育治理结构优劣的重要标志，关系到教育治理体系的现代化水平。目前我国教育治理体系存在以下两大问题：其一是缺少

---

① 李金星，赵敏，蔺海沣. 教育治理中“管办评”分离及其实施［J］. 教学与管理，2016（16）：9-12.

② 臧志军. 反思与超越——解读中国语境下的治理理论［J］. 探索与争鸣，2003（3）：9-13.

规范的市场机制，以开放、自由为标准的市场因相关法规不健全而在我国没有建立起来，通过市场竞争来促进教育公平的目的仍未达到；其二是缺少独立的社会组织，导致社会组织在进行教育评估时的科学性和可行度大打折扣。

改革开放后，市场在教育治理中发挥的作用日趋重要。但是，由于我国教育事业基本由国家管理，导致社会参与教育治理的自主性和积极性较低，因此有必要建立一套运行机制推动社会参与教育治理。社会主义市场经济体制建立以来，国家对教育事业大包大揽的格局逐渐被打破。随之而来的是教育结构分化，而教育结构分化为社会参与教育治理提供了契机。只有适度地分权给社会，才能发挥社会的积极性，才能有效地促进教育治理。只有让社会力量逐渐产生和成长起来，才会有能力形成促进社会发展的新力量。中国共产党十八届三中全会中提出建立教育问责机制，主要目的就是要转变政府职能，发挥社会在教育治理中的作用，深入推进“管办评”分离，强化国家教育督导，重视社会参与教育治理。

第三节　教育治理现代化的实现路径

习近平总书记指出，我们要更好地发挥中国特色社会主义制度的优越性，必须从各个领域推进国家治理体系和治理能力现代化。改革开放以来，我国各级各类教育事业快速发展得益于教育管理体制改革，体现在教育行政部门自身管理权下放和各级各类学校办学活力释放。但长期以来，我国教育形成了教育事务权、教育人事权、教育财政权高度分割和集权的管理模式。从宏观上讲，教育部门缺乏教育主导权，中央到地方教育行政都缺乏对教育统筹管理。从微观上讲，作为教育主体的学校缺乏创新活力。当前解放教育生产力、推进教育体制改革，关键在于重构我国各级教育行政部门与人事、财政部门之间的权力关系。目前，我国教育治理实现路径主要在教育治理理念变革、教育治理体系变革和教育治理工具等方面。

一、教育治理理念变革

教育治理理念变革是教育自身发展的先导，也是教育治理现代化的前提。教育治理理念是一个庞杂系统，它的更新与发展不但要依据马克思主义的相关理论，还注入了统筹协调的新思维，即加强部门之间和部门内部各要素之间的协同发展，聚合社会各方力量，实现教育治理科学化、民主化、教育化和制度化，以加快教育治理现代化步伐。

（一）教育治理科学化

教育治理科学化是指在正确的教育思想指导下，遵循教育客观发展规律，按照合适的教育程序，运用科学的教育策略与方法，发现、分析和解决教育领域的相关问题，促进教育治理的科学性。教育治理科学化的实质是运用科学方法，保证教育治理结果正确。构建科学有效的教育治理体系是一个系统工程，应当遵循教育自身发展的规律，自上而下地分别发挥社会、家庭和学校教育在促进个人发展方面的作用，构建家庭、学校、社会三位一体的教育治理网络，保证教育治理的科学性与正确性，为教育治理现代化建设提供有效策略。目前，我国教育领域依然存在着诸如教育观念相对落后、内容方法比较陈旧，中小学生课业负担过重，创新型、实用型、复合型人才紧缺，教育体制机制不完善，学校办学活力不足，城乡、区域教育发展不平衡，教育投入不足等问题。因此，教育治理科学化是中国教育改革的必然方向[①]，是我国教育治理现代化的前提和基础。

（二）教育治理民主化

教育治理民主化是指在教育治理过程中，以教育治理科学化为目标，充分发挥教育治理的民主性，通过实地考察与科学论证，广泛听取意见和建议，按照民主程序实施教育治理，保障教育治理过程和谐民主。教育治理民主化需要“摆脱教育对民主理念的盲目迷信与过度崇拜”，更需要在教育实践中“不断地创造教育民主化的条件”[②]，进而实现教育治理的民主化。简而言之，教育治理民主化不仅需要真正地摆脱权力的束缚和层级间的压迫，

---

① 燕国材. 教育科学化：中国教育改革的正确方向［J］. 探索与争鸣，2000（1）：23-26.
② 徐祖胜. 试析推进教育民主化［J］. 中国教育学刊，2011（11）：20-22.

更需要在教育实践中为教育的主体提供更多的选择机会。发扬教育民主是构建教育治理现代化的必由之路，也是推进教育治理现代化的关键因素。教育治理民主化不仅要强调教育决策的制定、教育目的的贯彻、教育政策的落实，更要充分考虑到教育对象的需求，做到将社会发展的需要与个人发展的诉求有机结合在一起，争取在最大程度上保障教育主体的权益。

（三）教育治理法治化

从法治立场看，教育治理现代化是指通过坚持参与主体的多元化、参与过程的民主性，遵循教育发展规律，促进教育治理能力和治理体系现代化，实现教育发展转型升级。新世纪以来，教育发展中的法律问题日趋复杂，教育法治建设成为教育发展的重要工作目标被屡屡提及，法治化始终蕴含于教育发展目标体系之列，其在实现教育发展秩序性、正义性目标方面彰显着自身的独特价值。法治化是教育治理现代化的重要路径，是推进教育发展的重要方式。教育治理体系现代化要通过改革和完善体制机制、法律法规，推动各项教育制度日益完善，实现教育治理的制度化、规范化、程序化，而教育治理能力现代化要求在教育治理体系框架下，把制度优势转化为高效管理教育的能力和水平。[①]

二、教育治理体系变革

教育是国家发展不可或缺的重要方面，教育治理体系是国家治理体系的一个重要子系统，并融入国家治理体系和治理能力现代化的发展进程中。

（一）政府落实责任担当

推进教育治理现代化是政府的职责和义务，政府在推进教育治理现代化中应起到主导作用。

首先，政府要不断地转变其本身职能，重新定位自身的角色。由于长期受“管理”思想影响和观念支配，教育领域一直强调政府对教育的管理功能与权威，忽视政府提供教育服务功能。因此，政府要实现职能转变，不断地分割政府在教育上的管理权，实行政府多级管理机制，同时厘清在教育上扮

① 李祥. 教育治理现代化的法治逻辑［J］. 现代教育管理，2017（7）：72-77.

演的多重角色并重新定位，由举办者、管理者角色逐渐转变为服务者、监督者角色。

其次，政府综合运用法律、法规、政策及提供经费支持等一系列措施管理教育，改变过去单纯行政管理教育的方式。

再次，政府要简政放权，给社会、学校更多自主权，真正做到将政府所拥有的教育管理权力逐渐转移给社会、下放给学校。政府应该积极鼓励和支持各种社会力量参与教育管理，与社会合理分权，解决政府“管不好”的事务；扩大学校办学自主权，让每一所学校都能够拥有更多的自主权，成为一个独立的法人实体，提高学校办学自主性和灵活性，解决政府“不该管”的事务。

（二）关注社会支持系统

为推进教育治理长远发展，政府除了适时地放权给社会，还应采取各种措施促进社会组织积极参与到教育治理中来。政府要鼓励民间力量参与办学，保持学校教育多元发展态势；倡导社会力量建立与发展新型教育形态，充分释放社会中所蕴藏的教育情怀力量。学校要调动家长等相关利益群体参与教育治理活动的积极性，确保家长对学校教育事务的参与权，增强家长对教育治理的支持力度，以此激发学校教育改革的活力。[①]社会力量参与到教育治理中，无疑将对教育治理现代化起到巨大推动作用。

推进教育治理现代化，需要一个强有力的社会支持系统。这种系统把教育治理现代化作为社会支持对象，重视社会组织在教育管理、治理中的作用，以社会参与性支持和社会资源性支持方式共同管理教育事务，分享教育管理的权力。具体表现为：

一方面，教育事务管理应以政府为主导，积极鼓励和吸引各种社会组织和个人参与，重视社会组织在教育管理和治理中的作用，同时建立社会中介监督和评估机构，充分利用中介组织的专业优势保障教育治理高效性，这有利于打破我国长期以来教育管理、监督、评估基本由政府和教育行政部门实

---

① 王有升. 中国教育治理体制的历史演变、现实问题与改革动力探析［J］. 华中师范大学学报（人文社会科学版），2016（6）：167-174.

施的局面。

另一方面，学校是社会的一个子系统，学校的生存与发展离不开环境并受到环境的影响和制约，社会是学校生存和发展的重要外部环境，社会可以通过向学校提供资源支持的方式来参与学校事务管理。社会将自身所包含的“潜在资源”变成学校所需的“现实资源”，主要形式有三种：一是社会向学校提供大量丰富而优质的硬件资源，如先进的娱乐设施、教育教学设备和实验仪器等，弥补学校教育硬件资源不足；二是社会团体、组织及个人通过不同渠道筹集资金向学校提供资助，弥补学校教育经费资源不足；三是社会向学校不断地输送人力资源，弥补和解决学校教师资源不足。通过这些资源性支持措施，社会真正参与到学校内部事务管理之中，从而实现了社会对教育的协同治理。

（三）提升学校内部治理能力

当前，各国政府在提高教育质量的同时，更加重视教育治理效率，以增强公众对教育系统的信任。信任对构建教育治理的长效机制不可或缺，在增加多层教育治理系统中利益相关者之间的合作、有效问责、专业化水平以及应对复杂性和减少信息不对称中极为重要。①研究表明，如果校长是值得信赖的，会对教师间的彼此信任产生潜移默化的影响，进而促使教师把信任观念传递给他们的学生；在校长、教师和其他参与者信任度高的学校，家长们更容易参与到学校的一级决策，并且当校长和教师信赖家长和学生时，校长、教师、家长在学校层面，以及教师在课堂层面做决策时更可能进行合作。②另外，信任对于学生成绩也有着重要影响。③对于教育系统而言，建立信任很难，因此教育主体之间需要进行有效沟通、高度透明及长效合作，防止教育主体之间信任度撕裂。科赛（Cosner）发现美国那些重视教师互动与

---

① Cerna，L.. Trust：What it is and Why it Matters for Governance and Education［EB/OL］.［2019-01-20］. http://dx. doi. org/10. 1787/5jxswcg0t6wl-en.

② Tschannen-Moran M. . Fostering Teacher Professionalism in Schools：the Role of Leadership Orientation and Trust［J］. Educational Administration Quarterly，2009，45（2）：217-247.

③ Goddard，R.. D & Hoy，W K. A Multilevel Examination of the Distribution and Effects of Teacher Trust in Students and Parents in Urban Elementary Schools［J］. Elementary School Journal，2001，102（1）：3-17.

合作的校长们常常抱怨没有时间让教师们彼此间进行切实交流、建立信任；为了增加互动时间，他们就进行变革，如通过重新安排学校的日程表、组织更多的会议或者建立教师互动房间等。[①]此外，为什么教育信任水平在不同国家、制度之间存在差异，影响信任与复杂治理关系的因素有哪些等，我们仍不得而知，这些方面仍有待进一步加强研究。[②]作为教育治理主体之一，学校应享有更大自主权，包括教育经费的自主使用权，招聘环节具有更多灵活性，课程设置和专业分配拥有更多决定权等。

要使学校成为教育治理的真正主体，就必须放权给学校，使其有更大发挥空间。政府应从办学资源的垄断性提供者和事无巨细的管理者转变为学校自主办学的保障者，依法均衡配置教育资源，减少对学校事务的日常干预。学校要根据需要重新设立权力体系，建成一个和谐民主的基层教育治理典范。

要做到这点，学校要发挥教职工代表大会的作用，使教师参与到治理的各个环节中来，成为议事、决策与监督机构中的一员，完善学校决策、执行和监督等程序的基本准则与规范。

学校还要建立并完善学生代表大会制度，让学生参与到相关事务决策中来，培养学生的民主参与意识和作为教育治理主体之一的主人翁意识；建立并完善家长委员会制度，发掘和利用家长中潜在的有效教育资源，促进学校和家庭互通共融，为教育治理探索出一条新的道路；积极吸纳社区及其他社会力量参与到教育治理的相关事务中来，鼓励学校与社会组织、非政府机构建立合作关系，凝聚各种力量促进学校教育治理高质量发展。

推进教育治理现代化需要不断地提升学校内部治理能力。充分发挥学校在推进教育治理现代化的过程中的主体作用，这是教育治理现代化得以实现的关键所在。提升学校内部治理能力需要做到以下几个方面：

一是需要不断完善和调整组织机构或治理结构。学校从实际需要出发，

---

① Cosner，S. Building Organizational Capacity through Trust［J］. Educational Administration Quarterly，2009（2）：248–291.

② 杨中超. 教育治理：OECD成员国的经验与启示［J］. 外国教育研究，2017（2）：107–115.

对教学、科研、行政部门等组织机构和人员进行重新配置，充分发挥学术委员会的作用，使行政权力和学术权力既能够彼此分离又能合理结合。

二是需要建立比较完善的现代学校制度。学校一方面要不断完善中小学校长负责制，对校长的权力和职责进行明确和规范；另一方面应健全教职工代表大会制度和家长委员会制度，真正地让教师和家长参与到学校管理中来，实现学校管理民主化。

三是需要积极鼓励教师和学生参与学校治理。学校要积极培培育师生参与学校治理的能力，充分发挥教师和学生参与学校事务的决策权、管理权和监督权。①学校实施的重大管理活动必须与师生进行讨论，重大决策必须尊重和参考教师和学生的意见，并请教师和学生对学校管理措施及制定、执行的管理决策进行监督，使学校管理、治理从“独治”走向“共治与善治”。②

三、教育治理工具变革

“工欲善其事，必先利其器。”教育治理改革，必须从工具变革开始。我国教育治理要充分利用法治化、专业化和信息化手段，开展现代化、高起点、高水平治理。

（一）法治化治理

教育治理法治化是指教育行政部门在充分尊重教育治理科学性、民主性和教育性的前提下，不断构建新的教育改革决策机制、教育管理协商机制、教育政策保障机制和教育系统监测机制，而且将教育治理置于法治轨道，保障教育治理科学化、民主化和教育化，促进教育治理现代化顺利实现。

教育目标的法治化、教育内容的法治化、教育策略的法治化和教育评估效果的法治化是教育治理法治化的重要内容，“尊重教育主体的多元化”“以契约方式联结政府与学校”“建立协商式的教育决策机制”是构建教育治理现代化理论体系的重要方式。

---

① 张乐天. 推进学校治理能力现代化：意义、重心与路径［J］. 复旦教育论坛，2014（6）：5-9.

② 刘冬冬，张新平. 教育治理现代化：科学内涵、价值维度、实践路径［J］. 现代教育管理，2017（7）：1-6.

同时，教育治理法治化是依法治校、依法治教、依法治学的重要保障。教育治理法治化是现代教育发展的必然要求，也是当代社会发展的必然趋势。教育治理法治化是现代教育的重要特征，有利于科学配置教育行政权力、建立完善的教育行政权力制衡机制、行使监督“权力”、规范办学行为等，是教育治理现代化的根本保障。[①]

（二）专业化治理

中国教育经过了四十年改革开放发展，教育普及任务已经基本完成，现阶段主要任务是建设一个符合中国国情的教育新体制，建立“管办评”分离的教育治理体系。教育行政部门要善于统筹规划，恰当行使自己的权力，为教育治理现代化变革做出努力。教育行政部门要将教育人事权真正下放给学校，包括人员配置、职称晋级及教育人员专业发展等，加强对学校开展各种服务。各级各类教育机构要充分发挥自主性，办好人民满意的学校。社会组织要建设高质量的学校工作评价机构，客观、科学、合理又正确地评价学校进展。总之，中国政府、学校、社会要努力构建新型关系，以系统完备、科学规范、运行有效的制度推进“管办评”各项工作井然有序，形成政府宏观管理、学校自主办学、社会广泛参与的教育治理格局。

在“管办评”分离治理体系中，督导评价的任务、内容和组织方式将经历深刻转变：督导评价的任务从主要为教育普及规模扩张的外延式发展服务转变为主要为促进公平调整结构、提高质量的内涵式发展服务；督导评价的内容由偏重对政府的政策性评价转变为对政府、学校、教师、学生的全方位评价；督导评价的组织方式由单一政府评价转变为政府和社会共同评价；督导评价的手段由主要运用行政资源手段转变为更多依靠专业机构采用专业化评价的手段。实现这种转变，关键在于教育评价专业化程度和水平的提升。发展专业化教育评价，提高教育评价专业化水平，是推进“管办评”分离、确立督导评价独立地位的客观要求，也是促进学校发展、教师发展、学生发展的必要条件。

---

① 尹达. 教育治理现代化：理论依据、内涵特点及体系建构［J］. 重庆高教研究，2015（1）：5-9.

在此过程中，教育主管部门要注重两个方面的工作建设。一是加强教育评价专业机构组织和队伍建设。教育主管部门在重视政府所设的评价机构的同时，要鼓励民间专业评价机构发展，特别要鼓励具有不同专业特色、针对性强的评价机构成长，以适应不同层级、不同领域的评价市场细分的要求。二是完善相关法规、教育评价标准和行业规范，包括教育督导条例、教育质量标准、学校建设标准、数据和信息公开及使用规则等，充分发挥大数据和信息技术在教育督导评价中的作用，为教育评价专业化提供技术和制度支持。

（三）信息化治理

随着信息化深入发展，人类社会进入一个新的大数据时代。教育作为政府治理的重要领域，一方面，需要深入推进管理信息化，从服务教育管理拓展为全面提升教育治理能力。[①]另一方面，要适时抓住大数据发展的有利时机，利用大数据推动教育治理能力信息化。[②]中国共产党十八届三中全会提出要推进国家治理体系和治理能力现代化；《教育信息化“十三五”规划》明确指出要深入推进管理信息化，从服务教育管理拓展为全面提升教育治理能力。

教育管理信息化对提升基础教育治理水平具有重要作用，应进一步发挥信息化在政府主管部门职能转变、决策支持、流程再造、教育服务等方面的作用。教育治理信息化具有运行高效化、决策科学化、治理精细化、响应即时化等特性，促进了传统教育治理方式的变革，促进了教育职能转变。教育治理信息化革新了教育治理理念，引领治理职能转变。教育治理信息化将服务、责任、透明、参与、协同等现代公共管理理念融入教育治理中，强化了服务意识，促进了管理作风转变。信息化治理平台通过信息搜集、在线治理和信息监管等功能实现了各主体之间的信息共享；通过平台的权限赋予、

① 维克托·迈尔-舍恩伯格，肯尼思·库克耶. 大数据时代［M］. 盛杨燕，周涛，译. 杭州：浙江人民出版社，2013.

② 王永颜. 大数据时代教育治理能力现代化构建与路径选择［J］. 电化教育研究，2017（8）：44-49.

责任界定和关键节点等功能设置，可以确保各主体共同参与治理。[①]教育治理信息化平台对教育部门内部管理流程和面向公众的业务流程进行根本性重组，实现跨部门协同联动，为教育决策过程和方法的科学化创造了条件。[②]教育治理信息化以信息化平台为支撑重塑教育治理结构，激发教育多元治理主体的内在活力，实现基础教育由“管理”走向“治理”，由“共治”走向“善治”，促进教育治理水平提升。

数据的开发和使用为教育治理事业的发展提供了更为准确的依据。教育系统中的数据使用需要做到科学性和规范性，因为它将影响教育治理主体之间的信任程度。把握好数据开发和使用的平衡点十分重要，因为数据涉及对象的隐私等私人信息。要发挥数据对教育治理的促进作用，就应该对使用数据的对象、目的、用途、保管等方面内容做到确凿无误。为了应对数据收集在教育治理过程中所出现的困难，须采取多种措施，如建立严密的数据库，制定相应的法律法规，签订对数据研究的伦理协议，加强数据开发培训等。这些措施都特别注意保护各类教育治理主体的权利与隐私。总之，教育治理的各类主体既是教育治理的贡献者，更是教育治理的参与者。在对这些主体进行研究时，必须尊重和保障他们的合法权益。

四、借鉴国外经验

发达国家的教育治理起步较早，卓有成效。各国在推进教育治理过程中，形成了各自的治理方式和治理特色。如在欧洲，教育治理大致可分为三种类型：一种是分散治理，如英国、意大利等国家；一种是集权治理，如法国、德国等国家；一种是中间型，即兼具集中和分散治理，如丹麦、芬兰、挪威等国家。[③]在人事、财务和管理等方面，各国也有显著差异，如法国政府在教育治理的财务上拥有绝对权力，但是在人事行政上往往没有权力；德国在教育治理上最为集权，所有的教育事务几乎都由政府主导。借鉴发达国

① 孙远太. 基础教育协同治理的困境及其突破［J］. 教育探索，2016（9）：27-30.
② 杨宗凯. 论信息技术与当代教育的深度融合［J］. 教育研究，2014（3）：88-95.
③ 余承海，程晋宽. 高等教育治理模式的国际比较与启示［J］. 国家教育行政学院学报，2015（9）：84-88.

家教育治理的经验，能使我国教育治理可以少走弯路，趋利避害，更快更好地健康发展。如在高等教育治理领域可以借鉴美国的经验。在美国，教育原则上是各州的职责，州政府在高等教育治理模式选择上具有自主权。联邦法规与州政府政策之间的权力平衡经过精心设计，任何引入联邦倡议的企图都要克服反对意见，联邦对州或机构自治的影响受到严格监督。各州从分权主导到集权主导不一，州政府对于什么应该由政府控制、什么应该留给高等教育机构自身都有明确规定，州立法机构对于州政府应该控制的领域有绝对发言权。

分析研究美国教育治理体系的经验和做法，对于加快推进我国教育治理体系现代化具有积极意义。

美国高等教育治理有三大亮点：全员共同治理，确保全员高效；坚持教授治校，保障学术自由；权责层次分明，确保决策效率。

美国高校的共同治理结构体系主要包括两个方面：外部治理和内部治理。外部治理的主要影响因素有政府、社会组织和市场等。从外部治理看，政府与高校在法律上地位平等，政府不直接干预大学的内部治理，高校拥有充分的办学自主权，保障了高校内部教学研究事务遵循学术标准进行决策，从而不受行政压力和行政许可的干扰。内部治理的主要影响因素有以校外人士为主导的董事会、以校长为代表的行政系统、以教师为代表的学术评议会等。从内部治理看，共同治理的结构赋予了教师团体在学术事务决策方面超越董事会、校长之上的首要权力。这种权力和终身教职制度共同构成了保障学术自由的制度基础，最大限度地避免了董事会对学术事务的直接干预和行政权力对学术权力的侵蚀。

在美国大学里，维护教授在大学管理中的中心地位是保证学术自主性和大学健康运转的基本条件。教授委员会制度是美国大学治理体系的重要制度，也是美国“教授治校”理念的重要体现。教授委员会主要负责学术事务。教授委员会有权制定学术政策、制订教学计划、设置学科专业、分配科研经费等，决定一系列与教学及科研相关的事务。大学的行政部门及人员对校内的行政事务履行管理职责，为教学和科研提供高质量服务。美国大学通常从政府那里获得了相当大的自主权，不受政府直接干预，对私立大学来说尤其如此。大学的自主权构成学术自主性的另一个重要方面。大学主体职责清晰，相互协调制衡，美国是高校董事会制度发展最完善的国家。美国高等教育从创建以来，一直沿袭了这个基本制度。高校一般由董事会控制，其成员通常是教育领域外的社会知名人士。董事会是学校最高决策机构和最高权力机构，处于大学管理系统的顶端，享有裁决学校事务的全权，负责聘任大学校长。校长是大学的灵魂，执行董事会有关大学内部日常事务的决定。作为董事会的代理人，大学校长直接向董事会负责，大学其他主要行政人员则听命于校长并对其负责。美国高校教师普遍实行聘任制，副教授职称以上的教师聘任期通常终身；教师一旦获得终身资格，便取得了退休前在该校任教的权利。终身聘任制旨在维护学术自由，确保教师不因在科研和教学中探求真理而被解聘。

按照首要责任首要权力原则，美国大学治理结构中利益相关者的地位和作用不是完全对称的，在其权利和责任分配中也有适当反映。居于美国大学治理结构核心地位的是董事会、校长和教授团体，他们各自拥有治理团体，维护自身利益。在决策与执行过程中，以校外人士为主导的董事会、以校长为代表的行政系统和以教师为主体的学术评议会，既各司其职，又相互依存相互制衡，从而保证了共同治理架构下各项决策的科学性与高效率。美国大学通常采用专门委员会的方式解决民主参与和决策效率问题。比如，董事会根据不同决策内容，分别设立有专长人士组成的委员会，提出决策咨询方案供董事会全员决策参考。在学术评议会也会设立诸如执行委员会、人事委员会、专业与课程委员会等，研究决定相关问题或提出专门建议。专门委员会将专业精英主导和民主参与结合起来，较好地解决了民主决策与提高决策效率的矛盾。①

美国等发达国家教育治理的经验，是我国教育治理的重要参考。但是，借鉴美国等发达国家的教育治理经验，需要坚持因地制宜的原则，绝不能搞一刀切，不能盲目引进国外经验且不加鉴别地直接应用。

---

① 李忠华，单维锋. 美国高等教育治理体系［J］. 教育与职业，2014（12）：100-101.

第七章　中国参与全球教育治理

随着全球化、区域一体化进程持续推进，人类日益成为一个命运共同体。人类面临的许多问题如核威胁、气候变暖、环境污染、公共卫生问题、恐怖主义等都具有全球性。这些问题一旦爆发，各国很难独善其身，需要各国具备全球视野，协同合作，共同解决。全球化进程中，通信技术、信息技术和互联网技术的飞速发展让教育领域的许多问题，如信息技术背景下的核心素养、信息技术教育、教育与经济同步发展、教育与创新等成为具有全球性特征的难题。解决这些问题要求世界各国站在全球高度，运用现代治理的理论和理念，以主权国家为主体，充分运用国际政府组织、国际非政府组织、公民社会等力量，寻求最佳方案。教育是一个显现全球化负面影响和需要更多有效的全球治理的场所。①如何开展全球教育治理、促进全球教育发展成为当前迫切需要研究的课题。

第一节　全球教育治理的时代召唤

在互联网时代，地球已经变成了一个“村庄”。无论你承认与否，“地球村”都现实地存在着。教育也需要联合、协同地进行全球化治理。

一、全球教育治理的内涵

随着社会发展，“治理”引申为政治权威通过权力运作使“乱”的状态变成“治”，即有序的状态。作为现代政治学科中一个政治行为范畴，

① 卡伦·芒迪. 全球治理与教育变革：跨国与国际教育政策过程研究的重要性［J］. 申超，译. 北京大学教育评论，2011（1）.

“治理”通常指在政治系统特定范围内行使权威，对政务或公共事务作出有效安排，以达到维护政治秩序和正义价值的目的。[①]在英语中，“治理”与governance对应。20世纪90年代以来，这个词已经超越传统的“统治”“管理”含义。全球治理委员会于1995年发表《我们的全球之家》研究报告，最先对治理话语进行了知识边界勘定。该报告认为：“治理是各种公共和私人的机构管理其共同事务的诸多方式的总和。它是使相互冲突的或不同的利益得以调和并且采取联合行动的持续过程。这既包括有权迫使人们服从的正式制度和规则，也包括各种人们同意或以为符合其利益的非正式的制度安排。”[②]这个界定体现出治理的多元性、公共性特征。

2008年国际金融危机之后，“全球治理现代化”的理论、价值、目标及其路线设计的研究讨论提上人类社会发展的紧迫日程。全球治理本身是一个协商过程，是一个参与和身份重塑的过程，要真正改变全球治理失灵现象就需要以多元主义的世界观、伙伴关系的思维方式、参与治理过程的实践活动建构起一种真正的全球身份认同。

教育是世界各国普遍关注的重要领域，全球教育治理理论引起了学术界的关注和研究。中国联合国教科文组织全国委员会秘书长杜越认为，全球教育治理是国际社会各行为主体通过协调、合作、确立共识等方式参与全球教育事业管理，以建立或维持理想国际秩序的过程。全球教育治理的有效实施一方面有赖于各治理主体的成熟与发展，另一方面则在于富于创新性的治理机制的产生和培育。[③]卡伦・芒迪认为，国际的、地区的和跨国的行为主体及其政策的影响力正在增长，反映了全球治理和全球公共政策作为世界政治研究主题的重要性正在增长；跨国大公司常常把社会的稳定、团结与和平作为其发展前景的基本要素，并通过参与全球化的公共事务来实现这些更广泛

① 张凤阳，等. 政治哲学关键词［M］. 南京：江苏人民出版社，2014：308.

② The Commission on Global Governance. Our Global Neighborhood——The Report of the Commission on Global Governance［M］. Oxford：Oxford University Press，1995：1.

③ 杜越. 联合国教科文组织与全球教育治理［J］. 全球教育展望，2011（5）：60-64.

的目标。[1]史提芬·J. 克勒斯认为，证明全球教育治理日益强大、几乎发挥支配作用的最有力证据是全球教育政策难以置信的一致性，包括私有化的快速形成，对测试和测量的强调，对阅读、写作和算术的关注，以及关于教育质量比教育机会重要的各种表达。[2]世界银行自20世纪80年代起，已成为在发展中国家推进教育议程、使其合法化并保障其实施的思想中心，其提出的OECD国际学生能力评估计划（PISA）、快车道倡议（FTI）及全球教育合作伙伴（GPE）基准和准则将世界推向同一个方向。吉田一弘认为，后2015教育议程需要不同类型的全球治理结构，即一个更有力更有效的协调机制，以及类似于达沃斯的更加开放的论坛，积极应对这些问题。[3]西蒙·麦克格拉斯提出全球技能发展治理碎片化的观点，认为联合国下属的教科文组织、国际劳工组织等力量分散，全球教育治理议程中，技能发展处于边缘位置。[4]胡丽娟、严凌燕认为，从全球视野来看，教育治理新形态给教育领域带来了治理主体多元化、治理结构从等级制向网络化转变、治理方式从公私对立走向公私合作等变化。[5]

通过对学术界有关全球教育治理概念的梳理，我们认为全球教育治理是指主权国家、国际组织、跨国公司等行为主体，通过正式的制度和非正式的安排，通过参与、对话、协商、谈判等形式，在自愿、平等、互利的前提下，共同管理国际教育公共事务，以应对共同面临的时代挑战，达到全球范围内的好的治理效果。理想的全球教育治理应是共商共建共享。共商，即集思广益、开放包容，由全球所有参与方共同商议；共建，即博采众长、各尽其能，发挥各自优势和潜能并持续加以推进建设；共享，就是让全球教育治理体制和格局的

---

① 卡伦·芒迪. 全球治理与教育变革：跨国与国际教育政策过程研究的重要性［J］. 申超，译. 北京大学教育评论，2011（1）.

② 史提芬·J.克勒斯. 全球教育治理：怎么治理，为什么要治理以及为了谁而治理？［J］. 国际教育政策研究与合作通讯（51），2014（12）.

③ 吉田一弘. 后2015教育的全球治理：现在是时候来重新设计它［J］. 国际教育政策研究与合作通讯（51），2014（12）.

④ 西蒙·麦克格拉斯. 全球技能发展治理的碎片化［J］. 国际教育政策研究与合作通讯（51），2014（12）.

⑤ 胡丽娟，严凌燕. 国际视野下的教育治理创新与发展动态［J］. 教育发展研究，2015（8）：48-51.

成果更多更公平地惠及全球各个参与方。共商共建共享的全球教育治理观是主权国家、国际组织、非政府组织、公司及公民个人等行为主体在参与全球教育领域事务时应该遵循的基本价值观。

二、全球教育治理的意义

在全球化背景下，全球教育共性问题的存在是全球教育治理兴起的现实基础和逻辑起点，全球教育治理为全球性教育问题的解决提供了理念及工具。儿童早期教育、贫困儿童教育、女童教育、职业教育、高等教育、全民教育、终身教育、创新教育等一定程度上都具有共性，可以通过全球教育治理进行协调。环境保护、人类和平共处等领域均可以纳入全球教育治理范畴。全球教育治理为全球教育的协调发展，消除贫困，提升人类生活质量，促进世界的和平与繁荣提供了可能性。

各国也可以从全球范围内吸收和借鉴他国教育实践经验。发达国家许多有益的经验可以为发展中国家提供借鉴。发展中国家之间的教育实践、经验也可以互相借鉴吸收。

三、全球教育治理的途径及原则

全球教育治理的途径主要是通过主权国家、国际组织、跨国公司、公民组织等多元主体的广泛参与来实现。具体来说，全球教育治理途径主要有：一是设立全球性论坛，开展对话与交流，建立教育共识，为实施全球教育治理搭建平台；二是发布宪章、宣言、条约和协议，制定国际通用教育准则；三是提出新的教育理念，为国际教育指明方向，引领全球教育发展；四是发起全民教育、终身教育、全纳教育等全球性教育运动，推动教育平等的实现；五是设立国际教育指标和标准，建立监测机制，监测全球教育发展；六是组织和开展教育援助，帮助发展中国家摆脱教育贫困；七是建立国际合作框架，加强国际教育合作。

在参与全球治理的进程中，中国强调公平、包容、有效、问责和能力为全球教育治理的核心，致力于推动改革和完善全球治理结构和机制，反映国际政治的多极化、世界经济的全球化、国际关系民主化、世界文明多样性的特征，从而成为国际社会负责任的、可预期的建设者、引领者。[①]中国参与全球教育治理的具体途径包括：积极进行全球教育治理理论知识的生产、储备和共享，在知识领域形成影响力；更加注重在全球教育事务中发挥价值观及理念引领的作用；在自身发展与承担全球教育治理责任之间寻求平衡，既要遵守现有国际教育制度、机制和规则，也要主导适应形势发展的新制度、规则等的建立，更多地体现发展中国家在教育领域的利益；既要注重应用国家的力量，也要注重培育政府间国际组织和非政府组织，为中国参与全球教育治理提供有力支撑，形成合力。

全球教育治理应遵循多元性、包容性、适切性、互动性、前瞻性等原则。全球化不等同于同质化，也不是一个均衡发展的过程，“世界上不同的价值体系有着相互冲突的立场”[②]，不同的价值系统导致对同一事物或现象的观点不同。理解的多元性反映了人们认识的多元性和思想追求的多元性。在全球教育治理层面，多元性是指全球教育治理应秉持治理的实质，多元主体参与，充分发挥各方主体的优势，共同为全球教育治理贡献力量。全球教育治理是国际组织和主权国家权力的双向拓展和延伸；全球教育治理的主体将不断朝向多元化方向发展。国家机构、政府间合作组织、多国公司、跨国社会运行及非政府组织都将参与进来。[③]多元性必然产生差异性，这就需要广泛的包容性。包容性是指求同存异，宽容理解，开放发展的思维，在价值导向上更多地体现出利益公平、机会均等、规则公正、分配公平等共享式发展理念。[④]具体到全球教育治理层面，是指要具备宽容、理解、开放、公平的观念，能容纳不同主体的价值观及其主张，容纳教育生态多样性的存在，充分尊重不同利益相关者的诉求，而不以某一国或地区的价值观及主张来限制其他国家和地区的教育理念及政策选择。适切性主要是指在全球教育治理实施的过程中，要充分考虑教育政策、教育经验与各国国情的适应性，

① 陈家刚. 全球治理：概念与理论［M］. 北京：中央编译出版社，2017：19.
② 马克斯·韦伯. 学术与政治［M］. 冯克利，译. 北京：生活·读书·新知三联书店，2016：39.
③ 杜越. 联合国教科文组织与全球教育治理［J］. 全球教育展望，2011（5）.
④ 廖小琴，廖小明. 重构人的精神生活［M］. 北京：中央编译出版社，2015：279.

充分尊重各国的政治经济状况、历史文化传统等要素，不能盲目照搬他国教育经验。互动性是指全球教育治理应该注重各参与主体间的沟通与交流，民族国家与国际组织、公民组织和跨国公司之间的多维互动交流，能确保治理的有效性。教育不仅需要适应，更需要引领。为此，前瞻性是指全球教育治理既要立足现实，又要能超越现实，针对社会发展趋势及未来的可能性，提前制定具有预测性的国际教育规则、教育政策，设置教育议程等，实现全球教育治理的超前性，以引领飞速发展的全球进程。全球教育治理只有遵循上述原则，才能确保治理方法的恰当运用，确保治理的预期成效，确保治理目的的最终实现。

第二节　全球教育治理的组织结构

教育全球化是时代趋势，教育全球化治理势在必行。进行教育全球化治理，必须设置相应的协调组织。

一、超国家层面的有效教育治理

当今世界，国与国的交往愈来愈密切，不同文化背景、不同种族、不同宗教信仰和不同国家、地区的人们之间的交流与合作需要尊重和包容。开展国际理解教育，培养具有全球意识、跨文化交际能力的人才，乃是全球教育治理的核心所在。我国可以与世界各国学者合作开展国别及区域性经济、政治、教育、文化等领域的课题研究，增进对世界各国发展模式、国家政策、社会文化、管理治理等方面的理解；强化教育领域的双边和多边政策沟通，全面提升我国参与全球教育治理的综合能力；加入和制定教育交流合作国际公约，积极签署区域性、多边和双边的教育合作框架协议；积极加入相关国际教育组织，加强与联合国教科文组织等国际组织的教育合作与交流；积极参与国际教育规则和标准的制定，从以往国际教育规则的“执行者”向“制定者”转变，充分利用国际组织平台，主动在全球教育发展议题上提出新主张、新倡议和新方案；遴选一批专业基础扎实、发展全面的优秀人才到相关国际教育组织实习和工作，提升中国教育的国际话语权和国际影响力；搭建跨境教育合作平台，与区域教育组织密切交流合作，建立由中国倡导的国际教育组织。

参与全球教育治理是新时代我国教育对外开放的新常态，是我国践行“构建人类命运共同体”庄严承诺的具体实践。这不仅是我国引领世界共同繁荣发展的大国担当，同时也是新时代我国教育走向世界中心的路线图。在新的历史起点上，积极参与全球教育治理将引领中国教育绘就从“跟跑”到“并跑”再到“领跑”的宏伟蓝图，最终构建我国教育对外开放的新格局，谱写我国教育对外开放的新篇章。

二、国家层面的有效教育治理

国家有责任保证教育的质量、效率、公平和创新，在统筹本国教育治理方面的作用至关重要。之所以强调国家的作用，是因为：第一，经济合作与发展组织成员方的每一个孩子都有接受优质教育的权利，国家有责任保障这项权利得以实现；第二，在学习专业知识和获取信息等方面国家更有能力发挥主导作用；第三，将优先事项纳入政策是一个复杂的技术性和政治性活动，而这正是国家所擅长的。为了解决教育治理不同层面出现的差距，国家在治理模式上需要做出调整。具体如下：第一，国家管理、控制和惩罚的相关机制越严格，治理模式越具有刚性，而在执行法律法规时，低治理层次的约束就越少，治理模式越具有柔性；第二，国家直接干预地方的政策实施和执行属于刚性治理，而凭借诸如政策项目这样的间接工具给地方提供一个框架，让其独立负责的政策实施则属于柔性治理；第三，国家通过专项拨款发起政治项目被视作刚性治理模式，而一揽子拨款虽然减少了中央的监管能力，但在总目标框架下赋予地方政府更大的自由，代表一种柔性治理模式；第四，在开放和民主的社会，信息提供、交换和解释不会被完全垄断，诸如讨论平台和多方会谈等有助于大家观点交流、集思广益的方式被视作一种柔性治理模式。

保障国家层面有效开展教育治理，需要在三个方面采取行动。第一，设置政策优先级。在多层教育治理系统中，国家负责制定教育发展战略。在这一战略中，所有事项要有明确的先后顺序，要有连贯性，上对于系统中的其他参与者和治理层次而言具有合法性。国家在教育发展战略思考中应发挥主导作用，尽可能多地获取各方信息，并通过对话和谈判来促进这一战略的制定与实施。第二，有效地引导低治理层次关注和“投入”已设置的优先政策事项，充分发挥其对地方政府和学校的监督与指导作用。第三，对地方政府和学校评估问责。对于优先权设置和有效管理的问责通常比较复杂，尤其是在教育系统中不同层次、不同参与主体的职责发生重叠情况下。教育主管部门要把握问责的时机、对象和事由，合理使用绩效测量与评价，避免带来负面影响。

三、地方层面的有效教育治理

相比国家层面，地方政府及学校更了解当地居民的教育需求情况，因此赋予地方政府和学校更多自主权有助于提高教育治理的效率和效能，教育系统面对问题的复杂性日益增加也要求教育系统做出这种结构性改变。在经济合作与发展组织成员方内部，越来越多的教育权力由高层次的中央政府转移到低层次的地方政府和学校。在初中教育阶段，公立学校关于组织指导、人事管理、规划与结构的所有决策中64%都是在学校、地方或区域层次上做出的。[①]教育分权在地方和学校层次上表现为三个方面。第一，以不断增加的学校自治为表征的权力分散。在权力分散意义上，教育不仅由地方政府管理，还应包括非政府力量，如行会组织和学校治理委员会。[②]权力分散背后的假设是地方行政首长、管理者和专业人士等最了解他们当地的情况、最清楚应该做什么、应该激励谁去采取行动、控制和行使自由裁量权。第二，引入市场机制，增加父母的选择权，如实施教育券项目和建立特许学校等。这是因为政策制定者普遍认为增加教育需求的敏感性和竞争性有助于改善学校教育，家长作为“顾客”理应享有学校选择权，对于什么样的学校和教育类

① OECD. Education at a Glance 2012 [EB/OL] . [2019-01-18] . http://dx. doi. org/10. 1787/eag_high-lights-2012-en.

② Lauglo, J. Forms of Decentralization and Their Implications for Education [J] . Comparative Education, 1995, 31 (1) : 5-29.

型最适合他们的孩子有能力做出最佳判断。第三，发扬参与式民主，提高社区成员的教育参与度。在地方层面上，除学生、教师和家长外，要让社区成员更多地参与到教育政策的制定和执行过程中，因为他们比专业人士和地方官员具有独特优势，往往会以一种不同的或相对更开放的方式处理地方经验和知识。①

教育系统需要满足社会经济发展和个人的需求，地方层面面临最多的挑战，因为教育政策最终要在地方层面落实，而且也是在这里检验效果好坏或成败。教育政策成功实施的关键因素之一是确保当地的利益相关者，如决策者、学校领导、教师和家长，有足够的知识和能力来应对各种困难和挑战。尽管大家普遍认同这一点，但是教育政策在地方层面或学校层面执行时仍然面临一些意想不到的困难。其中，就学校层面而言，最重要的挑战来自两个方面：一是教师对这些政策的了解和接受程度；二是学校领导是否清楚为了更有效地管理应该收集哪些信息、获取哪些有效反馈，以及如何做到这一点。因此，实现教育有效治理，必须加强教育治理参与主体的能力建设。这里的能力建设主要是帮助地方层面或学校层面的教育治理参与主体获取有助于政策成功实施的“知识”——如何获取信息和使用信息。②

第三节　中国参与全球教育治理

区域化和全球化是当前世界发展的两大趋势。区域化旨在通过划分区域禁区来改善国家和其他组织的生存条件，全球化则是全世界各国依存度不断提高的反映，以大量超越领土司法主权的活动来体现。尽管全球化趋势越来越显著，但一些国家和地区仍在通过区域化加强影响。中国作为新型发展中大国，人口占世界五分之一，参与全球治理的态度及立场对世界未来的发

① Fung，A. &Wright，E. O. Deepening Democracy：Innovations in Empowered Participatory Gover-nance［J］. Politics and Society，2001（29）：5-41.

② Fazekas，M. & Burns，T. Exploring the Complex Interaction Between Governance and Knowledge in Education［EB/OL］.［2019-01-18］. http://dx. doi. org/10. 1787/5k9flcx2l340-en.

展具有重大意义和影响。随着对全球化及其治理认识的深入，中国积极融入区域化和全球化的进程之中，利用自身的特点和优势，主动参与全球治理。在教育领域，中国也通过加入相关国际组织、建立多边关系、参与国际教育对话、参与国际教育评估等方式参与全球教育治理。

一、积极参加国际组织，开展教育对话与交流

（一）积极参与国际教育领域组织及事务

联合国教科文组织是中国在教育领域对外开放、进行国际合作的重要伙伴，中国一直积极参与该组织的各项重要项目和活动。

中国是联合国教科文组织20个创始国之一。1947年，联合国教科文组织中国委员会在南京成立，当年即举办了联合国教科文组织基本教育分区研究会议。1971年，中国恢复在联合国教科文组织的合法席位。20世纪80年代以来，中国与联合国教科文组织、联合国开发计划署、国际成人教育理事会、欧洲成人教育协会、亚洲及南太平洋地区成人教育总会等国际组织机构，以及美国、加拿大、德国、瑞典、日本、韩国、泰国、埃及、印度、蒙古、斯里兰卡等国家建立了广泛的联系与合作。

2014年3月27日，中国国家主席习近平访问教科文组织，会见伊琳娜·博科娃总干事并发表重要演讲，全面阐述对世界文明交流互鉴的看法和主张。中国国家主席习近平的夫人彭丽媛女士接受该组织授予的“促进女童和妇女教育特使”荣誉称号。[①]自此，中国与联合国教科文组织的合作关系达到了历史最好水平。

2017年5月13日，中国与联合国教科文组织签署了《中华人民共和国政府与联合国教育、科学与文化组织合作谅解备忘录（2017—2020）》。这表明中国积极参与实施联合国教科文组织全球教育2030年全球议程，推动世界和平与可持续发展的努力。

2017年9月5日，彭丽媛同金砖国家领导人第九次会晤和新兴市场国家

① 中华人民共和国外交部政策规划司. 中国外交（2015年版）[M]. 北京：世界知识出版社，2015：252.

与发展中国家对话会外方团长夫人共同出席在厦门大学举行的第二届联合国教科文组织女童和妇女教育奖颁奖仪式。[①]

（二）争取国际组织在中国设立教育分支机构

中国在广泛参与国际组织的同时，积极争取国际组织在中国设立教育分支机构，扩大中国参与全球教育治理的话语权、主导权和影响力，为全球教育变革与发展做出自己的贡献。

1994年，联合国教科文组织国际农村教育研究与培训中心在中国河北保定成立，2008年迁至北京师范大学。该中心不断开展国际交流与合作，在落实联合国教科文组织农村教育发展战略，促进“南南合作”和实现有质量的全民教育方面发挥了重要作用。为中国参与全球农村教育治理提供了难得的平台和桥梁。

2015年11月，联合国教科文组织在中国深圳设立联合国教科文组织高等教育创新中心。这是联合国教科文组织在全球第十个二类教育机构，也是在我国设立的第一个高等教育二类机构。

2015年11月，世界上唯一一个以工程教育为主题的联合国教科文组织二类机构——联合国教科文组织国际工程教育中心成立，秘书处设在中国清华大学。[②]

2018年4月，联合国教科文组织联系学校国际中心正式落户海南三亚。

另外，联合国儿童基金会也在中国开设办事处开展相关活动。

综合型、专门型的国际组织教育研究分支机构纷纷在中国安家落户，说明中国教育在全球的地位得到提升与认可，中国参与全球教育治理的能力在进步。这些教育研究机构和办事处的设立不仅有利于中国教育的发展，有利于扩大中国的国际影响力、国际知名度；有利于促进中国及中心驻地的教育对外开放、教育国际化水平；有利于密切中国及中心驻地与联合国教科文组

① 彭丽媛出席联合国教科文组织女童和妇女教育奖颁奖仪式[EB/OL].[2017-10-14]. http://www. moe. edu. cn/s78/A23/moe-880/201709/t20170914-314473. html.

② 联合国教科文组织（UNESCO）国际工程教育中心在京举行[EB/OL].[2018-07-13]. http://news. tsinghua. edu. cn/publish/thunews/9660/2016/20160607191945516285977/20160607191945516285977-. html.

织及其分布在亚洲、非洲和阿拉伯地区的二类教育机构的合作。同时，也有利于中国响应和支持国际社会的发展议程和教育议程，总结和分享中国教育发展的经验与实践，在国际舞台传播中国的教育理念与声音，促进广大发展中国家和欠发达国家全面提升教育质量，实现中国与世界教育事业的共同发展；支持教科文组织的使命与目标并促进中国参与全球教育治理。

二、参与设置全球教育治理议题

（一）参与教育发展相关议题设置

2015年5月23—25日，中华人民共和国教育部与联合国教科文组织合作举办了首届国际教育信息化大会。会议通过了具有里程碑意义的《青岛宣言》，该宣言为所有成员国创新实现高质量学习方式提供了有力的支持，成为指导推动国际教育信息化发展的重要文件。

2015—2017年，中国与联合国教科文组织合作连续举办三届国际教育信息化大会，并发挥中国作用，助力全球教育信息化发展，是推动实现全球教育发展目标，实现中国"走出去"倡议的重要举措。[①]

中国积极参与全球教育议程的协商制定。中国领导人出席2015年9月联合国发展峰会，与世界各国首脑共同见证和通过了具有划时代意义的《2030年可持续发展议程》，提出了"确保包容、公平的优质教育，促进全民享有终身学习机会"的教育目标。

2015年11月，第38届联合国教科文组织大会通过了《教育2030行动框架》。中国代表担任起草委员会主席，并参与全球教育发展规划的起草，体现了中国参与全球教育议程的能力提升。

（二）积极担任国际组织负责人，主导全球教育议程及规则制定

2013年11月5日，在法国巴黎召开的联合国教科文组织第37届大会上，中国教育部副部长郝平当选为新一届大会主席。[②]这是该组织历史上中国代

---

① 黄荣怀，张进宝，经倩霞，等. 面向2030教育发展议程的全球教育信息化发展战略——解读《青岛宣言》教育目标行动框架［J］. 开放教育研究，2016（1）.

② 37th Session of the general Conference[EB/OL]. [2017-10-16]. http://www. unesco, org/new/en/general-conferebce-36th/president/diary/2013.

表首次获选大会主席。

2018年3月29日，联合国教科文组织任命中国驻比利时大使曲星为该组织副总干事。

2018年7月，中国联合国教科文组织全国委员会秘书长杜越成功竞聘为联合国教科文组织非洲部门协调和伙伴关系局局长。

中国人担任国际组织负责人，能够更加有效地参与全球治理，为现有不合理国际规则的调整和修改提供中国意见，同时能把中国经验、中国智慧、优秀传统文化介绍给世界，从而实现中国与国际的融合发展。

三、积极构建终身教育体系

（一）积极构建终身教育体系，推动教育平等、教育公平的实现

终身教育运动是由以联合国教科文组织为首的众多国际组织直接倡导和推动、各国政府积极响应的全球性教育运动。[①]

中国自古就有终身教育的传统。伟大的思想家、教育家孔子就曾说“三人行，必有我师焉。择其善者而从之，其不善者而改之”，近代著名教育家陶行知主张“活到老，干到老，学到老，用到老”，都具有终身学习的思想意识。

1993年，中共中央、国务院印发《中国教育改革和发展纲要》，“终身教育”第一次被写入国家重要教育政策文献，这标志着终身教育开始从理念转变为具体的国家政策。1995年，终身教育被写入《中华人民共和国教育法》。2010年《国家中长期教育改革和发展规划纲要（2010—2020年）》指出，要“发展远程教育和继续教育，建设全民学习、终身学习的学习型社会”。2012年11月，中共十八大报告再次强调要“完善终身教育体系，建设学习型社会”。

在地方层面，各地相继出台终身教育法规，同时开展一系列的全民终身学习活动，在全社会进一步树立了全民学习、终身学习的理念。为终身教育理念在基层的实践提供了参照。

---

① 何齐宗. 现代外国教育理论流派述评［M］. 南昌：江西高校出版社，2006：21.

（二）参与国际通用教育标准的制定

2017年10月18日，习近平在十九大报告中指出，“坚持和平发展道路，推动构建人类命运共同体”“中国秉持共商共建共享的全球治理观”“中国将继续发挥负责任大国作用”“积极参与全球治理体系改革和建设，不断贡献中国智慧和力量”。①随着综合国力的增强，中国将为全球教育治理提供更多的中国智慧和中国方案，更多地参与全球教育标准、规则的制定。

中国分别于1999年、2016年承办了两届国际标准化组织大会。2013年9月20日，中国国家质检总局、国家标准化管理委员会提名的中国标准化专家委员会委员、国际钢铁协会副主席、鞍钢集团公司总经理张晓刚成功当选第36届国际标准化组织主席，这是1947年国际标准化组织成立以来中国人首次担任这一国际组织的最高领导职务。这有利于提升中国在国际标准化制定中的领导地位，提升中国各领域标准化水平，同时也可以发挥中国在全球标准化的战略、规划和政策规则制定等活动中的引领作用。

中国拥有国际标准化组织注册专家近3000人，承担国际标准化组织技术机构71个，提交并立项了国际标准提案474项；中国积极推进标准化国际合作，与34个国家和地区签署了60个双边合作协议。②

未来，中国将对世界教育发展的规则、标准提供更多的中国方案和中国智慧。中共十九大报告提出，要在2049年实现第二个百年奋斗目标，把中国建设成为一个综合国力和国际影响力领先的国家，成为富强民主文明和谐美丽的社会主义现代化强国。③中国教育部部长陈宝生在十九大记者招待会上回答《联合早报》记者提问时说，他心目中2049年的中国教育，将“稳稳地立于世界教育的中心，引领世界教育发展的潮流”，他认为届时中国的标准将成为世界的标准，中国将对世界教育发展的规则有更大的发言权并提供中国方案和中国智慧，中国版的教材及汉语发音的教材能够走向世界。不久的将

---

①③ 习近平.决胜全面建成小康社会　夺取新时代中国特色社会主义伟大胜利——在中国共产党第十九次全国代表大会上的报告（2017年10月18日）[M]．北京：人民出版社，2017.

② 第39届国际标准化组织（ISO）大会在北京召开[EB/OL].[2017-10-18].http://cn.chinadaily. com. cn/2016/09/12/content-26775980. htm.

来，中国将成为世界上人们最向往的留学目的国，各国将有意愿来中国学习交流。从这些表述可以看出，中国教育未来的发展将更多更深入地参与全球教育标准及规则的活动之中，发挥中国的作用及影响力。

四、参与国际教育评估

（一）参与PISA测试，与全球分享中国教育经验

PISA项目测试主要是对15岁学生的知识和技能进行评估。迄今为止，该项目已进行了6次，有70多个经济体的学生代表参与了测试。PISA测试作为目前世界范围内最具权威的国际性测试，组织严密，设计科学，实施严谨，具有很高的信度和效度，是横向比较世界各地基础教育发展状况的权威平台。

2009年，上海学生首次代表中国参加PISA测试，在阅读、数学、科学三项测试中全部获得第一名。2012年，上海学生再次代表中国参加PISA测试，在阅读、数学、科学三项测试中再次名列首位。2015年，北京、上海、江苏、广东四地学生代表中国第三次参加测试，表现稍微逊色一些，名列第十位。2018年，北京、上海、浙江、江苏四地学生代表中国第四次参加测试，在阅读、数学、科学三项测试中，表现优异，重新夺回第一名。

2015年4月8日至10日，中国PISA国家中心派员参加在美国华盛顿举行的PISA2018 国际命题培训会。这为中国更专业地参与国际测试命题提供了机会，同时也可以把中国的教育理念融入测试之中，向世界传达中国的思想文化和智慧。

（二）参与教师教学国际调查，展示中国教师特色

教师教学国际调查是经合组织教育与技能局开展的一项国际性调查项目。该项目主要调查教师的工作和态度，学校领导的角色。通过全面、严谨的调查，提供跨国分析，帮助成员方识别其他成员方面临的类似挑战以及学习他们的政策。教师教学国际调查的研究结果以国际报告、交互式数据库、个别国家说明、专题报告等形式发表。2013年，教师教学国际调查已涵盖了34个国家的500万名教师。2013年，中国上海首次参加教师教学国际调查项目，调查数据显示中国上海在国际比较中的突出表现（见表7-1）。

表 7-1　观察其他教师的课堂并提供反馈的频率表[①]

观察其他教师的课堂并提供反馈的频率	国际平均值（%）	上海（%）	差异（%）
从未有过	39.8	1.0	38.8
每年 1 次或更少	20.9	5.5	15.3
每年 2—4 次	21.0	19.3	1.7
每年 5—10 次	7.9	28.4	-20.4
每月 1—3 次	6.3	34.3	-28.1
每周 1 次或更多	4.1	11.4	-7.3

上表显示出上海教师参与观察其他教师课堂教学的比例远远高于国际平均值。调查还显示，中国上海教师专业发展在专业知识、专业自治、同伴网络方面均高于国际平均水平。当然，调查也显示了中国城乡教师水平差距巨大等问题。中国政府已意识到这一点，并正积极缩小地区差异，上海等大城市正将最好的师资力量派到偏远地区的学校挂职，以提高那些落后地区的教育水平。[②]

五、注重培养和输送全球教育治理人才

人才是参与全球教育治理的关键。培养一大批具备全球视野、中国立场、专业能力的高素质人才是中国参与全球教育治理的基础。近些年，中国向各类国际组织输送了一批国际化人才，在国际组织的许多岗位和关键部门发挥着重要作用。如陈冯富珍担任世界卫生组织总干事、李勇担任联合国工业发展组织第41届理事会总干事、张涛担任国际货币基金组织副总裁、杨少林担任世界银行首任常务副行长兼首席行政官、刘振民担任联合国副秘书长。在教育领域，唐虔任联合国教科文组织教育助理总干事、郝平担任联合

① 王洁，张民选．TALIS教师专业发展评价框架的实践与思考——基于TALIS2013上海调查结果分析［J］．全球教育展望，2016（6）．

② 周洪宇．周洪宇论第三次工业革命［M］．武汉：湖北教育出版社，2014：253．

国教科文组织第37届大会主席、展涛正式掌舵联合国教科文组织教育信息技术研究所等。可见，中国在国际组织中占据着许多重要位置，影响力逐渐增强，在参与全球治理中发挥越来越关键的作用。

（一）通过国际组织与国际人才交流会，输送全球教育治理人才

设立国际人才培养机构。中国在20世纪60年代初期就成立了外交学院，北京大学、复旦大学、中国人民大学以及其他高校也相继开设了国际关系或国际政治相关专业，进入21世纪以来，陆续有50多所院校开设国际关系相关专业，上海外国语大学2007年开设了专门的“国际公务员”班，致力于面向国际组织培养和输送国际化人才。①

设立国际化方向的二级学科学位授权点。作为国内顶尖高校的北京大学，积极响应国家加强全球治理人才队伍建设的号召，服务国家战略需求，将国际组织人才培养列为教学工作的重要议程，全面、系统、深入推进国际组织人才的培养工作，从2017年开始设置国际组织与国际公共政策二级学科硕士学位授权点，并设置国际组织与国际公共政策本科专业方向和双学位。

开展国际教育是培养国际人才的重要途径。北京外国语大学国际教育学院充分发挥学校的专业特长，在国际人才培养方面，采取中外联合培养，开展双语教学，培养硕士博士，服务国家战略。2017年4月，北京外国语大学成立国际组织学院，培养具有宽阔的国际视野与浓厚的中国情怀、通晓国际规则、精通两种以上外语，具有出色的跨文化沟通和实践能力，掌握丰富的国际法、国际政治与国际关系、国际经济与金融专业知识及专业技能，在全球化竞争中善于把握机遇和富有创新、合作精神，能胜任国际组织不同岗位工作的国际化人才；打造国际组织学科建设、人才培养、培训和输送基地，服务国家全球战略和中国企业走出去战略。

可以看出，中国的国际人才培养单位对当前的国际形势把握非常准确，开展比较研究，进行交流互动，培养国际人才，最终为推动中国参与全球教育治理提供动力。因此，这些国际人才培养体系的建构，为中国参与全球教

① 闫温乐，张民选．美国高校国际组织人才培养经验与启示——以美国10所大学国际关系专业硕士课程为例［J］．比较教育研究，2016（10）．

育治理提供了人才储备。

（二）通过与国际组织建立联系、召开国际人才交流会，输送全球教育治理人才

中国人力资源和社会保障部专门设立“国际组织人才信息服务”网站，设置在华国际组织、国际组织人事制度、国际职员风采、岗位空缺信息、考录与培训、鼓励支持大学生赴国际组织实习等专栏，以此加强我国人员对国际组织的认知与了解，为国际组织输送人才搭建桥梁。[①]

国际层面，国际组织也积极在中国进行宣传，招募人才。联合国秘书处发起的联合国人力资源外联项目，主要目的是加强联合国与其会员国在人力资源领域的合作，宣传联合国系统人力资源制度，推介任职机会，提高会员国国际公务员潜在人选的素质能力，帮助他们为今后成功竞聘联合国系统职位做好准备。中国人力资源和社会保障部已与联合国秘书处分别于2014年、2016年、2017年三次举办该项目，联合国开发计划署、联合国人口基金会、联合国儿童基金会、联合国志愿人员组织等机构到中国12所知名大学参加宣介活动。[②]该项目加强了中国年轻人对国际组织的了解，为中国向国际组织输送人才提供了平台。

召开国际人才交流大会，促进教育人才的跨国流动。人才流动是参与全球教育治理的重要方式，中国通过召开国际人才交流大会，搭建中国与世界各国人才交流、输送的立交桥，积极输送中国优秀人才到国际组织任职，为中国参与全球教育治理提供了新途径。大会始于2001年，截至2017年，已召开15届。这些举措增进了中国教育与世界各国、国际专业组织教育领域之间的合作与交流。

此外，中国还积极开展来华留学教育，许多来华留学人员回国后成为所在国家政界、文化界、经济界和教育界的中坚力量。来华留学毕业生中已有数十位先后在本国担任部长级领导职位、驻华大使、驻华使馆参赞，成为

---

① 国际组织人才信息服务[EB/OL].[2017-10-27]. http://www. mohrss. gov. cn/SYrlzyhshbzb/rdzt/gjzzrcfw.

② 2017年联合国人力资源外联项目宣介活动正式启动[EB/OL].[2017-10-27]. http://www. mohrss. gov. cn/SYrlzyhshbzb/rdzt/gjzzrcfw/dtxx/201710/t20171023_279870. html.

各国人民与中国人民友好交流的桥梁。来华留学教育成为中国参与全球教育治理的重要组成部分，为国家及世界教育、政治、经济、文化等交流做出了贡献。

综上所述，中国通过设立国际人才培养机构、与国际组织建立合作关系、召开国际人才交流大会、开展留学教育等机制及方式，积极参与到全球教育治理之中。不过，中国在全球教育领域的参与度仍然不高，据统计，在联合国系统的雇员中，中国籍雇员目前仅占1.12%，列第11位，居菲律宾、印度、俄罗斯等国之后；而中国给联合国缴纳的会费占比为7.921%。由此可见，中国在国际组织工作的人才严重不足，与中国的大国地位和形象极不相称。①中国的话语权还与中国的综合国力不匹配。中国参与全球教育治理仍需要加大国际人才培养的力度，最终实现中国职员的比例与中国的实力相匹配，这也有助于中国更好地为全球教育治理服务，为全球教育发展贡献中国智慧和中国方案。

六、积极开展国际教育援助

（一）通过颁布法规及设立组织机构

国际教育援助是指国际援助方对受援方在教育领域所提供的贷款、无偿赠款及专业技术资源的一种援助形式，以帮助这些国家和地区改善教育，并最终促进生产、经济、卫生和公共福利的改善。②援助形式主要包括投资援助、技术援助、发展援助等。国际教育援助不仅包含了援助双方之间的资金和物资转移，也意味着知识和技术及其他相关教育资源的转移，这对于受援国教育事业的发展起着“种子”“催化”及“示范”作用。③

开展国际教育援助是中国参与全球教育治理的重要内容，是由教育大国

---

① 国家留学基金助力全球治理人才培养[EB/OL].[2018-03-23]. http://mp. wexin. qq. com/s/wuGGL2cgCaaW1w LLjkzzwA.

② 赵玉池，陈时见. 国际教育援助及其对世界教育发展的影响［J］. 比较教育研究，2010（10）.

③ 张鹏. 中国教育援外进程中的孔子学院：历史缘起、参与模式与国际特性［J］. 世界教育信息，2016（11）.

走向教育强国的必由之路，也是展现负责任大国国际形象的重要方式，是增进世界和平，构建人类命运共同体的基石。中国开展国际教育援助主要是通过颁布相关办法及规划，建立相关机构，为国际教育援助确定方向。2011年，中国发表了第一份《中国的对外援助（2011）》白皮书，重申了中国对外援助坚持八项原则，坚持帮助受援国提高自主发展能力；坚持不附带任何政治条件；坚持平等互利、共同发展；坚持量力而行、尽力而为；坚持与时俱进、改革创新。①

中国商务部于2014年11月15日发布了《对外援助管理办法（试行）》，该办法明确了对外援助的内容、对象及目的，从中可以看出受援方涉及发展中国家及其国际组织、区域组织，具有广泛性，援助目的主要是减轻与消除贫困，改善民生等，提升受援方教育水平是改善民生的重点，体现出人文关怀和人道主义精神。

中国政府2016年颁布的《国家教育事业发展"十三五"规划》强调教育援助以人为本，说明中国教育援助重点开始转向，由以前的注重基础设施、设备援助转向注重对人力资源的投入与开发，注重软硬件一体化援助，注重援助的整体性，同时也注重在援助过程中的互动交流，增进与受援国之间的互相理解、信任，为建立双边或多边合作打下基础。

在机构层面，中国整合了资源，提高了对外援助的效率。由国家国际发展合作署负责对外援助，其他部门如商务部、外交部、财政部等协同负责。主要职责是拟订对外援助战略方针、规划、政策，统筹协调援外重大问题并提出建议，推进援外方式改革，编制对外援助方案和计划，确定对外援助项目并监督评估实施情况等。②

（二）开展多种方式对外教育援助

中国对外教育援助包括援建学校、提供教学设备和资料、派遣教师、在华培训发展中国家教师和实习生、为发展中国家来华留学生提供政府奖学金

① 《中国的对外援助》白皮书发布（全文）[EB/OL].[2017-11-29]. http://www. chinanews. com/gn/2011/04-21/2989430. shtml.

② 中国政府网. 中共中央印发《深化党和国家机构改革方案》[EB/OL].[2018-03-22]. http://www. gov. cn/zhengce/2018-03-21/content_5276191. hem#2.

以及为职业技术教育的发展提供资助等。在高等教育领域，中国的政府奖学金、短期培训、学校援建、孔子学院、教师借调以及高校合作等方式在中国对外教育援助合作中扮演着非常重要的角色。这些方式涉及教育硬件设施、技术支持、师资培训等，是人力资源开发的组成部分，可以为发展中国家提供人力资源支持，从而为这些国家的发展奠定基础，体现出中国参与全球教育治理的全面性、广泛性和深度参与性。

2012年3月，中国出资设立联合国教科文组织中非多边教育合作信托基金，加大对非洲基础教育的投入。中国政府与联合国教科文组织签署了一项800万美元的信托基金框架协议，旨在支持8个非洲国家的教育发展，尤其是优质教师教育与培训。基金已帮助非洲刚果（布）、科特迪瓦、刚果（金）、埃塞俄比亚、利比里亚、纳米比亚、坦桑尼亚、乌干达等8个国家开展师资培训，在2017—2018年，多哥和赞比亚作为新的项目国加入。这一项目是中国政府首次通过国际组织实施国际教育援助，表明中国参与全球教育治理理念及能力的提升。

中国对外教育援助的主体主要是政府部门及其主导的各类机构，民间组织、企业、个人等仍较为缺乏，援助的师资力量、教学资源的使用等均存在问题，需要在未来加以重视解决，中国对外教育援助研究队伍也亟待加强。针对这一情况，《2018年政府工作报告》指出，中国与世界各国发展紧密相连、命运休戚与共。我们将始终不渝走和平发展道路，推动构建新型国际关系。积极参与改革完善全球治理，致力于建设开放型世界经济。推进大国协调合作，深化同周边国家睦邻友好和共同发展，加强同发展中国家团结合作，为推动构建人类命运共同体不懈努力。[①]中国将在国际上积极作为，继续积极参与全球治理体系变革和建设，在维护现有国际秩序的基础上，为世界贡献更多的中国智慧、中国方案、中国力量。全球教育治理作为全球治理的重要组成部分，必将在未来得到加强和提升，发挥更为积极和重要的作用，最终推动人类命运共同体的构建及实现。

---

① 李克强.政府工作报告——2018年3月5日在第十三届全国人民代表大会第一次会议上［M］. 北京：人民出版社，2018.

参考文献

中文文献

中文著作

[1] 本书编写组 . 十八大党章修正案学习问答［M］. 北京：党建读物出版社，2012.

[2] 车仁美 . 职业教育工作手册［M］. 北京：中国人事出版社，2000.

[3] 邓小平 . 邓小平论教育［M］. 北京：人民教育出版社，1995.

[4] 邓小平 . 邓小平文选：第二卷［M］. 北京：人民出版社，1994.

[5] 邓小平 . 关于科学和教育工作的几点意见［M］. 北京：教育科学出版社，1992.

[6] 邓小平 . 建设有中国特色社会主义论述专题摘编：新编本［M］. 北京：中央文献出版社，1995.

[7] 范富格特 . 国际高等教育政策比较研究［M］. 王承绪，译 . 杭州：浙江教育出版社，2001.

[8] 方明，谷成久 . 现代大学制度论［M］. 合肥：安徽大学出版社，2007.

[9] 盖伊・彼得斯 . 政府未来的治理模式［M］. 北京：中国人民大学出版社，2001.

[10] 顾明远 . 改革开放 30 年中国教育纪实［M］. 北京：人民出版社，2008.

[11] 国家教育委员会 . 新的里程碑：全国教育工作会议文件汇编［M］. 北京：教育科学出版社，1994.

[12] 国务院 . 国家中长期教育改革和发展规划纲要（2010—2020 年）［M］. 北京：人民出版社，2010.

[13] 何东昌 . 中华人民共和国重要教育文献［M］. 海口：海南出版社，1998.

[14] 胡锦涛 . 坚定不移沿着中国特色社会主义道路前进　为全面建成小康社会而奋斗——在中国共产党第十八次全国代表大会上的报告（2012 年 11 月 8 日）［M］. 北京：人民出版社，2012.

[15] 黄永刚，张健华．杨贤江现代教育理论体系研究［M］．杭州：浙江大学出版社，2015.
[16] 教育部法制办公室．中华人民共和国教育法律法规规章汇编（上）［M］．上海：华东师范大学出版社，2010.
[17] 克里斯蒂纳・阿尔恩特，查尔斯・欧曼．政府治理指标［M］．北京：清华大学出版社，2007.
[18] 李江源，敬仕勇，沈成明．走向自由：教育制度与人的全面发展［M］．成都：四川教育出版社，2011.
[19] 陆雄文．管理学大辞典［M］．上海：上海辞书出版社，2013.
[20] 马克・贝磊．直面影子教育系统：课外辅导与政府政策抉择［M］．丁笑炯，译．巴黎：国际教育规划研究所（IIEP），2012.
[21] 皮埃尔・卡蓝默．破碎的民主——试论治理的革命［M］．高凌瀚，译．北京：生活・读书・新知三联书店，2005.
[22] 让－皮埃尔・戈丹．何谓治理［M］．钟震宇，译．北京：社会科学文献出版社，2010.
[23] 上海市浦东新区社会发展局．中国教育改革前沿报告：浦东新区教育公共治理结构与服务体系研究［M］．上海：上海教育出版社，2009.
[24] 苏君阳．国家中长期教育改革和发展规划纲要（2010—2020 年）教育局长读本［M］．北京：北京师范大学出版社，2010.
[25] 维克托・迈尔－舍恩伯格，肯尼思・库克耶．大数据时代［M］．盛杨燕，周涛，译．杭州：浙江人民出版社，2013.
[26] 邬志辉．当代教育改革实践与反思［M］．长春：东北师范大学出版社，2006.
[27] 徐新民．科技外事风云录（第 2 版）［M］．北京：科学技术文献出版社，2015.
[28] 俞可平．全球化：全球治理［M］．北京：社会科学文献出版社，2003.
[29] 俞可平．治理与善治［M］．北京：社会科学文献出版社，2000.
[30] 袁贵仁．努力办好人民满意的教育［M］．北京：人民出版社，2012.
[31] 袁贵仁．中国教育［M］．北京：北京师范大学出版社，2013.
[32] 约翰・罗尔斯．正义论［M］．何怀宏，译．北京：中国社会科学出版社，1998.
[33] 詹姆斯・N. 罗西瑙．没有政府的治理：世界政治中的秩序与变革［M］．张胜军，刘小林，等，译．南昌：江西人民出版社，2001.
[34] 张凤阳，等．政治哲学关键词［M］．南京：江苏人民出版社，2014.

[35] 中华人民共和国教育部．邓小平教育理论学习纲要［M］．北京：北京师范大学出版社，1998.

[36] 中华人民共和国教育部研究室．中华人民共和国教育法律集［M］．北京：外文出版社，1999.

[37] 周洪宇．智库与治理：周洪宇国是建言［M］．武汉：湖北教育出版社，2016.

[38] 朱小蔓．基础教育阶段现代学校制度的理论与实验研究［M］．北京：教育科学出版社，2008.

[39] 朱旭东，胡艳．中国教育改革 30 年：教师教育卷［M］．北京：北京师范大学出版社，2009.

中文论文

[1] 鲍勃•杰普索．治理的兴起及其失败的风险：以经济发展为例的论述[J]. 国际社会科学，1998（3）.

[2] 常凤亮，李厚祐．我国中小学管理制度的现状和弊端［J］．教学研究，2007（1）.

[3] 陈延军．我国基础教育价值取向的转向、反思与重构［J］．现代教育管理，2014（7）.

[4] 程斯辉，李中伟．从政治教育学到民生教育学——中国共产党领导教育的与时俱进［J］．复旦教育论坛，2011（4）.

[5] 褚宏启，贾继娥．教育治理中的多元主体及其作用互补[J]．教育发展研究，2014（19）.

[6] 褚宏启．教育管理将走向“善治”［N］．现代教育报，2015-04-16.

[7] 褚宏启．教育现代化进程中的教育传统与教育现代性［J］．北京师范大学学报（人文社会科学版），2000（3）.

[8] 褚宏启．教育治理：以共治求善治［J］．教育研究，2014（10）.

[9] 褚宏启．政府与学校的关系重构［J］．教育科学研究，2005（1）.

[10] 褚宏启．自治与共治：教育治理背景下的中小学管理改革[J]. 中小学管理，2014（11）.

[11] 褚宏启．我们需要什么样的现代学校制度［J］．教育研究，2004（12）.

[12] 邓大才．走向善治之路：自治、法治与德治的选择与组合[J]. 社会科学研究，2018（4）.

[13] 邓小平．在全国教育工作会议上的讲话［N］．人民日报，1978-04-22.

[14] 邓云峰．从教育管理走向教育治理［J］．未来教育家，2014（4）.

[15] 杜越．联合国教科文组织与全球教育治理［J］．全球教育展望，2011（5）.

[16] 杜越 . 联合国教科文组织与全球教育治理 [J] . 全球教育展望，2011（5）.
[17] 杜志强，董方 . 农村基础教育发展瓶颈探析 [J] . 教学与管理，2011（25）.
[18] 范国睿，孙闻泽 . 改革开放 40 年教育体制机制改革的历史与逻辑分析 [J] . 教育研究，2018（7）.
[19] 弗朗索瓦·格扎维尔·梅里安 . 治理问题与现代福利国家[J]. 国际社会科学，1998（3）.
[20] 格里·斯托克 . 作为理论的治理：五个论点 [J] . 国际社会科学，1998（3）.
[21] 耿超 . 多元共治：教育行政方式的转变 [J] . 华东师范大学学报（教育科学版），2018（1）.
[22] 顾明远，刘复兴 . 建设惠及全民的公平教育 [J] . 求是，2011（19）.
[23] 郭滇华 . 国家治理视域下的教育治理现代化 [J] . 理论与实践，2018（7）.
[24] 国家教育标准体系研究课题组，等 . 国家教育标准体系的发展与完善 [J] . 教育研究，2015（12）.
[25] 何金辉 . 现代教育治理的核心内涵 [N] . 中国教育报，2017（3）.
[26] 何珊云 . 社会转型与民间教育公益团体的兴起 [J] . 北京大学教育评论，2012（4）.
[27] 何晓芳 . 新自由主义背景下的澳大利亚高等教育管理模式转型[J]. 清华大学教育研究，2012（6）.
[28] 侯天宝，杨军 . 基础教育治理现代化的逻辑、困境及路径[J]. 教学与管理，2018（10）.
[29] 胡锦涛 . 在全国教育工作会议上的讲话 [N] . 人民日报，2010-07-13.
[30] 胡丽娟，严凌燕 . 国际视野下的教育治理创新与发展动态 [J] . 教育发展研究，2015（8）.
[31] 黄惠运 . 习近平“立德树人”教育思想及其指导意义[J]. 教书育人·高教论坛，2015（4）.
[32] 黄志兵 . 现代学校制度建设的“治理”取向与路径——基于宁波教育议事会的思考[J] 教育探索，2016（2）.
[33] “基础教育阶段现代学校制度的理论与实践研究”总课题组 . 关于现代学校制度的含义、特征、体系的初步认识 [J] . 人民教育，2004（17）.
[34] 吉田一弘 . 后 2015 教育的全球治理：现在是时候来重新设计它 [J]. 国际教育政策研究与合作通讯（第 51 期），2014. 12.
[35] 纪雪聪，邵光华 . 我国基础教育研究热点透视与展望：基于人大复印报刊资料《中小学教育》所载论文的内容分析 [J] . 教育理论与实践，2014（1）.

[36] 冀鹏．学习习近平教育公平思想的体会［J］．管理观察，2015（1）．
[37] 江必新．推进国家治理体系和治理能力现代化［N］．光明日报，2013-11-15.
[38] 江忆恩，李韬．简论国际机制对国家行为的影响［J］．世界经济与政治，2002（12）．
[39] 江泽民．国运兴衰系于教育教育振兴全民有责［N］．人民日报，1999-06-16.
[40] 姜美玲．教育公共治理：内涵、特征与模式［J］．全球教育展望，2009（5）．
[41] 卡伦·芒迪．全球治理与教育变革：跨国与国际教育政策过程研究的重要性［J］．申超，译．北京大学教育评论，2011（1）．
[42] 卡罗琳．世界银行与全球教育治理．The World Bank and the global governance of education in a changing world order by Karen Mundya & Antoni Vreger，里瑟琦智库，2015 年 1 月 31 日．
[43] 阚阅，陶阳．向知识银行转型——从教育战略看世界银行的全球教育治理［J］．比较教育研究，2013（4）．
[44] 柯春辉．当前教育的核心任务：公平发展质量提升［J］．中国农村教育，2015（1-2）．
[45] 课题组．从人口大国迈向人力资源强国——中国教育与人力资源问题报告［J］．教育发展研究，2003（3）．
[46] 李江源．论教育制度的若干本质特征［J］．河北师范大学学报（教育科学版），2011（11）．
[47] 李江源．教育传统与教育制度创新［J］．教育理论与实践，2003（6）．
[48] 李亮，祝青江．治理定义下的教育治理引论［J］．人民论坛，2016（14）．
[49] 李涛．教育公共治理若干问题探析［J］．教育发展研究，2009（8）．
[50] 李万钧．关于创新基层社会治理的实践与思考［J］．理论视野，2017（9）．
[51] 李兴洲．反思“建立现代学校制度”［J］．教育学报，2007（4）．
[52] 李云芳，许庆豫．池田大作教育观述论［J］．苏州大学学报（哲学社会科学版），2002（3）．
[53] 李忠华，单维锋．美国高等教育治理体系［N］．教育与职业，2014（12）．
[54] 刘冬冬，张新平．教育治理现代化：科学内涵、价值维度、实践路径［J］．现代教育管理，2017（7）．
[55] 刘复兴．提高质量：教育改革发展的核心任务［J］．求是，2013（12）．
[56] 刘海峰．高考改革中的两难问题［J］．高等教育研究，2000（3）．

[57] 刘训华，周洪宇．新加坡教育治理体系探析［J］．比较教育研究，2016（10）．
[58] 刘雅静．全民共建共享社会治理格局：概念厘清、内生动力与实践进路[J]．理论月刊，2016（11）．
[59] 刘延东．努力办好中国特色开放大学［J］．Open Class Teachers' Version，2012（10）．
[60] 罗伯特・罗茨．新的治理［J］．英国政治学研究，1996（154）．
[61] 马建富．现代职业教育体系构建的制度配置与政策创新［J］．河北师范大学学报（教育科学版），2012（7）．
[62] 马宇．我国素质教育政策的回顾与反思［J］．教学与管理，2011（30）．
[63] 潘希武．教育的公共治理：现代性的境遇及其超越［J］．外国教育研究，2006（2）．
[64] 瞿振元．“一带一路”建设与国家教育新使命［N］．光明日报，2015-08-13.
[65] 莎拉・菲德内尔．全球技能发展治理的碎片化［J］．国际教育政策研究与合作通讯（第51期），2014年12月．
[66] 莎拉・菲德内尔．通过数字进行全球治理？来自地方的观点［J]．国际教育政策研究与合作通讯（第51期），2014年12月．
[67] 石培新．试论构建地方政府与地方高校的伙伴关系［J］．黔南民族师范学院学报，2014（12）．
[68] 石中英．教育机会均等的内涵及其政策意义［J］．北京大学教育评论，2007（4）．
[69] 史静寰，叶之红，胡建华．走向2030：中国高等教育现代化建设之路［J］．中国高教研究，2017（5）．
[70] 孙绵涛，王刚．我国现代学校制度建设的成就、问题与对策[J]．教育研究，2013（11）．
[71] 孙培青．教育改革与优秀教育传统的继承［J］．沈阳师范大学学报（社会科学版），2005（6）．
[72] 孙远太．基础教育协同治理的困境及其突破［J］．教育探索，2016（9）．
[73] 谈松华，黄晓婷．我国教育评价现状与改进建议［J］．中国教育学刊，2012（1）．
[74] 谈松华．管办评分离治理体系中的专业化教育评价［J］．教育督导，2018（8）．
[75] 涂红松．试论教育领域专项治理工作在教育治理体系和治理能力现代化建设中的地位和作用［J］．皖西学院学报，2014（12）．
[76] 汪卫平，郝天聪．非政府组织参与的教育治理创新：内容、主题、特点——基于WISE教育项目奖的文本分析（2009—2016）［J］．教育学术月刊，2017（9）．

[77] 王浦劬．论转变政府职能的若干理论问题［J］．国家行政学院学报，2015（1）．

[78] 王彦笃．加强团队协作　搞好学校管理［J］．文学教育（下），2013（10）．

[79] 王永颜．大数据时代教育治理能力现代化构建与路径选择［J］．电化教育研究，2017（8）．

[80] 王有升．中国教育治理体制的历史演变、现实问题与改革动力探析［J］．华中师范大学学报（人文社会科学版），2016（6）．

[81] 王媛．浅谈我国高等教育管理体制改革［J］．教育教学论坛，2015（39）．

[82] 魏爱德，王燕．以质量为目标的教育改革和规划框架［J］．北京大学教育评论，2013（3）．

[83] 吴光平，陈龙泉．新时代背景下中小学校长负责制的改革深化与发展研究［J］．文化创新比较研究，2018，2（33）．

[84] 吴康宁．政府部门超强控制：制约教育改革深入推进的一个要害性问题［J］．南京师范大学学报（社会科学版），2012（5）．

[85] 习近平．决胜全面建成小康社会夺取新时代中国特色社会主义伟大胜利［N］．人民日报，2017-10-28.

[86] 习近平主席在联合国“教育第一”全球倡议行动一周年纪念活动上发表视频短词［N］．人民日报，2013-09-27.

[87] 萧宗六．校长负责制的提出及内涵［J］．中小学管理，2000（11）．

[88] 谢维和．我国教育管理体制改革的走向及其分析［J］．教育研究，1995（10）．

[89] 徐静．教育治理：经合组织“有话说”［N］．中国教育报，2014-11-12（9）．

[90] 徐艳国．关于教育治理体系和治理能力现代化建设的分析［J］．中国高等教育，2014（9）．

[91] 徐祖胜．试析推进教育民主化［J］．中国教育学刊，2011（11）．

[92] 许杰．教育治理中的学校主体建构［J］．教育科学研究，2015（11）．

[93] 燕国材．教育科学化中国教育改革的正确方向［J］．探索与争鸣，2000（1）．

[94] 杨中超．教育治理：OECD 成员国的经验与启示［J］．外国教育研究，2017（2）．

[95] 杨宗凯．论信息技术与当代教育的深度融合［J］．教育研究，2014（3）．

[96] 尹达．教育治理现代化：理论依据、内涵特点及体系建构[J]. 重庆高教研究，2015(1).

[97] 游政红．新形势下民族地区学校管理现状及其对策［J］．湖南农机，2006（7）．

[98] 于述胜．中国的教育传统与教育创新［J］．华东师范大学学报（教育科学版），2003（3）．
[99] 余承海，程晋宽．高等教育治理模式的国际比较与启示［J］．国家教育行政学院学报，2015（9）．
[100] 俞可平．推进国家治理体系和治理能力现代化［J］．前线，2014（1）．
[101] 俞水，易鑫．如何推进教育治理体系和治理能力现代化［N］．中国教育报，2013-12-05.
[102] 俞宪忠．制度现代化解构［J］．天津社会科学，2002（5）．
[103] 袁贵仁．深化教育领域综合改革加快推进教育治理体系和治理能力现代化［J］．中国高等教育，2014（5）．
[104] 袁贵仁．推进教育事业改革发展的强大思想武器——学习习近平总书记关于教育工作的重要论述［J］．云南教育，2014（5）．
[105] 臧志军．反思与超越——解读中国语境下的治理理论［J］．探索与争鸣，2003（3）．
[106] 曾天山．“九个坚持”揭示新时代中国特色社会主义教育发展规律［N］．中国教育报，2018-09-13.
[107] 曾巍．教育信息化促进教育治理水平提升［J］．教育研究，2017（3）．
[108] 张彩娟，赵敏．我国民办中小学发展的现状与可持续发展——基于国家中长期教育改革与发展规划纲要的思考［J］．学周刊，2011（12）．
[109] 张传燧，周卓莹．论教育传统与教育创新［J］．大学教育科学，2007（3）．
[110] 张建．教育治理体系的现代化：标准、困境及路径［J］．教育发展研究，2014（9）．
[111] 张杰．教育治理视域下教育中介组织的发展失衡现象探析［J］．当代教育科学，2016（22）．
[112] 张力．加快发展继续教育，实现全民学有所教［N］．中国教育报，2010-03-25.
[113] 郑必坚．把握战略机遇促进中国与世界的共同发展［J］．毛泽东邓小平理论研究，2012（12）．
[114] 郑新蓉．现代教育制度的危机和出路［J］．人民论坛，2010（6）．
[115] 治理改革讨论与比较研究国际网络——法国夏尔·雷奥波·马耶人类进步基金会的一项建议［J］．跨文化对话（第17辑）．上海：上海三联书店，2005.
[116] 中共中央关于全面深化改革若干重大问题的决定［N］．人民日报，2013-11-16（1）．

[117] 钟亚利，孙金鑫，孙雪莲．以民主的方式焕发学校的整体活力（二）——褚宏启教授与中小学校长对话教育治理［J］．中小学管理，2015（7）．

[118] 周光礼，马海泉．科教融合与大学现代化——西方大学科研体制化的同质性与差异性［J］．中国高教研究，2013（1）．

[119] 周红云．国际治理评估指标体系述评［J］．经济社会体制比较，2008（6）．

[120] 周洪宇．深度开放推进教育国际化［N］．人民政协报，2011-02-16.

[121] 周洪宇．怎样实现教育公平［J］．教育·校长参考，2015（4）．

[122] 周珣，原春琳．30 年风雨：我们见证的改革和试验［N］．中国青年报，2007-06-27.

中文网页

[1] 杨德广．从国有化办学体制向一主多元的办学体制转变［EB/OL］．2008-01-21．http://pinglun. eastday. com/p/20080121/u1a3362867. html.

[2] 于建福．习近平主席“9. 24 讲话”引发教育界高度关注［EB/OL］．2014-11-07. http://www. jyb. cn/china/gnxw/201411/t20141107_603562. html.

[3] 俞可平．推进国家治理现代化的六大措施［EB/OL］．2016-12-02．http://www. qstheory. cn/zywz/201404/t20140402_336567. htm.

[4] 中共中央办公厅，国务院办公厅．关于深化教育体制机制改革的意见［EB/OL］．2017-09-24．http://www. gov. cn/xinwen/2017-09/24/content_5227267. htm.

[5] 中国共产党第十九届中央委员会第二次全体会议公报［EB/OL］．2018-01-19．http://www. xinhuanet. com/politics/2018-01/19/c_1122286278. htm.

[6] 中华人民共和国教育部．面向 21 世纪教育振兴计划［EB/OL］．1998-12-24．http//www. moe. edu. cn/publicfiles/business/html files/moe/s6986/200407/2487. html.

[7] 中华人民共和国教育部．中国教育改革和发展纲要［EB/OL］．1993-02-13．http://www. moe. edu. cn/jyb_sjzl/moe_177/tnull_2484. html.

[8] 中华人民共和国中央人民政府．中华人民共和国教育法［EB/OL］．1995-03-18．http//www. gov. cn/banshi/2005-05/25/content_918. htm.

外文文献

外文著作

[1] ALTRICHTER H. Educational Governance：Handlungskoordination und Steuerung im Bildungssystem［M］. Wiesbaden，VS Verlag für Sozialwissenschaften，2007，S. 10.

[2] BENZ A. Governance–Regieren in komplexen Regelsystemen，Eine Einführung［M］. Wiesbaden：VS Verlag für Sozialwissenschaften，2010.

[3] BRAUN Hans–Gert. Wie lässt sich gute Regierungsführung fördern?［N］. Neue Zürcher Zeitung，2012–01–06，S. 21.

[4] Commissiondes Communautes Europe ennes. LivreBlanc de la Gouvernance Europeenne［R］. Bruxelles，2001.

[5] MERKI K M. Educational Governance als ForschungsperspektiveKatharina［M］. Wiesbaden：VS Verlag für Sozialwissenschaften，2006，S. 12.

[6] ROSENAU J. N. Governance without Order Change in the World Politic［M］. Cambridge：Cambridge University Press，1992.

[7] SERGIOVANNI T J. Educational Governance and Administration（6th Edition），Pearson/Allyn，2009［M］. 北京：中国人民大学出版社（英文影印版），2011，p. ix.

[8] The Commission on Global Governance. Our Global Neighborhood——The Report of the Commission on Global Governance［M］.Oxford：Oxford University Press，1995. p1.

[9] WILLKE H. Regieren Politische Steuerung komplexer Gesellschaften［M］. Wiesbaden：VS Verlag für Sozialwissenschaften，2014，S. 14.

[10] WIESENTHAL H. Gesellschaftssteuerung und gesellschaftliche Selbststeuerung Eine Einfuhrung［M］. Wiesbaden：VS Verlag für Sozialwissenschaften，2006，S. 25.

外文论文

[1] Berthelsen，D，& Karuppiah，N. Multicultural Education：The Understandings of Preschool Teachers in Singapore［J］.Australasian Journal of Early Childhood，2011，36

（4）.

[2] Fung，A &Wright，E O . Deepening Democracy：Innovations in Empowered Participatory Gover–nance [J] . Politics and Society，2001，29.

[3] Goddard，R D & Hoy，W K . A Multilevel Examination of the Distribution and Effects of Teacher Trust in Students and Parents in Urban Elementary Schools [J] . Elementary School Journal，2001，102（1）.

[4] Lauglo，J. Forms of Decentralization and Their Implications for Education [J] . Comparative Education，1995，31（1）.

外文网页

[1] AERA. Governance in the Education System–international perspectives [EB/OL] . 2016–12–02 . http//www. dipf. de/en/dipf–news/press–information/governance–in–the–education–system–international–perspectives.

[2] Cerna，L.. Trust：What it is and Why it Matters for Governance and Education [EB/OL] . 2019–01–20 . http://dx. doi. org/10. 1787/5jxswcg0t6wl–en.

[3] Education and the Investment Plan [EB/OL] . 2017–09–01. http://ec. europa. eu/education/policy/strategic–framework/investment–plan_en.

[4] ET 2020 Working Groups–Presentation 2016–2018. [EB/OL] . 2016–08–29 . http://ec. europa. eu/education/policy/strategic–framework/expert–groups_en.

[5] European Social Fund. [EB/OL] . 2017–04–08. http://ec. europa. eu/regional_policy/en/funding/social–fund/.

[6] Ministry of Education Singapore. 21ST CENTURY COMPETENCIES [EB/OL] .（2016–01–18）[2019–01–20] . https://www. moe. gov. sg/education/education–system/21st–century–competencies.

[7] Ministry of Education Singapore. Allocation of Places [EB/OL] .（2016–08–12).[2019–01–20] . https//www. moe. gov. sg/admissions/primary–oneregistration/allocation.

[8] Ministry of Education Singapore. Approved Textbook List [EB/OL] .（2016–08–12）[2019–01–20] . https://www. moe . gov . sg / education / syllabuses /approved–textbook–list.

[9] Ministry of Education Singapore. MOE's Addendum to President's Address 2016 [EB/OL] . (2016-01-19) 2019-01-20 . https://www. moe. gov. sg/news/press-releases/moes-addendum-to-president-saddress-2016.

[10] OECD. Education at a Glance 2012 [EB/OL] . 2019-01-18 . http://dx. doi. org/10. 1787/eag_high-lights-2012-en.

[11] Strategic framework–Education & Training 2020. [EB/OL] . 2017-08-28 . http://ec. europa. eu/education/policy/strategic-framework_en.